종교인소득세 길라잡이

종교단체 세무

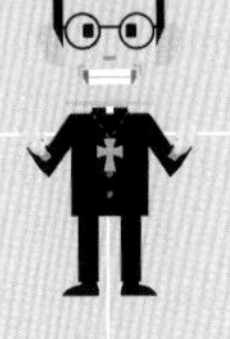

구 재 이 저

SAMIL | 삼일인포마인

개정판 머리말

오랜 사회적 요구에 따라 도입된 종교인과세 제도가 시행유예를 거쳐 다시 종교계와 정부 간 줄다리기 끝에 대폭 바뀌어 시행 첫 해를 넘겼다.

한국의 종교인소득 과세는 다른 영역이나 소득에서 볼 수 없는 특별한 방식의 세제이다. 우선, 소득세를 과세하지만 과세하는 소득의 종류를 납세자가 결정한다. 종교인의 선택에 따라 근로소득도, 기타소득도 될 수 있다. 또 종교인에게 소득을 지급하는 종교단체도 원천징수를 해도 되고 하지 않아도 된다. 게다가 소속 종교인이나 직원이 수백 명이고, 세액이 얼마라도 연 2회만 신고하는 특례도 허용된다. 거기에 그치지 않고 국세청의 세무조사도 먼저 예고나 수정신고 권장을 하지 않으면 할 수 없다. 종교사업의 회계영역을 들여다보는 것은 아예 금지되었다.

이처럼 종교인소득 과세제도는 조세원리보다는 '종교'라는 영역의 특수성이 크게 고려되어 탄생했다. 오랫동안 사회적 논란이 있었고 규모와 소득이 영세한 점을 고려하면 형평성보다는 시행 자체에 의미를 두기도 한다.

하지만 낮은 단계의 세금제도로 미미한 종교인과세제도의 시행에도 종교계 현장은 작지 않은 변화가 뒤따르고 있다. 종교단체는 세금제도와 회계투명성에 대한 관심과 인식이 달라지고, 종교인들도 대외적으로 보고되는 시스템으로 책임성이 높아졌으며, 공식적으로 사회보험과 근로장려금 등 사회안전망으로부터 두텁게 보호받을 수 있게 되었다.

종교인소득 과세제도 입법을 계기로 정부나 종교계에서 아무런 안내서조차 없고, 시행령 등 세부입법사항은 물론 실무적 정비가 완료되지 않은 상태에서 서둘러 책을 내다보니 독자들에게 혼란과 갈증을 주었다.

이에 이번 개정판은 ▲종교인소득 원천징수와 종합소득 확정신고절차, ▲도입초기 확립되지 못했던 사회보험의 적용, ▲ 2018년 귀속분부터 바로 혜택을 받도록 대폭 확대된 근로장려금제 등 관심과 혼란이 많았던 부분을 중심으로 충실하게 보강했다.

아울러 종교단체가 제대로 절세와 리스크관리까지 할 수 있도록 ▲비과세요건이 크게 엄격해진 부동산 양도차익 비과세 받는 법, ▲원천징수 이자소득세 환급 받는 법, ▲부동산 양도소득세 비과세혜택 받는 법, ▲가산세를 부담하지 않는 법, ▲근로장려금 제대로 받는 법 등 핵심사항을 사례를 중심으로 알기 쉽게 정리함으로써 종교단체의 세금교과서 역할을 할 수 있도록 했다.

이 책이 종교단체와 종교인소득 길라잡이로서 첫 책이라는 의미를 넘어, 전문가에게 생소한 영역인 종교단체를 비롯한 비영리법인과 전반적인 과세제도를 제대로 이해하고 문제점을 들여다보는 창이 되기를 바란다. 또한 세법지식과 세무요령이 부족한 수요자인 종교단체와 종교인에게는 회계와 세무 실무수행과 절세대책까지 가능한 든든한 지침서가 되길 기대한다.

2019년 2월

한국납세자권리연구소장 구 재 이

머리말

오랜 동안 끝없는 사회적 논란 끝에 세금의 치외법권 지대였던 종교인에 대한 명시적인 과세제도가 건국 이래 처음으로 입법된 이래 2년만인 2018년부터 본격 시행되었다.

사실 종교인소득 과세제도가 도입되기 전에도 많은 종교단체와 종교인들이 근로소득 원천징수를 통해 종교인소득을 신고 납부를 해왔다. 이상한 일이다. 종교인과세의 근거가 없어서 그간 세금을 못냈고 그래서 이번에 종교인소득 과세제도를 새로이 만들었는데 어떻게 그럴 수 있을까? 만약 어떤 납세자가 누구는 세금내고 누구는 세금을 내지 않았다면 세무관서는 어떻게 했을까? 이제 종교인과세 도입 전에 '바보처럼' 스스로 세금을 냈던 종교인은 환급을 받을 수 있을까? 아무리 종교계가 갖는 위상과 특수성을 고려해도 '맘대로 세무행정'이 낳은 웃지못할 현실이다.

이번에 도입된 종교인 과세방식은 종교인의 특성을 감안하여 '종교인소득'을 신설, 기타소득이나 근로소득으로 선택해 신고납부할 수 있게 했고, 종교활동비를 비과세하고 필요경비 범위를 받는 소득의 80%까지 대폭 늘렸다는 특징이 있다.

그런데 종교인 과세가 본격화된 지금 종교계는 고민이다. 종교인소득이나 근로소득 중에서 무엇으로 신고해야 할지, 아니면 원천징수 없이 종합소득 확정신고로 해야 할지, 그동안 종교단체 회계와 혼재된 종교활동비를 어떻게 설정해야 할지 걱정이 가득하다. 게다가 종교인소득 과세로 원천징수의무자가 된 종교단체는 앞으로 종교인과세를 넘어 세무전반에 대한 의무이행 점검과 세무조사까지 우려하고 있다. 대부분 과세소득이 없는 종교단체지만 세무간섭이 본격화되면 원천징수와 지급명세서, 기부금명세 등 가산세 폭탄사태도 가능하다.

이처럼 대부분 전문성도 없고 업무할 직원도 없이 걱정과 혼란에 빠진 종교단체와 종교인들, 그리고 이제 종교단체도 세무를 지원해주어야 하는 세무사 · 회계사 등 전문가를 위해 '종교단체 세무'를 썼다. 놀랍고도 당연하게도 우리나라에서 종교단체 세무에 관한 책은 이 책이 처음이다. 종교단체에 대한 회계와 세무관리가 사실상 황무지에 가깝게 된 것은 이 황당한 종교단체와 종교인에 대한 조세제도와 세무행정 현실과 맞닿아 있다.

이 책은 우선 당장 급한 종교인소득 과세제도에 관한 해설은 물론 절세와 세무관리 해법을 제시했다. 아울러 앞으로 세무관서의 세원관리 강화와 사회적 투명성 요구에 따라 앞으로 종교단체가 당면한 목적사업 회계, 수익사업과 부가가치세 세무, 공익법인과 기부금 세무, 부동산 세무는 물론 곧 닥칠 노동법과 4대 보험 등 노무관리까지 점검하고 대비할 수 있도록 구성했다. 이를 위해 종교인소득 절세와 세무관리대책 뿐만 아니라 종교단체가 갖춰야할 투명한 회계와 재정시스템, 절세와 세무리스크관리를 위해 꼭 필요한 내용까지 최대한 담았다.

부족하지만 이 책을 통해 종교단체 종교인과 실무자들은 종교인소득 등으로 인한 업무부담과 리스크관리, 앞으로 있을 수 있는 세무조사를 잘 대비하고, 세무사 · 회계사 등 전문가들은 그동안 관심 밖에 있었지만 투명한 회계와 합법적인 세무관리가 현안으로 다가온 종교단체에게 위해 중심이 잘 잡힌 세무전문가로 설 수 있게 되길 기대한다. 우리나라에서 종교단체 세무에 관한 첫 책인 만큼 앞으로 필요한 것은 더 보완해 나갈 것이다. 함께 현장에서 고민하며 교정을 담당한 고영식 · 임은지 세무사에게 고마움을 표한다.

2018년 1월

한국납세자권리연구소장 구 재 이

차 례

I 종교단체 회계와 세무 ······ 9

1. '종교단체'의 법적 성질 / 9
2. 종교법인과 소속 단체 / 26
3. 종교단체의 회계 / 29
4. 종교단체의 세무 / 36

II 종교단체의 수익사업 세무 ······ 53

1. 종교단체 고유목적사업과 수익사업 / 53
2. 종교단체의 기부금 수입 / 65
3. 종교단체의 법인세 / 79
4. 종교단체의 부가가치세 / 82

III 종교단체의 공익법인 세무 ······ 86

1. 종교단체와 공익법인 / 86
2. 종교단체에 대한 조세지원 / 87
3. 공익법인으로서 종교단체의 책임과 의무 / 88

IV 종교단체의 부동산 세무 ······ 94

1. 종교단체와 부동산 / 94
2. 종교단체의 부동산 취득 / 96
3. 종교단체의 부동산 보유 / 105
4. 종교단체의 부동산 매각 / 112

V 종교단체의 종교인소득 세무 ········ 117

1. 종교단체와 종교인소득 / 117
2. 종교인소득 과세제도 / 126
3. 종교인소득 원천징수 절차 / 142
4. 종교인소득 구분기장과 세무조사 / 179
5. 종교인 퇴직소득 / 184
6. 종교관련종사자의 근로장려금·자녀장려금 / 193
7. 종교인소득 핵심절세와 세무관리요령 / 207

VI 종교단체의 노무관리 ········ 216

1. 종교단체의 노무 일반 / 216
2. 종교단체의 노무관리 / 218
3. 종교단체의 사회보험 / 232

(부록 1) 공익법인 회계기준 ········ 249
(부록 2) 종교인소득 간이세액표 ········ 274

Ⅰ 종교단체 회계와 세무

Ⅱ 종교단체의 수익사업 세무

Ⅲ 종교단체의 공익법인 세무

Ⅳ 종교단체의 부동산 세무

Ⅴ 종교단체의 종교인소득 세무

Ⅵ 종교단체의 노무관리

I 종교단체 회계와 세무

1 '종교단체'의 법적 성질

○ 종교단체는 원칙적으로 「민법」 제32조에 따라 주무관청의 허가를 얻어 법인으로 설립하고, 소속 종교단체도 그 법인의 일부로 본다.

○ 종교단체의 회계기준은 따로 제정되어 있지 아니하지만 「공익법인 회계기준」을 적용할 수 있으며, 고유목적사업과 수익사업을 구분하고, 종교활동 등 고유목적사업도 종교단체의 지출과 종교인소득 관련 지출 등에 있어 금융거래를 달리하는 등 구분기장하는 것이 바람직하다.

○ 교회 · 사찰 등 개별 종교단체는 종교의 보급, 기타 교화를 목적으로 허가받은 사단법인, 재단법인의 소속 단체지만, 세법상 '법인으로 보는 단체'로 법인이나 '거주자'인 개인으로 보아 세법을 적용한다.

종교단체의 준거법률 : 민법

○ **법인으로 설립 운영되는 종교단체** : 「민법」(제32조)에서 종교, 자선, 학술, 기예, 사교, 기타 영리 아닌 사업을 목적으로 하는 사단이나 재단의 경우 주무관청의 허가를 얻어 '법인'으로 설립할 수 있습니다. 이 때문에 종교의 보급, 기타 교화를 목적으로 하는 교단 · 종단 등 종교단체는 사단법인 · 재단법인 등 법인의 형태로 운영되고 있습니다.

* 법인(法人): 법률에 의해 자연인(自然人)처럼 권리능력이 인정된 단체로서, 법인에 대하여 정관에서 정한 목적의 범위에서 자연인과 유사한 권리능력, 행위능력이나 불법행위능력 등이 인정됩니다.

○ **종교단체의 법인설립을 위한 허가** : 종교활동 등 영리 아닌 사업을 목적으로 하는 사단이나 재단을 '법인'으로 설립하기 위해서는 법률에서 정한 방법에 따라야만 합니다(민법 §31). 이에 따라 누구든지 자유롭게 법인을 설립할 수 없으며, 법인설립을 위해서는 사전에 주무관청의 허가를 얻도록 강제(민법 §32)하는 엄격한 '허가주의'를 채택하고 있습니다.

* 민법상 '법인'은 일정한 목적을 위해 결합한 사람들의 사업체인 '사단법인(社團法人)'과 일정한 목적을 위해 출연된 재산을 중심으로 한 사업체인 '재단법인(財團法人)'으로 나뉘며, 법률의 규정과 설립등기에 의하여 성립하고 청산등기를 마침으로써 소멸됩니다.

구분	사단법인	재단법인
구성원	일정한 목적을 위해 결합한 '사람'의 집단	일정한 목적을 위해 결합한 출연한 '재산'의 집단
구성요소	사원	출연재산(사원 없음)
의사결정	사원총회	출연자의 의사존중
자율성	사원에 의해 설립, 조직구성, 정관작성과 변경 등 폭넓은 자율성	출연자의 의사존중위해 정관 변경 등의 제약 등 타율적 조직체
영리성	이익분배를 할 수 있는 영리사단법인에도 허용	이익분배가 불가능한 비영리법인만 허용

○ **종교단체의 법인설립허가 기준** : 「민법」은 비영리법인의 설립허가에 관한 구체적인 기준을 따로 정하지 않고 있어서, 실제 비영리법인의 설립을 할 때 주무관청이 설립을 허가할 것인지 여부는 주무관청의 정책적 판단 등 재량에 맡겨져 있습니다.

* 법인의 설립 등에 관한 행정규칙이 각 소관 부처별로 제정되어 있으며, 종교단체의 법인설립과 감독에 관한 규정으로는 「문화체육관광부 및 문화재청 소관 비영리법인의 설립 및 감독에 관한 규칙」이 있습니다.

○ **주무관청의 법인설립허가에 있어서 한계** : 종교단체가 주무관청에 법인설립허가 신청을 하여 주무관청이 법인설립허가를 판단할 때에는 합리성이 확보되어야 하고 재량권을 일탈하거나 남용해서는 안됩니다. 그러므로 주무관청이 종교단체의 설립을 허가할 때는 자유재량으로서의 일정한 한계를 갖습니다(대법원 1996. 9. 10. 선고 95누18437 판결 ; 대법원 2004. 2. 27. 선고 2003두5839 판결 등 참조).

○ **종교단체의 수익사업과 수익분배** : 종교단체가 수익사업을 통해 영리행위를 한 경우에는 종교단체의 목적사업을 위해서만 사용해야 하고 구성원에게 분배할 수 없습니다. 하지만 수익사업을 하는 경우에는 세법상 영리법인과 동일하게 취급됩니다. 만약 「민법」에 따라 설립한 종교단체가 수익사업 등 수익활동을 통해 얻은 수익을 구성원에게 분배하는 경우에는 영리목적의 법인으로 취급되어 상사회사(商事會社)의 규정이 준용됩니다(민법 §39).

관련판례

❒ 종교단체 설립

판결 제목	【인천지법 2016.6.9.선고, 2015구합1377 판결】 법인 설립 불허가 처분 취소
판시 사항	재단법인 설립허가신청에 대한 불허가 처분이 재량권의 일탈 · 남용한 사례
판결 요지	甲이 이슬람교 선교 활동 등을 위한 단체를 설립하고자 관할 시장에게 「민법」 제32조에 따라 乙 재단법인 설립허가 신청을 하였는데, 시장이 '특정종교 밀집으로 인한 주민 불안 및 선교사업으로 인한 지역주민 민원 발생 등 법인 설립으로 지역사회 갈등이 야기될 수 있다'는 이유로 「문화체육관광부 및 문화재청 소관 비영리법인의 설립 및 감독에 관한 규칙」 제4조 제1항 제1호에 따라 설립불허가처분을 한 사안에서,

	乙 법인의 정관과 사업계획서에 나타난 사업은 주로 이슬람종교 선교, 이슬람문화 교육, 홍보 사업인데, 이슬람 종교 선교, 이슬람 문화교육 사업의 경우 이슬람문화권의 외국인들을 우선적으로 선교, 교육의 대상으로 삼고, 예배 및 기도, 교육 기타 친교 시간을 정하여 활동하는 것을 시행 방법으로 하고, 이슬람 문화 홍보 사업은 거리에서 사진 등을 통하여 이슬람 문화에 관하여 홍보를 하는 것으로서 목적이나 방법이 폭력적이거나 지역주민과 갈등을 일으킬 만한 요소가 포함되어 있다고 단정하기 어려운 점 등을 종합하면, 처분사유의 판단 과정에 합리성이 결여되었으므로 위 처분에 재량권을 일탈ㆍ남용한 위법이 있다.
판결 제목	【대법원 1996.9.10.선고, 95누18437 판결】 비영리법인 설립 불허가 처분 취소
판시 사항	비영리법인 설립허가의 성질과 주무관청의 재량의 정도
판결 요지	「민법」은 제31조에서 "법인은 법률의 규정에 의함이 아니면 성립하지 못한다"고 규정해 법인의 자유설립을 부정하고 있고, 제32조에서 "학술, 종교, 자선, 기예, 사교, 기타 영리 아닌 사업을 목적으로 하는 사단 또는 재단은 주무관청의 허가를 얻어 이를 법인으로 할 수 있다"고 규정해 비영리법인의 설립허가에 관한 구체적인 기준이 정해져있지 아니하므로, 비영리법인의 설립을 허가할 것인지 여부는 주무관청의 정책적 판단에 따른 재량에 맡겨져 있다. 따라서 주무관청의 법인설립 불허가처분에 사실의 기초가 결여되었다든지 또는 사회관념상 현저하게 타당성을 잃었다는 등의 사유가 있지 아니하고, 주무관청이 그와 같은 결론에 이르게 된 판단과정에 일응의 합리성이 있음을 부정할 수 없는 경우에는, 다른 특별한 사정이 없는 한 그 불허가처분에 재량권을 일탈ㆍ남용한 위법이 있다고 할 수 없다.
판결 제목	【대법원 2005.6.24. 선고 2005다10388 판결】 주지 해임 무효확인
판결 요지	일반적으로 사설사찰이 아닌 피고 종단에 등록을 마친 사찰은 독자적인 권리능력과 당사자능력을 가진 법인격 없는 사단이나 재단이라 할 것이고(대법원 1996.1.26. 선고 94다45562 판결 참조) 그러한 사찰의 주지는 종교상의 지위와 아울러 비법인사단 또는 단체인 당해사찰의 대표자로서의 지위를 겸유하

	며 사찰 재산의 관리처분권 등을 갖는 것이어서, 그 주지 지위의 확인이나 주지해임무효확인 등을 구하는 것이 구체적인 권리 또는 법률관계와는 무관한 단순한 종교상의 자격에 관한 시비에 불과하다고 볼 수는 없다 할 것이다.
판결 제목	【대법원 1995.9.26. 선고 94다41508 판결】 소유권이전등기 말소
판시 사항	독립된 단체를 이루지 못한 개인사찰이 구「불교재산관리법」에 따라 관할 관청에 특정 종단 소속으로 등록된 경우, 그 종단 소속 사찰로서의 당사자능력 유무
판결 요지	사찰이 이미 독립된 단체를 이루고 있는 경우 구「불교재산관리법」(1987.11.28. 법률 제3974호「전통사찰보존법」에 의해 폐지)에 따른 사찰 및 주지취임 등록처분의 유무에 의하여 그 사찰의 실체가 좌우되는 것이 아니지만, 아직 독립된 단체를 이루지 못하고 있는 경우에는 그 물적시설에 불과한 개인 사찰의 소유자가 그 사찰의 재산을 모두 특정종단에 귀속하기로 하고 주지임면권을 가지는 그 종단으로부터 주지의 임명을 받아 구「불교재산관리법」에 따라 그 종단의 사찰로 등록했다면 그때부터 등록된 종단의 사찰로서 독립한 단체로서 사찰의 실체를 가지고, 그 이후에 그 종단 사찰에 대항해 당시 주지 및 신도의 일부가 임의로 사찰의 암헌을 제정, 공포하고 그 암헌에 따라 주지를 임명하였거나, 또는 위 등록 이후에 구「불교재산관리법」이 폐지되고「전통사찰보존법」이 제정되어 시행되었다고 해도, 이미 독립한 사찰로서 실체를 가지는 위 종단 소속사찰의 법적 성격이 달라지는 것은 아니다.
판결 제목	【대법원 1996.1.26. 선고 94다45562 판결】
판시 사항	종단에 사찰 등록을 마친 일반 사찰의 법적 지위 및 사찰 재산에 대한 점유권의 귀속 주체
판결 요지	사설 사암이나 사설 사찰이 아닌 한국불교 태고종에 등록된 일반적인 사찰은 독자적인 권리능력과 당사자능력을 가진 법인격 없는 사단이나 재단이라 할 것이므로, 그 사찰의 토지 및 건물을 점유하고 있는 자는 사찰 자신이고, 그 주지의 지위에 있는 자가 그 토지와 건물을 점유하는 것은 아니다.
판결 제목	【대법원 1988.3.22. 선고 85다카1489 판결】 소유권이전등기 말소 등
판시 사항	가. 개인사찰이 조계종파 종헌, 종규, 사찰대장 등의 등재나 그

	중앙종단에 불교단체로 등록된 경우 그 종파에 속한 독립된 사찰로 존재하게 되는 것인지 여부 나. 사찰의 권리능력 또는 소송상의 당사자능력의 유무 다. 개인소유 사찰의 처분행위에 「불교재산관리법」상의 허가가 필요한지 여부
판결 요지	가. 개인사찰인 암자가 조계종파 종헌, 종규, 사찰대장 등의 등재나 그 중앙종단에 불교단체로서 등록되었다는 사실만으로는 위 사찰이 위 조계종파에 속한 독립된 사찰로 존재하게 된 것이라고 할 수는 없다. 나. 사찰이 독립된 단체를 이루고 있는 경우에 있어서는 「불교재산관리법」에 따른 사찰 및 주지취임등록처분의 유무에 의하여 그 사찰의 실체가 좌우되는 것이 아니므로 독립된 단체를 이루고 있는 사찰은 그 등록처분의 유무에 불구하고 권리능력 없는 사단 또는 재단으로서의 독립된 권리능력과 소송상의 당사자능력을 가지며 그 단체의 규약에 따라 선정된 대표자가 당해 사찰을 대표한다. 다. 개인소유사찰로 남아 있었을 뿐 그것이 독립된 사찰로 존재해 온 것이 아니었고 또 그 재산이 조계종파의 소유로 귀속된 것도 아니라면 그 재산이 비록 불교목적의 시설을 이루는 것이었다 하더라도 그것이 「불교재산관리법」상의 불교단체가 소유하는 재산이라고 할수 없으므로 그 소유자의 재산처분에 관하여는 불교단체의 재산처분에 관한 법리가 적용될 수가 없다.

종교단체의 준거법률 : 「공익법인의 설립 · 운영에 관한 법률」

○ 「공익법인의 설립 · 운영에 관한 법률」에 따른 '공익법인'의 정의 : 공익법인은 재단법인이나 사단법인 등 비영리법인 중 사회 일반의 이익에 이바지하기 위해 학자금 · 장학금, 연구비의 보조나 지급, 학술, 자선(慈善)에 관한 사업을 목적으로 하는 법인을 말합니다(「공익법인의 설립 · 운영에 관한 법률」 제2조).

* 「공익법인의 설립 · 운영에 관한 법률」상 '공익법인'은 민법상 비영리법인 중 「공익법인의 설립 · 운영에 관한 법률」에서 정한 요건을 갖추어 공익법인으로 설립허가를 받은 법인에 한정됩니다.

공익법인 요건	'공익법인법'에서의 규제
① 사업제한	사업범위가 「공익법인의 설립 · 운영에 관한 법률 시행령」 제2조에서 정한 범위로 제한
② 이사회	설치의무(제6조)
③ 임원	요건 강화(제5조)
④ 임직원 수	주무관청의 승인을 받아 상근 임직원 수를 확정(제5조 제9항)
⑤ 수익사업	주무관청 승인(제4조 제3항)
⑥ 기본재산 처분	주무관청 승인(제11조 제2항)
⑦ 잔여재산	잔여재산의 귀속이 제한(제13조)
⑧ 관리감독권	주무관청의 관리감독권 구체화(제14조 제2항, 제3항)
⑨ 형사 처벌	징역 · 벌금 등의 형사처벌 제재(제19조)

○ '공익법인'의 구체적 범위 : 「민법」 제32조가 정한 비영리법인 중 순수한 학술, 자선 등에 관한 사업을 목적으로 하는 「공익법인의 설립 · 운영에 관한 법률 시행령」 제2조 제1항에 규정한 법인이거나 주로 학술, 자선 등의 사업을 목적으로 하면서 그와 함께 부수적으로 그 이외의 사업을 함께 수행하는 법인을 말합니다(대법원 2010.9.30. 선고 2010다43580 판결 참조).

공익법인의 범위 : 「공익법인의 설립 · 운영에 관한 법률 시행령」 제2조 제1항

'사회일반의 이익에 공여하기 위하여 학자금 · 장학금이나 연구비의 보조나 지급, 학술 · 자선에 관한 사업을 목적으로 하는 법인'의 범위

① 학자금 · 장학금 기타 명칭에 관계없이 학생 등의 장학을 목적으로 금전을 지급하거나 지원하는 사업 · 금전에 갈음한 물건 · 용역 또는 시설을 설치 · 운영 또는 제공하거나 지원하는 사업을 포함한다.

② 연구비 · 연구조성비 · 장려금 기타 명칭에 관계없이 학문 · 과학기술의 연구 · 조사 · 개발 · 보급을 목적으로 금전을 지급하거나 지원하는 사업 · 금전에 갈음한 물건 · 용역 또는 시설을 제공하는 사업을 포함한다.

③ 학문 또는 과학기술의 연구 · 조사 · 개발 · 보급을 목적으로 하는 사업 및 이들 사업을 지원하는 도서관 · 박물관 · 과학관 기타 이와 유사한 시설을 설치 · 운영하는 사업

④ 불행 · 재해 기타 사정으로 자활할 수 없는 자를 돕기 위한 모든 자선사업

⑤ ①~④에 해당하는 사업의 유공자에 대한 시상을 행하는 사업

○ **「공익법인의 설립 · 운영에 관한 법률」은 「민법」의 특별법적 지위** : 「공익법인의 설립 · 운영에 관한 법률」은 「민법」에 특별법(特別法)적 지위를 가져 우선하여 적용됩니다. 하지만 법인 해산 등 별도의 규정을 두고 있지 아니한 사항은 「민법」을 적용해야 합니다.

○ **종교단체는 「공익법인의 설립 · 운영에 관한 법률」상 '공익법인'에서 제외** : 종교단체는 사단법인 · 재단법인이라고 해도 「공익법인의 설립 · 운영에 관한 법률」을 적용받는 '공익법인'의 범주에 포함된다고는 볼 수 없으나, 종교단체의 공익성을 고려할 때 법률의 각 규정은 참고할 필요가 있습니다.

관련판례

❐ 종교법인이 공익법인인가?

판결 제목	【대법원 1978.6.13, 선고, 77도4002, 판결】 업무상 횡령
판시 사항	「공익법인의 설립운영에 관한 법률」 제2조 소정의 '공익법인'에는 종교법인도 포함되는지 여부
판결 요지	○ 「공익법인의 설립 · 운영에 관한 법률」 위반 공소사실에 대한 판단부분에서 이 사건 재단법인 태극도는 그 정관의 규정으로 보아 태극도라고 하는 종교의 전도, 교화, 수도사업을 목적으로 하는 법인으로서 동 종교의 전도, 교화, 수도사업을 위하여 필요한 범위에서 또는 그에 수반하는 구호, 자선 및 사회교육사업을 실시하는 이른바 종교법인에 해당 ○ 「공익법인의 설립운영에 관한 법률」이 규제대상으로 하는 동법 제2조 소정의 공익법인은 「민법」 제32조 소정의 비영리법인 중 순수한 학술, 자선 등 「공익법인의 설립운영에 관한 법률 시행령」 제2조 제1항 각호 소정 사업을 목적으로 하는 법인이거나 주로 위와 같은 학술, 자선 등의 사업을 목적으로 하면서 그와함께 부수적으로 그 이외의 사업을 함께 수행하는 법인만을 말하는 것이고 ○ 종교의 전도, 교화, 수도사업을 목적으로 하면서 그 목적을 달성하기 위하여 부수적으로 구호, 자선 및 교육사업을 하는 이른바 종교법인인 이 사건 재단법인 태극도는 동법 제2조 소정의 공익법인에 해당하지 않는다는 취지로 판단하였는 바 ○ 원심의 위와 같은 판시는 정당하고 거기에 소론과 같은 「공익법인의 설립운영에 관한 법률」 제2조 소정 공익법인에 관한 법리를 오해한 위법이 없다.

종교단체의 준거법률 : 세법(국세기본법, 법인세법, 소득세법, 상속세 및 증여세법)

○ **세법상 종교단체의 구분** : 납세의무를 정하고 있는 세법에서는 종교단체를 ①「민법」 제32조에 따라 설립된 사단법인 · 재단법인, ② 세법상 법인으로 보는 단체(이상은 '법인'), ③ 그 외에는 법인 아닌 '거주자'로 구분해 취급됩니다.

| 세법상 종교단체의 구분취급 |

종교단체 구분		대상 판정	적용법률
법인		「민법」 제32조에 따라 설립된 사단법인 · 재단법인(예: 교단, 종단 등)	법인세법
법인으로 보는 단체	세법상 법인으로 보는 단체	① 주무관청의 허가나 등록된 사단, 재단, 그 밖의 단체로 등기되지 아니하거나 ② 공익을 목적으로 출연된 기본재산이 있는 재단으로서 등기되지 아니한 것으로 수익을 구성원에게 분배하지 아니하는 단체는 세법상 법인으로 본다.	법인세법
	신청에 의해 법인으로 보는 단체	그 밖의 법인 아닌 단체 중 ① 사단, 재단, 조직과 운영에 관한 규정(規程)을 가지고 대표자나 관리인을 선임되고 ② 사단, 재단, 그 밖의 단체 자신의 계산과 명의로 수익과 재산을 독립적으로 소유 · 관리하며 ③ 사단, 재단, 그 밖의 단체의 수익을 구성원에게 분배하지 아니하는 규약을 가지고 ④ 대표자가 세무서장에게 '법인으로 보는 단체'로 신청한 경우 (예: 개별교회, 사찰 등)	법인세법

종교단체 구분	대상 판정	적용법률
거주자 (개인)	법인, 법인으로 보는 단체, 신청에 의해 법인으로 보는 단체 외의 법인격 없는 단체는 거주자(공동사업자 포함)로 취급 (예:개인으로 고유번호 등록하거나 고유번호 없는 종교단체)	소득세법

○ **세법상 '비영리법인'으로 취급되는 종교단체 :** 법인에 관한 납세의무를 정하고 있는 세법(「법인세법」)은 ① 「민법」 제32조에 따라 설립된 법인, ② 「사립학교법」이나 그 밖의 특별법에 따라 설립된 법인으로서 「민법」 제32조에 규정된 목적과 유사한 목적을 가진 법인(조합법인 등이 아닌 법인으로서 그 주주·사원이나 출자자에게 이익을 배당할 수 있는 법인은 제외합니다), ③ 「국세기본법」(§13④)에 따른 '법인으로 보는 단체'는 '비영리법인'으로 취급해 납세의무를 정하고 있습니다(법인세법 §1(2)).

* '비영리법인'에 대한 과세소득의 범위는, ① 수익사업에서 발생하는 '각 사업연도 소득'과 ② 부동산을 양도할 때 양도차익에 대하여 과세하는 '토지 등 양도소득'에 한정됩니다(법인세법 §3①).

○ **신청에 의해 법인으로 보는 단체 :** 법인으로 등기되지 않은 사단, 재단 그 밖의 단체가 '신청에 의해 법인으로 보는 단체'가 되고자 하는 경우에는 종교단체의 대표자가 다음 사항을 입증할 수 있는 서류를 제출하여 관할 세무서장에게 신청하면 신청일부터 10일 이내에 승인 여부를 통지받을 수 있습니다.

① 사단, 재단 등 조직과 운영에 관한 정관, 규약 등 규정(規程)
② 단체의 대표자나 관리인을 선임사실을 입증할 서류
③ 사단, 재단, 그 밖의 단체 자신의 계산과 명의로 수익과 재산을 독립적으로 소유·관리하고 있는 사실을 입증할 서류

④ 사단, 재단, 그 밖의 단체의 수익을 구성원에게 분배하지 아니한다는 내용이 들어있는 정관, 규약

○ **'법인으로 보는 단체'로 승인받은 경우의 의무와 제한** : 승인취소를 받은 경우를 제외하고는 법인으로 보는 단체 신청에 따라 승인받은 날이 속하는 과세기간과 그 과세기간이 끝난 날부터 3년이 되는 날이 속하는 과세기간까지는 「소득세법」에 따른 거주자나 비거주자로 변경할 수 없으며, 국세에 관한 의무를 이행할 책임은 그 대표자가 집니다.

○ **종교단체는 「상속세 및 증여세법」상 '공익법인'에 포함** : 세법(상증세법 §16 ①, 상증세령 §12)상 출연재산에 대해 증여세 과세가액으로 산입하지 않는 '공익법인'은 종교·자선·학술 관련 사업 등 공익성을 고려해 「상속세 및 증여세법 시행령」 제12조 각호에 열거된 공익사업을 영위하는 비영리법인을 말합니다. 여기에는 종교활동을 영위하는 법인, 학교법인, 의료법인, 사회복지법인 등도 포함됩니다.

○ 세법상 '비영리법인'은 납세의무 등 세법상 정책목적을 달성하기 위해 「민법」이나 「공익법인의 설립·운영에 관한 법률」에 따른 사단법인이나 재단법인 등 '공익법인'은 물론 '법인으로 보는 단체'나 '특수법인' 등까지 포괄하고 있습니다.

■ 국세기본법 시행규칙 [별지 제6호 서식] (2018. 3.19. 개정)

법인으로 보는 단체의 승인신청서

(앞쪽)

접수번호	접수일	처리기간 10일

신청단체	명 칭	결성연월일
	소재지	
	전화번호	전자우편주소

대표자 또는 관리인	성 명	주민등록번호
	주소 또는 거소	
	전화번호 (자택) (휴대전화)	전자우편주소

사업내용	고유사업	
	수익사업	

단체의 재산상황

구 분	소재지(발행처)	가액
부 동 산		
유가증권 및 그 밖의 재산		
합 계		

신청인의 위임을 받아 대리인이 신청을 하는 경우 아래 사항을 적어 주시기 바랍니다.

대 리 인 인적사항	성 명	주민등록번호
	주소 또는 거소	
	전화번호 (자택) (휴대전화)	신청인과의 관계

국세청이 제공하는 국세정보 수신동의 여부	[ ] 문자(SMS) 수신에 동의함(선택) [ ] 이메일 수신에 동의함(선택)

「국세기본법」 제13조 제2항 및 같은 법 시행령 제8조 제1항에 따라 위와 같이 신청합니다.

년 월 일

신청인 (서명 또는 인)

위 대리인 (서명 또는 인)

세무서장 귀하

첨부서류	1. 정관 또는 조직과 운영에 관한 규정 1부 2. 대표자 또는 관리인임을 입증할 수 있는 자료	수수료 없 음

210mm×297mm[백상지 80g/㎡(재활용품)]

| 세법상 종교단체의 취급 |

세법	종교단체 관련 취급규정
국세 기본법	1. **'법인으로 보는 단체'** : 법인이 아닌 사단, 재단, 그 밖의 단체 중 ① 주무관청의 허가나 인가를 받아 설립되거나 법령에 따라 주무관청에 등록한 사단, 재단, 그 밖의 단체로서 등기되지 아니한 것 ② 공익을 목적으로 출연(出捐)된 기본재산이 있는 재단으로서 등기되지 아니한 것은 수익을 구성원에게 분배하지 아니하는 것은 법인으로 본다. 2. **'신청에 의해 법인으로 보는 단체'**: 법인으로 보는 사단, 재단, 그 밖의 단체 외의 법인 아닌 단체 중 ① 사단, 재단, 그 밖의 단체의 조직과 운영에 관한 규정(規程)을 가지고 대표자나 관리인을 선임하고 있을 것 ② 사단, 재단, 그 밖의 단체 자신의 계산과 명의로 수익과 재산을 독립적으로 소유·관리할 것 ③ 사단, 재단, 그 밖의 단체의 수익을 구성원에게 분배하지 아니할 것 등의 요건을 모두 갖추고 대표자나 관리인이 관할 세무서장에게 신청하여 승인을 받은 것도 법인으로 본다. 이 경우 해당 사단, 재단, 그 밖의 단체의 계속성과 동질성이 유지되는 것으로 본다.
법인세법	**'비영리내국법인'의 범위** : ①「민법」 제32조에 따라 설립된 법인, ②「사립학교법」이나 그 밖의 특별법에 따라 설립된 법인으로서「민법」 제32조에 규정된 목적과 유사한 목적을 가진 법인[조합법인 등이 아닌 법인으로서 그 주주(株主)·사원이나 출자자(出資者)에게 이익을 배당할 수 있는 법인은 제외한다], ③「국세기본법」 제13조 제4항에 따른 법인으로 보는 단체
소득세법	**법인이 아닌 종교단체의 거주자 취급** :「국세기본법」 제13조 제1항에 따른 법인 아닌 단체 중 법인으로 보는 단체(=법인으로 보는 단체) 외의 법인 아닌 단체는 국내에 주사무소나 사업의 실질적 관리장소를 둔 경우에는 거주자로, 그 밖의 경우에는 비거주자로 본다.

세법	종교단체 관련 취급규정
상속세 및 증여세법	'공익법인등'의 범위 : 종교·자선·학술 관련 사업 등 공익성을 고려하여 정한 다음 사업을 하는 자 ① 종교의 보급, 기타 교화에 현저히 기여하는 사업 ② 「초·중등교육법」 및 「고등교육법」에 의한 학교, 「유아교육법」에 따른 유치원을 설립·경영하는 사업 ③ 「사회복지사업법」에 의한 사회복지법인이 운영하는 사업 ④ 「의료법」에 따른 의료법인이 운영하는 사업 ⑤ 「공익법인의 설립·운영에 관한 법률」의 적용을 받는 공익법인이 운영하는 사업 ⑥ 예술 및 문화에 현저히 기여하는 사업 중 영리를 목적으로 하지 아니하는 사업으로서 관계행정기관의 장의 추천을 받아 기획재정부장관이 지정하는 사업 ⑦ 공중위생 및 환경보호에 현저히 기여하는 사업으로서 영리를 목적으로 하지 아니하는 사업 ⑧ 공원, 기타 공중이 무료로 이용하는 시설을 운영하는 사업 ⑨ 「법인세법 시행령」 제36조 제1항 제1호 각목에 의한 지정기부금단체 등 및 「소득세법 시행령」 제80조 제1항 제5호에 따른 기부금대상민간단체가 운영하는 고유목적사업. 다만 회원의 친목·이익을 증진시키거나 영리목적으로 대가를 수수하는 등 공익성이 있다고 보기 어려운 고유목적사업을 제외한다. ⑩ 사회복지·문화·예술·교육·종교·자선·학술 등 공익목적으로 지출하는 기부금으로서 법인세령[별표 6의 3]에 따른 기부금(법인세령 §36①(2)다목)을 받는 자가 해당 기부금으로 운영하는 사업. 다만, 회원의 친목·이익을 증진시키거나 영리를 목적으로 대가를 수수하는 등 공익성이 있다고 보기 어려운 고유목적사업은 제외한다. ⑪ ①~⑤·⑦ 및 ⑧와 유사한 사업으로서 「법인세법」 제24조 제2항 제4호 나목·마목, 같은 항 제5호부터 제7호까지 및 같은 법 시행규칙 별표 6의 3 제32호에 따른 기부금을 받은 자가 해당 기부금으로 운영하는 사업 외

○ 세법은 '종교단체'에 대해 종교의 보급, 기타 교화 등 공익성을 감안하여 각종 조세를 감면해주고, 종교단체에 금품을 기부한 개인이나 법인은 '지정기부금'으로 세액공제를 받을 수 있습니다.

세법상 '공익법인' 로 취급되는 종교단체의 판단

○ 종교단체가 공익법인 등에 해당하는지 여부는 종교단체가 법인으로 등록했는지 여부와 관계없이 해당 종교단체가 수행하는 정관상 고유목적사업에 따라 판단합니다(국세청재산-274, 2011.6.7.).

○ 등록요건이 미비하여 소속교단에 등록하지 못한 상태이고 종교활동을 수행하기 위한 인적조직이나 물적시설이 없는 경우 공익법인이 아닙니다(감심 2009-197, 2009.10.8.).

○ 출연받은 재산을 고유목적사업 사용시 증여세 과세가액을 불산입하는 공익법인(종교단체)은 주된 사무소가 국내에 소재하는 경우를 말합니다(서울 46014-11530, 2003.10.28.).

○ 「향교재산법」에 따라 설립된 향교재단이 유교의 진흥을 목적으로 운영하는 사업은 공익사업에 해당합니다(재삼 46014-1914,1995.7.25.).

| 법령상 '공익법인'과 '비영리법인' 범위 |

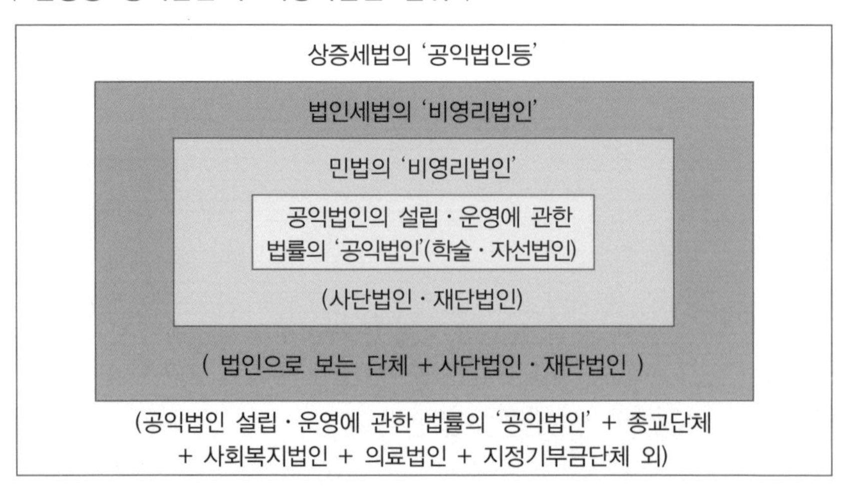

비영리법인의 설립절차와 세무상 취급

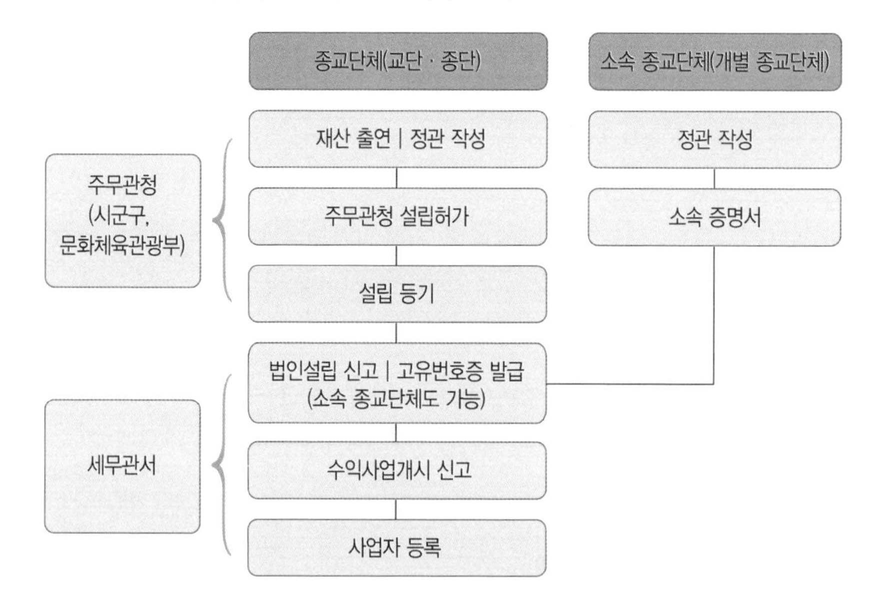

종교단체의 지위

○ **민법** : 사단법인 · 재단법인인 종단(교단)과 산하 소속 단체를 모두 하나의 법인으로 인식합니다.

○ **세법** : 사단법인 · 재단법인인 종단(교단)과 소속 단체가 '법인으로 보는 단체'에 해당하는 경우 각각 '비영리법인'으로 취급합니다.

※ 종교단체 지정기부금의 경우 '종교의 보급, 기타 교화를 목적으로 「민법」 제32조에 따라 문화체육관광부장관이나 지방자치단체의 장의 허가를 받아 설립한 비영리법인(그 소속 단체를 포함합니다)'에 대해 인정함으로써 일반적인 세법상 취급과 달리 민법상 법인만을 인정하고 있습니다. 이에 따라 개별 종교단체의 경우 그 자체로 기부금 공제대상이 되지 않고 주무관청의 허가를 받은 종단 등 소속증명을 받아야 합니다.

2 종교법인과 소속 단체

종교법인과 소속 단체의 관계

○ **개별 종교단체의 법적 성질과 실질** : 종교단체는 형식적으로는 종교의 보급, 기타 교화를 목적으로 하는 사단법인이나 재단법인인 교단과 그 소속단체로 편제되어 있으나, 개별 교회나 사찰 등 소속 종교단체의 대부분은 별도의 규약과 조직을 갖추어 독립적으로 운영되고 있습니다.

* 우리나라의 경우 일본 등 다른 외국처럼 '종교법인' 제도는 없으나, 각 종교단체가 대부분 법인격 없는 단체이면서도 외형적으로 사단·재단법인 등 법인의 소속단체를 표방하는 것은 교단과 종단 등 교리에 따른 단체성 외에도 주무관청의 허가를 얻어 설립된 종교단체에 대하여만 지정기부금을 인정해 주는 세법과 깊은 관련성이 있습니다.

○ **세법상 비영리법인으로서 종교단체 취급** : 세무상 교단(종단)의 경우 사단법인이나 재단법인 등 법인으로, 개별교회나 사찰 등 그 소속단체는 대부분 교단(종단)에 소속된 단체로서 지위로 법인인 교단(종단)의 지점으로 취급되지 않고, 별개로 '법인으로 보는 단체'나 '신청에 의해 법인으로 보는 단체'로 하여 '비영리법인'로 취급됩니다(국기령 §8③).

종교단체의 부동산 등기

○ **개별 종교단체의 부동산등기** : 교단(종단)의 소속 개별 종교단체는 부동산을 취득하여 부동산의 소유권 이전등기를 하는 경우 교단(종단)이나 개별 종교단체의 대표자의 명의로 하지 않더라도 등기관서로부터 '부동산등기용 등록번호'를 부여받아 등기를 할 수 있습니다.

* 부동산등기용 등록번호 : 「부동산등기법」 제48조의 2, 제49조에 의해 법인이 아닌 사단이나 재단의 부동산등기를 위해서 시장, 군수 등 지방자치단체

의 장으로부터 부동산등기용 등록번호를 부여받아 소유권 이전 등 변경등기를 할 수 있습니다.

○ 개별종교단체의 교단명의 명의신탁 등기 : 종교단체의 종교활동에 사용하는 건물과 그 부지를 자신의 명의가 아니라 소속교단 명의로 등기하는 경우 소속교단에 대한 신뢰의 징표 등 취지로써 한 것이므로 조세회피 등의 목적이 없는 한 명의신탁을 허용하고 있습니다.

* 「부동산 실권리자명의 등기에 관한 법률」 제8조(종중, 배우자 및 종교단체에 대한 특례)에서는, 종교단체의 명의로 그 산하 조직이 보유한 부동산에 관한 물권을 등기한 경우로서 조세 포탈, 강제집행의 면탈(免脫)이나 법령상 제한의 회피를 목적으로 하지 아니하는 경우 명의신탁의 무효화, 과징금 부과 및 처벌 등 대상에서 제외하고 있습니다.

관련법령

❐ 종교법인과 소속 단체와의 관계

판결 제목	【대법원 1991.5.28. 선고 90다8558 판결】 소유권이전등기
판시 사항	가. 소속교단의 규약에 탈퇴에 관한 규정이 없는 경우에도 교회가 소속교단을 변경할 수 있는지 여부 나. 교회의 예배당 건물과 그 부지를 소속교단 명의로 등기한 것이 소속교단에 대한 신표 등의 취지로써 한 것으로서 일종의 명의신탁에 해당한다고 본 사례 다. 재단법인의 기본재산에 편입한 명의신탁부동산의 반환을 위한 이전등기를 함에 있어 주무장관의 허가를 요하는지 여부(적극)
판결 요지	가. 소속교단의 규약에 가입과 징계에 관한 규정이 있을 뿐이고, 탈퇴에 관한 규정이 없더라도, 일반적으로 교회는 교인전원의 총의에 의하는 경우 소속교단의 변경이 가능하다. 나. 교회의 예배당건물과 그 부지를 소속교단 명의로 등기한 것이 소속교단에 대한 신표 등의 취지로 한 것으로서 일종의 명의신탁에 해당한다고 본 사례. 다. 재단법인의 기본재산에 관한 사항은 정관의 기재사항으로서 기본재산의 변경은 정관의 변경을 초래하기 때문에 주무장관의 허가를 받아야 하고, 따라서 기존의 기본재산을 처분하는 행위는 물론 새로이 기본재산으로 편입하는 행위도 주무장관의 허가가 있어야 유효하고, 또 일단 주무장관의 허가를 얻어 기본재산에 편입하여 정관 기재사항의 일부가 된 경우에는 비록 그것이 명의신탁관계에 있었던 것이라 하더라도 이것을 처분(반환)하는 것은 정관의 변경을 초래하는 점에 있어서는 다를 바 없으므로 주무장관의 허가 없이 이를 이전등기할 수는 없다.

3 종교단체의 회계

종교단체 회계의 기준

○ **종교단체의 회계 투명성에 관한 사회적 요구** : 종교단체의 고유사업인 종교의 보급, 기타 교화 등과 관련된 예산과 집행은 종교의 자유와 정치적 중립성 등의 차원에서 정치·사회적으로 간섭되어서는 안될 것이지만, 종교단체가 갖는 사회성과 공공성으로 회계투명성에 대한 사회적 요구도 계속 증가하고 있습니다.

○ **종교단체 회계의 기준** : 종교단체도 비영리회계의 일부로서 특수성을 고려하여 통일적으로 이용할 수 있는 별도의 회계기준이나 회계지침이 필요하지만 아직 마련되어 있지 않고, 세법상 회계투명성 보장을 위한 각종 의무사항 준수도 대부분 제외되고 있어 투명성과 감독기능이 매우 부족합니다.

* 미국의 종교단체는 비영리조직 일반에 적용되는 회계기준을 적용하고, 일본은 '종교법인' 제도가 확립되어 별도의 '종교법인 회계기준'을 마련, 시행 중입니다.

○ **종교단체의 회계처리실태** : 종교단체는 종교단체별로 단식회계에 의존하거나 감가상각 등 필요한 회계처리 없이 현금주의로 회계처리하는 경우가 많으며, 작성된 결산서 등 회계서류도 종교단체의 최고 의결기구에 보고하고 승인되어야 하지만 구성원에게 서면 등의 방법으로 공개하지 않는 등 형식적인 결산 절차로 운영되는 것이 일반적입니다.

○ **종교단체의 회계·세무의 자율성과 한계** : 종교의 자유와 예산집행의 자율성은 최대한 보장하되, 종교단체의 예산과 집행은 종교헌금(기부금) 등 조세지원제도와 밀접하게 관련되어 있는 점을 고려하

여 기부금 수입과 지출을 중심으로 종교의 보급, 기타 교화 활동에 실제로 사용했는지 여부를 확인할 수 있도록 세무와 회계투명성을 담보할 수 있는 방안을 교계에서 스스로 적극 강구하는 것이 바람직합니다.

* 한국납세자연맹에 따르면, 2017년 연간 기부금총액은 약 7조원, 기부금세액공제액은 약 1조원되는 것으로 알려졌습니다.

* 2017년 기준 종교단체에 지급한 국고보조금은 총 약 4,613억원으로, 문화재보수정비 약 2,845억원, 문화체육관광부 종무실 약 818억원, 관광진흥개발 약 303억원, 종교인과세 미시행으로 인한 조세지출액 약 647억원으로 발표되었습니다(자료 : 나라살림연구소, 서울경제신문)

○ **종교단체 회계기준의 필요성** : 종교단체의 특수성을 감안한 '종교단체 회계기준'을 제정하거나 회계결산서(재정보고서)를 정부에 신고하거나 외부에 공시하는 방안, 기부금 수입이 일정규모 이상인 종교단체에 대하여는 외부전문가의 세무확인이나 회계감사를 의무화하는 방안 등의 도입을 고려할 수 있을 것입니다.

* 캐나다 등 대부분의 선진외국은 국세청 홈페이지에 개별 종교단체의 재정수입과 종교인 소득을 투명하게 공개하고 있어 우리나라도 향후 이러한 방향으로 나아가게 될 것으로 보입니다.

「공익법인 회계기준」

[부록 1] (기획재정부 고시 제 2017-35호, 2018.1.1.) 참조

○ **「공익법인 회계기준」의 시행** : 공익법인이 2018.1.1. 이후 「상속세 및 증여세법」에 따라 결산서류를 작성하거나 외부감사를 받을 때 준거해야 하는 회계기준으로 제정되었습니다. 부칙 경과규정으로 2018년 직전 회계연도 종료일의 총자산가액의 합계액이 20억원 이하인 공익법인과 기준 시행일(2018.1.1.)부터 2018년 12월 31일까지의 기간 중에 신설되는 공익법인은 2018.1.1. 이후 최초로 개시하는 회

계연도와 그 다음 회계연도에는 단식부기(單式簿記)를 적용할 수 있으며, 필수적 주석(註釋)의 기재(기준 §41) 등을 생략할 수 있습니다.

○ **「공익법인 회계기준」의 제정** : 기획재정부장관은 공익법인에 적용되는 회계기준과 그 밖에 회계제도의 운영과 절차 등에 관하여 필요한 사항을 '공익법인회계기준 심의위원회'의 심의를 거쳐 제정하거나 개정하고 있습니다(상증세법 §43의 4).

○ **「공익법인 회계기준」 적용이 제외되는 공익법인** : 「의료법」에 따른 의료법인이나 「사립학교법」에 따른 학교법인, 「국립대학법인 서울대학교 설립·운영에 관한 법률」에 따른 국립대학법인 서울대학교, 「국립대학법인 인천대학교 설립·운영에 관한 법률」에 따른 국립대학법인 인천대학교는 「공익법인 회계기준」 적용대상에서 제외합니다. 그러므로 세법상 공익법인에 해당하는 모든 종교단체도 원칙적으로 「공인법인 회계기준」을 준수해야 합니다.

* 의료법인이나 학교법인은 '의료기관 회계기준' 등 별도의 회계기준이 있어 이에 따라 결산서류를 작성하여 공시하거나 외부감사 의무를 이행해야 합니다.

【기획재정부 「공익법인 회계기준 심의의원회」】

- **기능** : 공익법인이 회계감사의무 결산서류 등의 공시의무를 이행할 때 적용할 회계 기준을 심의합니다.
- **위원 구성** : 위원회는 기획재정부차관 중 기획재정부장관이 지명하는 사람을 위원장으로 하여 위원장 포함 15인 이내의 위원으로 구성합니다.
- **위원의 자격** : 기획재정부, 국세청 등 관계 부처 3급 공무원이나 고위공무원단에 속하는 일반직 공무원, 회계업무에 관한 학식과 경험이 풍부한 사람으로 위촉하거나 임명합니다.
- **위촉위원의 임기** : 2년

| 「공익법인 회계기준」과 「일반 기업회계기준」 비교 |

구 분	공익법인 회계기준	일반 기업회계기준
회계기준의 목적	「상속세 및 증여세법」상 공익법인의 회계처리 및 재무제표 작성기준 제시	기업회계와 회계감사의 통일성과 객관성을 위해 회계처리 및 보고에 관한 기준 제시
법적근거	「상속세 및 증여세법」 제50조의 4 및 같은 법 시행령 제43조의 4	「주식회사 등의 외부감사에 관한 법률」 제13조 제1항 제2호 및 같은법 시행령 제7조의 3
적용대상	상증법상 결산서류 공시의무 및 외부감사 의무가 있는 공익법인 (의료법인, 학교법인은 제외)	「주식회사 등의 외부감사에 관한 법률」적용대상기업 중 한국채택국제회계기준(K-IFRS)에 따라 회계처리하지 않는 기업
재무제표	① 재무상태표 ② 운영성과표 ③ 주석	① 재무상태표 ② 손익계산서 ③ 현금흐름표 ④ 자본변동표 ⑤ 주석
자본	자본이나 자본금의 개념이 없는 대신 '순자산' 개념 사용	자본개념(자본은 기업실체의 자산에 대한 소유주의 잔여청구권)
순자산 · 자본 구분	① 기본 순자산 ② 보통 순자산 ③ 순자산 조정	① 자본금 ② 자본잉여금 ③ 자본조정 ④ 기타포괄손익누계액 ⑤ 이익잉여금
구분경리	'고유목적사업 부문'과 '수익사업 부문'으로 구분하여 표시	'영리 부문'만 있으므로 구분경리가 요구되지 않음
고유목적 사업준비금	부채 인식	부채로 인식하지 않음
회계정책 결정	「공익법인 회계기준」에서 정하지 않은 사항은 「일반 기업회계기준」 준용	「일반 기업회계기준」에서 정하고 있지 않는 사항은 지침서 준용

공익법인의 회계투명성 제고

○ **공익법인의 회계·세무 투명성 담보장치** : 세법은 공익법인에 대한 세제혜택을 감안해 공익법인의 수입 및 지출의 투명성을 담보하도록 하기 위하여 ① 직접 공익목적사업과 관련한 수입과 지출의 전용계좌 사용, ② 재무상태표 등 결산서류의 국세청 홈페이지 공시, ③ 외부전문가의 세무확인, ④ 외부감사 등 회계·세무 투명성을 확보하는 장치를 두고 있습니다.

의무규정	내 용
외부전문가의 세무확인	• 공익법인은 사업연도별로 출연받은 재산의 공익목적사업 사용여부 등에 관해 2명 이상의 세무사 등을 선임하여 세무확인*을 받아야 합니다. * **세무확인사항** : 출연재산의 공익목적 사용 여부, 상증법상 공익법인 의무사항 이행 여부, 그 밖에 공익목적 사업운영 등에 관해 정한 사항 • 세무확인서는 사업연도 종료일부터 3개월 이내에 관할 세무서장에게 제출하고 관할 세무서장은 일반인이 열람할 수 있도록 공시해야 합니다. ※ 세무확인이 면제되는 공익법인 : ① 사업연도 종료일 현재 대차대조표상 총자산가액(부동산은 상증법에 따른 평가가액이 대차대조표상 가액보다 큰 경우 평가가액)이 5억원 미만인 공익법인 등(다만 수익사업 수입금액과 사업연도에 출연받은 재산가액이 3억원 이상인 공익법인 등은 제외) ② 불특정다수인으로부터 재산을 출연받은 공익법인 등(다만, 출연자 1명과 그의 특수관계인이 출연한 출연재산가액의 합계액이 공익법인 등이 출연받은 총재산가액의 5%에 미달하는 경우로 한정) ③ 국가·지방자치단체가 재산을 출연해 설립한 공익법인 등으로 감사원의 회계검사를 받는 공익법인 등(회계검사를 받는 연도분으로 한정)

의무규정	내 용
회계감사 의무	• 공익법인은 「주식회사 등의 외부감사에 관한 법률」 제3조에 따른 감사인(회계법인, 감사반)에게 회계감사 받을 의무가 있습니다. • 회계감사를 받은 공익법인은 감사보고서를 사업연도 종료일부터 3개월 이내에 관할 세무서장에게 제출하여야 합니다. • 관할 세무서장은 제출받은 감사보고서를 일반인이 열람할 수 있도록 공시하여야 합니다. ※ **회계감사 제외대상 공익법인** : ① 직전연도 종료일의 대차대조표상 총자산가액(부동산은 평가가액이 대차대조표상 가액보다 크면 평가가액)이 100억원 미만인 공익법인, ② 종교의 보급, 기타 교화에 현저히 기여하는 사업, ③ 「초·중등교육법」 및 「고등교육법」에 의한 학교, 「유아교육법」에 따른 유치원을 설립·경영하는 사업
전용계좌 개설·사용 의무	• 공익법인(종교의 보급, 기타 교화에 현저히 기여하는 사업은 제외합니다)은 해당 공익법인의 직접 공익목적사업과 관련하여 받거나 지급하는 수입과 지출의 경우 중 일정한 경우* 직접 공익목적사업용 전용계좌를 사용하여야 합니다. * **전용계좌 사용대상인 일정한 수입과 지출 :** ① 직접 공익목적사업과 관련된 수입과 지출을 금융회사 등을 통하여 결제하거나 결제 받는 경우 ② 기부금, 출연금이나 회비를 받는 경우(현금기부금·출연금 또는 회비를 5일내 전용계좌 입금시 포함) ③ 인건비·임차료를 지급하는 경우 ④ 기부금·장학금·연구비 등 직접 공익목적사업비를 지출하는 경우(100만원 초과시로 한정) ⑤ 수익용·수익사업용 자산의 처분대금, 그 밖의 운용소득을 고유목적사업회계에 전입(현금 등 자금의 이전이 수반되는 경우 한정)하는 경우 • 최초로 공익법인에 해당하게 된 날부터 3개월 이내에 전용계좌를 개설하거나 전용계좌를 변경하거나 추가로 개설할 때도 관할 세무서장에게 신고하여야 합니다.

의무규정	내 용
결산서류 등의 공시의무	• 공익법인은 ① 재무상태표 ② 운영성과표 ③ 기부금 모집 및 지출 내용 ④ 해당 공익법인의 대표자 · 이사 · 출연자 · 소재지 및 목적사업에 관한 사항 ⑤ 주식보유 현황 등 결산서류등을 사업연도 종료일부터 4개월 이내에 국세청의 인터넷 홈페이지에 게재하는 방법으로 공시하여야 합니다. * **결산서류 공시 제외대상 공익법인** : ① 자산 규모, 사업의 특성 등을 고려하여 해당 사업연도의 종료일 현재 재무상태표상 총자산가액(부동산인 경우 평가가액이 재무상태표상의 가액보다 크면 그 평가한 가액)의 합계액이 5억원 미만인 공익법인(다만, 해당 과세기간이나 사업연도의 수입금액과 그 사업연도에 출연 받은 재산가액의 합계액이 3억 원 이상인 공익법인은 제외), ② 종교의 보급, 기타 교화에 현저히 기여하는 사업 • 국세청장은 공익법인이 결산서류 등을 공시하지 아니하거나 그 공시내용에 오류가 있는 경우에는 해당 공익법인에 대하여 1개월 이내의 기간을 정하여 공시하도록 하거나 오류를 시정하도록 요구할 수 있습니다. • 국세청장은 공익법인이 공시한 결산서류 등을 국세청장이 지정하는 공익법인에게 제공할 수 있습니다.

○ **종교단체의 회계 · 세무 투명성 담보장치의 적용 제외** : 종교의 보급, 기타 교화에 현저히 기여하는 종교단체(상증세령 §12(1))는 공익법인의 투명성 제고를 위한 각종 의무조항의 적용을 제외하여 공익법인으로서의 해당 의무를 이행하지 않아도 됩니다.

○ **종교단체의 회계 · 세무 투명성 제고 노력** : 기부금 수입에 대한 과세 제외, '기부금영수증'의 적정 발급 등 조세혜택에 따른 책임 이행에 관한 사회적 요구가 확대되면 각종 회계투명성 제고를 위한 제반 의무가 강제화 될 것으로 전망됩니다. 이에 종교단체는 미리 회계 · 세무 투명성을 높여가는 자체 노력을 기울여야 할 것입니다.

4 종교단체의 세무

○ 종교단체는 종교활동 등 고유목적사업만 영위하는 경우에는 '고유번호'를 발급받고, 수익사업을 하는 경우에는 '사업자등록번호'를 발급받아 기부금영수증 등을 발급하거나 종교인소득 등 원천징수 의무를 이행한다.

○ 종교단체는 수익사업을 영위하지 않는 한 고유목적사업에 대한 장부의 작성 · 비치의무가 없으나, 종교인과세에 따른 세무조사 대상 제외를 위한 구분기장의 필요성에 따라 고유목적사업 지출과 종교인소득 지출을 구분하여 회계처리하는 것이 좋다.

○ 종교단체의 헌금 등 기부금 수령은 공익법인 출연금 과세가액 불산입에 따른 출연재산 사후관리대상에서 제외되며, 기부금영수증 발급에 대한 내부통제를 강화하여 지정기부금 인정에서 제외되는 일이 없도록 허위 기부금영수증 발급에 유의하여야 한다.

종교단체의 고유번호등록

○ **종교단체의 세법상 인식과 적용** : 종교단체는 ① 사단법인 · 재단법인, '법인으로 보는 단체' 에 대하여는 세법상 '법인'으로 취급되어 '법인세법'이, ② 그 외의 법인격 없는 단체는 '거주자'로 보아 '소득세법'이 적용됩니다.

핵심 절세 팁 : 종교단체 고유번호증 제대로 받기

종교단체 고유번호증 발급시 유의사항 : 고유번호증의 가운데 번호가 89인 경우는 거주자(개인)로 취급되어 종교단체가 금융자산에서 원천납부한 이자배당 법인세를 환급받을 수 없고, 고유목적사업에 3년 이상 사용한 경우도 양도소득세가 면제되지 않습니다. 그러므로 종교단체 고유번호는 가급적 82로 하여 비영리법인으로 취급되는 고유번호증을 발급받아야 절세할 수 있습니다.

| 종교단체의 납세의무 |

종교단체 구분	적용법률	소득과세	고유번호	부동산양도 (원칙)
법인	법인세법	법인세 (수익사업)	***－82－*****	법인세 (비과세)
세법상 법인으로 보는 단체	법인세법	법인세 (수익사업)	***－82－*****	법인세 (비과세)
신청에 의해 법인으로 보는 단체	법인세법	법인세 (수익사업)	***－82－*****	법인세 (비과세)
거주자(개인)	소득세법	소득세	***－89－*****	양도소득세 (과세)

○ **종교단체의 고유번호 신청 · 발급** : 수익사업을 하지 않는 종교단체는 '고유번호신청서'를 제출하여 「부가가치세법 시행령」(§12 ②)을 준용한 '고유번호'를 부여받아야 합니다(법인세령 §154; 소득세법 §168 ⑤). 종교단체의 고유번호증은 ① 기부금영수증을 발급하는 경우 ② 금융회사에 종교단체 명의의 금융계좌를 개설하는 경우에 꼭 필요합니다.

* 고유번호증 : 법인세가 과세되지 않는 비영리법인 등 사업자에게 세무행정상 필요에 의해 신청이나 직권으로 교부하는 증표를 말합니다.

* 고유번호증 신청시 필요서류 : 종교단체 정관(규약), 법인설립허가증(소속단체의 경우 교단 증명서), 대표자 선임서류(또는 교단 재직증명서), 임대차계약서(임차인 경우), 토지 · 건축물대장(자가인 경우), 대표자(위임자) 신분증

■ 부가가치세법 시행규칙 [별지 제4호 서식] (2018.3.19 개정)

홈택스(www.hometax.go.kr)에서도 신청할 수 있습니다.

사업자등록 신청서(개인사업자용)
(법인이 아닌 단체의 고유번호 신청서)

※ 사업자등록의 신청 내용은 영구히 관리되며, 납세 성실도를 검증하는 기초자료로 활용됩니다. 아래 해당 사항을 사실대로 작성하시기 바라며, 신청서에 본인이 자필로 서명해 주시기 바랍니다.
※ [ ]에는 해당되는 곳에 √표를 합니다.

(앞쪽)

접수번호		처리기간	3일(보정기간은 불산입)

1. 인적사항

상호(단체명)	연락처	(사업장 전화번호)
성명(대표자)		(주소지 전화번호)
주민등록번호		(휴대 전화번호)
		(FAX 번호)
사업장(단체) 소재지 층 호		

2. 사업장 현황

업 종	주업태		주종목		주생산 요소		주업종 코드	개업일	종업원 수
	부업태		부종목		부생산 요소		부업종 코드		

사이버몰 명칭		사이버몰 도메인	

사업장 구분	자가 면적	타가 면적	사업장을 빌려준 사람 (임 대 인)			임대차 명세		
			성 명 (법인명)	사업자 등록번호	주민(법인) 등록번호	임대차 계약기간	(전세) 보증금	월 세 (차 임)
	㎡	㎡				. . . ~ . . .	원	원

허 가 등 사업 여부	[ ]신고 [ ]등록 [ ]허가 [ ]해당 없음	주류면허	면허번호	면허신청
				[ ]여 [ ]부

개별소비세 해당 여부	[ ]제조 [ ]판매 [ ]입장 [ ]유흥

사업자금 명세 (전세보증금 포함)	자기자금	원	타인자금	원

사업자 단위 과세 적용 신고 여부	[ ]여 [ ]부	간이과세 적용 신고 여부	[ ]여 [ ]부

전자우편주소		국세청이 제공하는 국세정보 수신동의	[ ]문자(SMS) 수신에 동의함(선택) [ ]전자우편 수신에 동의함(선택)

그 밖의 신청사항	확정일자 신청 여부	공동사업자 신청 여부	사업장소 외 송달장소 신청 여부	양도자의 사업자등록번호 (사업양수의 경우에만 해당함)
	[ ]여 [ ]부	[ ]여 [ ]부	[ ]여 [ ]부	

210mm×297mm[백상지 80g/㎡ 또는 중질지 80g/㎡]

3. 사업자등록 신청 및 사업 시 유의사항 (아래 사항을 반드시 읽고 확인하시기 바랍니다)

가. 다른 사람에게 사업자명의를 빌려주는 경우 사업과 관련된 각종 세금이 명의를 빌려준 사람에게 나오게 되어 다음과 같은 불이익이 있을 수 있습니다.
 1) 조세의 회피 및 강제집행의 면탈을 목적으로 자신의 성명을 사용하여 타인에게 사업자등록을 할 것을 허락한 사람은「조세범 처벌법」제11조 제2항에 따라 1년 이하의 징역 또는 1천만원 이하의 벌금에 처해집니다.
 2) 소득이 늘어나 국민연금과 건강보험료를 더 낼 수 있습니다.
 3) 명의를 빌려간 사람이 세금을 못 내게 되면 체납자가 되어 소유재산의 압류 · 공매처분, 체납명세의 금융회사 등 통보, 출국규제 등의 불이익을 받을 수 있습니다.

나. 다른 사람의 명의로 사업자등록을 하고 실제 사업을 하는 것으로 확인되는 경우 다음과 같은 불이익이 있습니다.
 1) 조세의 회피 또는 강제집행의 면탈을 목적으로 타인의 성명을 사용하여 사업자등록을 한 사람은「조세범 처벌법」제11조제1항에 따라 2년 이하의 징역 또는 2천만원 이하의 벌금에 처해집니다.
 2)「부가가치세법」제60조제1항제2호에 따라 사업 개시일부터 실제 사업을 하는 것으로 확인되는 날의 직전일까지의 공급가액에 대하여 100분의 1에 해당하는 금액을 납부세액에 가산하여 납부해야 합니다.
 3)「주민등록법」제37조제10호에 따라 다른 사람의 주민등록번호를 부정하게 사용한 자는 3년 이하의 징역 또는 1천만원 이하의 벌금에 처해집니다.

다. 귀하가 실물거래 없이 세금계산서 또는 계산서를 발급하거나 발급받은 경우 또는 이와 같은 행위를 알선 · 중개한 경우에는「조세범 처벌법」제10조제3항 또는 제4항에 따라 해당 법인 및 대표자 또는 관련인은 3년 이하의 징역이나 공급가액 및 그 부가가치세액의 3배 이하에 상당하는 벌금에 처해집니다.

라. 신용카드 가맹 및 이용은 반드시 사업자 본인 명의로 해야 하며 사업상 결제목적 외의 용도로 신용카드를 이용할 경우「여신전문금융업법」제70조 제2항에 따라 3년 이하의 징역 또는 2천만원 이하의 벌금에 처해집니다.

대리인이 사업자등록신청을 하는 경우에는 아래의 **위임장을 작성하시기 바랍니다.**

위 임 장	본인은 사업자등록 신청과 관련한 모든 사항을 아래의 대리인에게 위임합니다. 본 인: (서명 또는 인)		
대리인 인적사항	성명	주민등록번호	전화번호	신청인과의 관계

위에서 작성한 내용과 실제 사업자 및 사업내용 등이 일치함을 확인하며,「부가가치세법」제8조 제1항, 제61조 제3항, 같은 법 시행령 제11조 제1항 · 제2항, 제109조 제4항, 같은 법 시행규칙 제9조제1항 · 제2항 및「상가건물 임대차보호법」제5조 제2항에 따라 사업자등록 ([ ]일반과세자[ ]간이과세자[ ]면세사업자[ ]그 밖의 단체) 및 확정일자를 신청합니다.

년 월 일

신청인: (서명 또는 인)

위 대리인: (서명 또는 인)

세무서장 귀하

신고인 제출서류	1. 사업허가증 사본, 사업등록증 사본 또는 신고확인증 사본 중 1부(법령에 따라 허가를 받거나 등록 또는 신고를 해야 하는 사업의 경우에만 제출합니다) 2. 임대차계약서 사본(사업장을 임차한 경우에만 제출합니다) 1부 3.「상가건물 임대차보호법」이 적용되는 상가건물의 일부분을 임차한 경우에는 해당 부분의 도면 1부 4. 자금출처명세서(금지금 도 · 소매업, 액체연료 및 관련제품 도매업, 기체연료 및 관련제품 도매업, 차량용 주유소 운영업, 차량용 가스 충전업, 가정용 액체연료 소매업, 가정용 가스연료 소매업, 재생용 재료 수집 및 판매업 및 과세유흥장소에서 영업을 하려는 경우에만 제출합니다) 1부	수수료 없음

유의사항

사업자등록을 신청할 때 다음과 같은 사유에 해당하는 경우 붙임의 서식 부표에 추가로 적습니다.
 ① 공동사업자에 해당하는 경우
 ② 종업원을 1명 이상 고용한 경우
 ③ 사업장 외의 장소에서 서류를 송달받으려는 경우
 ④ 사업자 단위 과세 적용을 신청한 경우(2010년 이후부터 적용)

종교단체의 수익사업신고와 사업자등록

○ **종교단체 수익사업개시 신고** : 고유목적사업만 하던 종교단체가 새로 '수익사업'을 시작한 경우에는 수익사업 개시일부터 2개월 이내에 사업개시일 현재의 그 수익사업과 관련된 재무상태표 등 서류를 첨부한 '수익사업개시신고서'를 납세지 관할 세무서장에게 제출해야 합니다(법인세법 §110).

| 「비영리법인 수익사업개시신고서」의 기재사항 |

1. 법인의 명칭	
2. 본점이나 주사무소나 사업의 실질적 관리장소의 소재지	
3. 대표자의 성명과 경영·관리책임자의 성명	
4. 고유사업의 목적	5. 수익사업의 종류
6. 수익사업개시일	7. 수익사업의 사업장

○ **수익사업의 범위** : 수익사업신고 대상이 되는 '수익사업'은 계속적·사업적으로 발생하는 사업 중 수입으로, 일시적으로 발생하는 것은 수익사업으로 보지 않습니다.

* **수익사업** : 계속적·사업적으로 발생하는 다음의 사업

- 제조업, 건설업, 도매업·소매업, 소비자용품 수리업, 부동산·임대 및 사업서비스업 등의 사업 중 수입이 발생하는 것(「법인세법」 제3조 제3항 제1호)
- 대가(對價)를 얻는 계속적 행위로 인하여 생기는 수입으로서 「소득세법」 제46조 제1항에 따른 채권 등(그 이자소득에 대해 법인세가 비과세되는 것은 제외합니다)을 매도함에 따른 매매익(채권 등의 매각익에서 채권 등의 매각손을 차감한 금액을 말합니다). 다만, 제2조 제1항 제8호에 따른 금융 및 보험 관련 서비스업에 귀속되는 채권 등의 매매익은 제외합니다(「법인세법」 제3조 제3항 제7호).

○ 종교단체가 다른 수익사업은 없이 이자소득만이 있는 경우에는 수익사업 개시신고를 할 의무가 없습니다.

■ 법인세법 시행규칙 [별지 제75호의 4 서식] (2015. 3. 13. 개정)

비영리법인의 수익사업 개시신고서

(사업자등록증 발급 신청서)

접수번호	접수일자	처리기간	3일 (보정기간은 불산입)

신 고 할 내 용

법인명 (단체명)		고유번호		대표자 (관리책임자)	
수익사업의 사업장 소재지	층 호				
본점, 주사무소, 또는 사업의 실질적 관리장소의 소재지	층 호				
전화번호		핸드폰번호			
고유목적사업			수익사업개시일		
사 업 연 도	월 일~ 월 일		.		

수 익 사 업 의 종 류

주 업 태	주 종 목	주업종코드	부 업 태	부 종 목	부업종코드

주 류 면 허			개 별 소 비 세 (해당란에 ○표)				부가가치세 과세사업		인·허가 사업여부			
면 허 번 호	면허신청		제 조	판 매	장 소	유 흥	여	부	신고	등록	인·허가	기타
	여	부										

전자우편주소		국세청이 제공하는 국세정보 수신동의 여부	[ ]동의함 [ ]동의하지않음

납세자의 위임을 받아 대리인이 신고를 하는 경우 아래 사항을 적어 주시기 바랍니다.

대리인 인적사항	성 명		생 년 월 일	
	전화번호		납세자와의 관계	

「법인세법」 제110조에 따라 위와 같이 비영리법인의 수익사업 개시신고서를 제출합니다.

년 월 일

신고인 (서명 또는 인)

세무서장 귀하

첨부서류	1. 고유번호증 2. 수익사업에 관련된 개시 재무상태표 1부. ※ 새롭게 사업장을 설치하고 수익사업 개시신고를 하는 경우에는 사업자등록신청서를 별도로 제출하여야 합니다.	수수료 없 음

210mm×297mm[백상지 80g/㎡ 또는 중질지 80g/㎡]

종교단체의 장부 작성 · 비치의무

- ○ 종교사업에 불특정다수인이 출연하여 출연자별로 출연 받은 재산가액의 산정이 어려운 각 교인들로부터 직접 출연 받은 현금(부동산 · 주식이나 출자지분으로 출연하는 경우를 제외한다)은 「상속세 및 증여세법」상 사후관리대상 출연재산에서 제외된다.
- ○ 종교단체에 헌금하는 출연자 1명과 그와 특수관계인이 헌금한 재산가액이 종교단체가 출연 받은 총재산가액의 5% 이상에 해당되지 않으면 장부 작성 · 비치불이행가산세가 부과되지 아니하고 외부전문가 세무확인 대상에서도 제외된다.
- ○ 종교단체가 수입과 지출에 대한 계산서(「부가가치세법」에 의한 세금계산서를 포함)와 영수증 등에 의하여 출연 받은 재산의 보유 · 운용상태와 수입 · 지출내용의 변동을 빠짐없이 보관하고 있는 경우 「상속세 및 증여세법」에서 정한 장부를 작성 · 비치한 것으로 본다.

○ **출연재산 등에 관한 장부 작성 · 비치의무** : 공익법인은 사업연도별로 출연 받은 재산과 공익사업 운용 내용 등에 대한 장부를 작성하고 장부와 관계있는 중요한 증명서류를 갖춰 두어야 합니다. 이 서류는 해당 공익법인의 사업연도의 종료일부터 10년간 보존하여야 합니다.

○ **수익사업에 관한 장부 작성 · 비치의무** : 공익법인의 수익사업(비영리외국법인의 경우 해당 수익사업 중 국내원천소득이 발생하는 경우만 해당합니다)에 대하여 작성 · 비치된 장부와 중요한 증명서류는 「소득세법」과 「법인세법」에 따라 작성 · 비치된 장부와 중요한 증명서류로 봅니다. 이 때 장부 등에는 마이크로필름, 자기테이프, 디스켓이나 그 밖의 정보보존장치에 저장된 것도 포함됩니다.

* 수익사업 있는 공익법인의 장부 보관 방법(법인세법 시행령 §158④⑤) :
 - 「여신전문금융업법」에 의한 신용카드업자로부터 교부받은 신용카드와 직불카드 등의 월별이용대금명세서, 「여신전문금융업법」에 의한 신용카드업자로부터 전송받아 전사적자원관리시스템에 보관하고 있는 신용카드와 직불카드 등의 거래정보(「국세기본법 시행령」 제65조의 7의 규정에 의한 요건을 충족하는 경우에 한합니다)에 관한 증빙을 보관하고 있는 경우에는 신용카드매출전표를 수취 보관하는 것으로 봅니다.
 - 법인이 현금영수증, 신용카드 매출전표, 국세청장에게 전송된 전자세금계산서, 국세청장에게 전송된 전자계산서 등 지출증명서류를 받은 경우 이를 별도로 보관하지 아니할 수 있습니다.

○ **장부의 작성 방법** : 공익법인이 작성하는 장부는 출연 받은 재산의 보유·운용상태와 수익사업의 수입·지출내용의 변동을 복식부기(複式簿記: 이중으로 기록하여 계산하는 부기) 형식의 장부여야 하고, 중요한 증명서류로는 수혜자에 대한 지급명세도 포함해야 합니다. 만약 장부 없이 이중으로 대차평균하게 기표된 전표와 이에 대한 증명서류, 해당 수입과 지출에 대한 계산서(「부가가치세법」에 의한 세금계산서를 포함합니다)와 영수증 등에 의해 재산의 보유·운용상태와 수입·지출내용의 변동을 빠짐없이 기록·보관하고 있는 경우에는 장부를 작성·비치한 것으로 봅니다(상증세령 §44).

○ **장부의 작성·비치의무 불이행시 가산세 부과** : 장부를 작성·비치하여야 할 공익법인이 그 장부의 작성·비치 의무를 불이행하였을 경우에는 '장부의 작성·비치의무 불이행 가산세'를 납부하여야 합니다.

가산세 = (해당 사업연도의 수입금액* + 해당 사업연도의 출연 받은 재산가액**) × (7/10,000)

* 해당 사업연도의 수입금액 : 장부의 작성·비치의무를 이행하지 아니한 사업연도의 수입금액의 합계액

** 해당 사업연도의 출연 받은 재산가액 : 외부전문가의 세무확인에 대한 보고를 이미 이행한 분으로서 계속 공익목적사업에 직접 사용하는 분을 차감한 것

3○ **장부의 작성 · 비치의무 불이행가산세가 부과제외 대상** : 공익법인의 특성 · 출연 받은 재산의 규모 · 공익목적사업 운용실적 등을 감안하여 다음에 해당하는 공익법인의 경우에는 가산세가 부과되지 않습니다(상증세법 §78 ⑤).

① 장부의 작성 · 비치의무가 있는 사업연도의 종료일 현재 재무상태표상 총자산가액(부동산의 경우 「상속세 및 증여세법」에 따라 평가가액이 재무상태표상의 가액보다 큰 경우에는 그 평가한 가액)의 합계액이 5억원 미만인 공익법인 등. 다만, 총자산가액이 5억 원 미만이라 하더라도 사업연도의 수익사업과 관련된 수입금액과 사업연도에 출연 받은 재산가액의 합계액이 3억 원 이상인 공익법인은 제외됩니다.

② 불특정다수인으로부터 재산을 출연 받은 공익법인 등. 다만, 출연자 1명과 그의 특수관계인(상증세령 §12의 2 ① 각 호)이 출연한 출연재산가액의 합계액이 공익법인이 출연 받은 총재산가액의 5%에 미달하는 경우에 한정됩니다.

③ 국가나 지방자치단체가 재산을 출연하여 설립한 공익법인 등으로서 「감사원법」이나 관련 법령에 따라 감사원의 회계검사를 받는 공익법인 등(회계검사를 받는 연도 분으로 한정됩니다).

관련해석

❒ 공익법인의 장부 작성 · 비치 의무

【서면4팀-2322, 2005.11.24.】 세금계산서와 영수증 등을 빠짐없이 보관하고 있으면 장부를 작성 · 비치한 것으로 간주

수입과 지출에 대한 세금계산서 및 계산서와 영수증 등에 의하여 출연받은 재산의 보유 및 운용상태와 수입 및 지출내용을 빠짐없이 보관하고 있는 경우 장부를 작성 · 비치한 것으로 보는 것임.

【서면 상속증여2017-5, 2017.2.8.】 수익사업을 영위하는 공익법인이 보관해야 하는 중요한 증명서류의 범위와 보관방법

신용카드매출전표, 현금영수증 등은 수익사업을 영위하는 공익법인이 보관해야 하는 중요한 증명서류에 해당하며, 증명서류의 보관방법은 「법인세법 시행령」 제158조 제4항 및 제5항에 따라 보관할 수 있다.

• 질의

(사실관계)

○ △△공익법인은 수익사업을 영위하는 공익법인으로 출연 받은 재산 및 공익사업 운용 내용과 관련된 장부와 중요한 증명서류를 보관하고 있다.

(질의내용)

○ 중요한 증명서류에 현금영수증, 신용카드 매출전표, 전자세금계산서, 전자계산서가 포함되는지 여부

○ 현금영수증 등이 포함된다면 「법인세법 시행령」 제158조 제4항 및 제5항에 따라 지출증명서류를 보관해도 되는지 여부

• 회신

수익사업을 영위하는 공익법인이 「법인세법」 제112조 단서에 따라 작성·비치하여야 하는 장부와 중요한 증명서류는 상속세 및 증여세법 제51조 제1호에 따라 작성·비치하여야 하는 장부와 중요한 증명서류로 보는 것이며, 이 경우 보관방법은 「법인세법 시행령」 제158조 제4항 및 제5항에 따라 보관할 수 있다.

【서면4팀-2322, 2005.11.24.】 공익법인 등이 출연받은 재산의 사후관리

종교사업에 불특정다수인이 출연하여 출연자별로 출연 받은 재산가액의 산정이 어려운 헌금의 경우에는 사후관리대상 출연재산에서 제외하는 것이며, 이 경우 "헌금"이란 종교단체가 각각 교인들로부터 직접 출연 받은 금전을 말하는 것임.

• 질의

○ 「국세기본법」상 '법인으로 보는 단체'인 본 교회는 종교의 보급 등 종교를 목적으로 예배, 교육, 선교, 봉사, 구제, 친교를 실행하

고 있음.

○ 그리고 하나님께 영광을 돌리고 은혜 받고 기쁨으로 소중한 헌금을 드리고 그 헌금이 재정적인 기초가 되어 교회를 운영케 하고 있으며, 헌금에는 십일조, 주일, 헌금, 감사헌금, 절기헌금, 구제헌금, 선교헌금, 특별헌금 등이 있음.

- 교인들이 대가를 수반하지 않고 교회에 지출하는 헌금은 「상속세 및 증여세법」상 '출연재산'에 해당하는지 여부?
- 헌금이 출연재산에 해당된다면, 「상속세 및 증여세법」 제48조 제2항 제1호 및 같은법 시행령 제38조에 따라 출연 받은 날로부터 3년 내에 전부 직접 공익목적사업 등에 사용하여야 하는지 여부?
- 「국세기본법」 제13조의 규정에 의하여 '법인으로 보는 단체' 승인을 받은 개별 종교단체인 교회에 헌금을 지출하는 교인 개개인이 '출연자'에 해당되는지 여부
- 「상속세 및 증여세법」 제48조 제2항 각호 외 및 같은법 시행령 제43조 제2항 제2호의 규정에서 '불특정다수인'이라 함은 교회에 헌금을 지출하는 교인 개개인을 포함하여 말하는 것인지 여부?
- 「법인세법」 제3조 제2항 제2호에서 규정한 은행예금 이자수익만 있는 교회에 해당될 경우 장부를 비치·기장을 하지 않고 그 증빙서류만 비치·보존하여도 「상속세 및 증여세법」 제51조의 규정을 적용할 때 문제가 없는지 여부?

• 회신

1. 종교사업에 불특정다수인이 출연하여 출연자별로 출연받은 재산가액의 산정이 어려운 헌금(부동산·주식이나 출자지분으로 출연하는 경우를 제외한다)의 경우에는 「상속세 및 증여세법」 제48조 제2항 단서 및 같은법 시행령 제38조 제1항의 규정에 의하여 사후관리 대상 출연재산에서 제외하는 것이며, 이 경우 "헌금"이란 종교단체가 각각 교인들로부터 직접 출연 받은 금전을 말하는 것이다.
2. 출연자 1인 및 그와 「상속세 및 증여세법 시행령」 제26조 제4항에

규정된 특수관계에 있는 자가 출연한 재산가액의 합계액이 종교단체가 출연받은 총재산가액의 100분의 5 이상에 해당되지 아니하는 경우 같은 법 제50조의 규정에 의한 외부전문가의 세무확인을 받지 아니하여도 되는 것이며, 이 경우 출연자 1인 및 그와 특수관계에 있는 자는 종교단체에 헌금 등 재산을 출연한 사람을 말하는 것이다.

3. 「상속세 및 증여세법」 제51조 제1항 및 같은 법 시행령 제44조 제1항의 규정에 적용함에 있어 당해 수입과 지출에 대한 계산서(「부가가치세법」에 의한 세금계산서를 포함한다)와 영수증 등에 의하여 출연 받은 재산의 보유 및 운용상태와 수입 및 지출내용의 변동을 빠짐없이 보관하고 있는 경우에는 「상속세 및 증여세법 시행령」 제44조 제2항 제2호의 규정에 의하여 장부를 작성・비치한 것으로 보는 것이다.

종교단체에 대한 조세지원제도

○ 종교의 보급, 교화를 목적으로 하는 종교단체에 대하여는 세제상 조세감면 등 다양한 조세지원제도를 두고 있습니다.

구분	조세지원제도	내용	비고
국세	출연재산의 상속세 과세가액 불산입	피상속인이나 상속인이 종교단체에 상속세 과세표준 신고기한 내에 출연한 재산의 가액은 상속세 과세가액에 산입하지 아니한다.	상증세법 §16
	출연재산의 증여세과세가액 불산입	종교단체가 출연받은 재산의 가액은 증여세 과세가액에 산입하지 아니한다.	상증세법 §48
	고유목적사업 사용한 부동산 양도차익	수익사업을 영위하지 아니하는 종교단체는 부동산 등 양도소득을 법인세로 신고・납부할 수 있으며, 3년	법인세법 §62의 2, §3③(5),

구분	조세지원제도	내용	비고
국세	비과세	이상 계속하여 해당 고유목적사업에 직접 사용한 고정자산 처분에 따른 양도차익을 비과세한다.	법인세령 §2②
	고유목적사업 준비금 손금산입	종교단체(법인으로 보는 소속 단체 포함)가 고유목적사업이나 지정기부금에 지출하기 위하여 고유목적사업 준비금을 손금으로 계상한 경우에는 일정한 범위에서 소득금액 계산상 손금에 산입한다.	법인세법 §29, §61
	이자소득세 법인세 환급	종교단체(그 소속단체를 포함)의 이자소득은 과세표준 및 세액의 신고를 하지 않을 수 있으며, 이자소득만 있는 종교법인은 고유목적사업 준비금을 설정하고 법인세 과세표준을 신고하여 원천징수된 이자소득세를 환급받을 수 있다.	법인세법 §62
	공익법인에 대한 부가가치세 면세	종교·자선·학술·구호 그 밖의 공익을 목적으로 하는 공익법인, 즉 종교단체가 공급하는 일정한 재화나 용역과 일정한 재화의 수입은 부가가치세를 면제한다.	부가세법 §26①(18)
	종교의식 물건의 압류금지	종교단체가 소장하고 있는 상품 또는 골동품이 아닌 제사·예배에 필요한 제구 등은 압류할 수 없다.	국세징수법 §31, 지방세징수법 §40
	명의신탁된 개별 종교단체의 종합부동산세 신고	개별 종교단체가 소유한 주택이나 토지를 개별단체가 속하는 종교단체(향교재단 포함) 명의로 조세포탈 목적없이 등기한 경우 실제 소유한 개별단체를 과세기준일 현재 각각 주택분과 토지분 재산세 납세의무자로 보아 개별단체가 종합부동산세를 신고할 수 있다.	조특법 §104의 13

구분	조세지원제도	내용	비고
지방세	종교단체 부동산 취득세 면제	종교단체가 종교행위를 목적으로 하는 사업에 직접 사용하기 위하여 취득하는 부동산에 대한 취득세를 면제한다.	지방세특례제한법 §50①
	재산세 면제	종교단체가 과세기준일 현재 해당 사업에 직접 사용(종교단체가 제3자의 부동산을 무상으로 해당 사업에 사용하는 경우 포함)하는 부동산(일정한 건축물의 부속토지 포함)에 대해서는 재산세를 면제한다.	지방세특례제한법 §50②
		사찰림(寺刹林)과 「전통사찰의보존 및 지원에 관한 법률」 제2조 제1호에 따른 전통사찰이 소유하고 있는 경우로서 전통사찰보존지에 대해 재산세를 면제한다.	지방세특례제한법 §50⑥
	지역자원개발세 면제	종교단체가 과세기준일 현재 해당 사업에 직접 사용(종교단체가 제3자의 부동산을 무상으로 해당 사업에 사용하는 경우 포함)하는 부동산(일정한 건축물의 부속토지 포함)에 대한 지역자원개발세를 면제한다.	지방세특례제한법 §50②
	등록면허세 면제	종교단체가 그 사업에 직접 사용하기 위한 면허에 대하여 등록면허세를 면제한다.	지방세특례제한법 §50③
	주민세 재산분 및 종업원분 면제	종교단체에 대한 주민세 재산분과 종업원분을 각각 면제한다.	지방세특례제한법 §50③
	주민세 균등분 면제	종교의식을 행하는 교회·성당·사찰·불당·향교 등에 대해서는 주민세 균등분을 면제한다.	지방세특례제한법 §50⑥

구분	조세지원제도	내용	비고
지방세	지역자원시설세 면제	종교단체에 생산된 전력 등을 무료로 제공하는 경우 그 부분에 대해 지역자원시설세를 면제한다.	지방세특례제한법 §50④
	종교인소득 지방소득세 비과세	「소득세법」·「법인세법」·「조세특례제한법」에 따라 종교인소득 비과세시 지방소득세도 비과세한다.	지방세법 §90
	유치원, 어린이집용 부동산에 대한 취득세·재산세 면제	유치원, 어린이집에 사용하는 부동산으로서 해당 부동산의 소유자가 종교단체이면서 사용자가 해당 종교단체의 대표자이거나 종교법인인 경우의 해당 부동산은 취득세와 재산세를 면제한다.	지방세특례제한법 §19②, 영 §8의 3
	종교단체의 노인복지시설 취득세·재산세 감면	종교단체의 무료 노인복지시설용 부동산은 취득세를 면제하고, 과세기준일 현재 노인복지시설에 직접 사용(종교단체는 소유자가 아닌 대표자나 종교법인이 해당 부동산을 노인복지시설로 사용하는 경우 포함)하는 부동산은 재산세를 50% 경감, 기타 노인복지시설은 취득세 25%, 재산세 25%를 경감한다.	지방세특례제한법 §20
	종교재단이 개설한 의료기관용 부동산 취득세·재산세 경감	재단법인인 종교단체가 「의료법」에 따른 의료기관 개설을 통하여 의료업에 직접 사용할 목적용 부동산은 취득세의 20%(특별시·광역시나 도청소재지인 시지역), 그 밖의 지역은 취득세의 40%와 재산세의 50% 범위에서 지자체별 조례로 정한 율을 경감한다.	지방세특례제한법 §38④

종교단체에 대한 세무조사

○ **종교단체의 세법상 협력의무와 세무조사** : 세법상 납세의무와 협력의무를 부담하는 공익법인은 엄격한 사후관리 규정에 따라 세법상 의무와 책임을 다하도록 강제하고 있습니다. 하지만, 종교단체의 경우 출연금이나 헌금 등 기부금에 대한 세제혜택에도 종교단체의 성격을 감안하여 세법상 각종 의무를 면제하는 한편 협력의무의 이행에 대한 강제적이고 직접적인 세무조사는 자제해 왔습니다.

○ **종교인소득에 대한 과세와 세무조사** : 2018년부터 종교단체의 종교관련종사자에 대한 종교인소득 과세제도가 명시적으로 신설되고 종교단체에 원천징수의무가 부여됨에 따라 종교단체에 대하여는 원천징수의무의 적정 이행 여부 등에 대한 세무조사를 할 수 있게 되었습니다.

○ **종교단체에 대한 세무조사 제한** : 하지만 종교인소득(근로소득으로 원천징수하거나 종합소득 과세표준 확정신고를 하여 근로소득으로 보는 경우를 포함합니다)에 대해서는 종교단체의 장부·서류나 그 밖의 물건 중에서 종교인소득과 관련된 부분에 한하여 조사하거나 그 제출을 명할 수 있도록 세무조사권을 제한하고 있습니다(소득세법 §170).

○ **종교단체 세무조사 전 사전 수정신고 안내의무** : 세무에 종사하는 공무원은 종교인소득에 관한 신고내용에 누락이나 오류가 있어 질문·조사 등 세무조사권을 행사하려는 경우에는 먼저 「국세기본법」 제45조에 따른 수정신고를 안내하여야 합니다.

○ **종교활동 구분기장시 세무조사 제출 제외** : 종교단체가 소속 종교관련종사자에게 지급한 금품과 종교활동과 관련하여 지출한 비용을 구분하여 기록·관리하는 경우, 세무조사를 하는 공무원은 종교단체가 소속 종교관련종사자에게 지급한 금품 외에 일반적인 종교

활동과 관련해 지출한 비용을 구분해 기록・관리한 장부나 서류는 조사하거나 그 제출을 명할 수 없도록 제한하고 있습니다(소득세령 §222).

○ **구분기장에 의한 세무조사 제외** : [종교단체 회계]와 [종교인 회계]로 구분기장을 하였다고 세무조사가 면제되는 것은 아니지만, 종교인소득에 대한 원천징수의무 이행 등 세무조사를 하는 경우 불필요하게 종교단체의 회계에 대한 자료제시를 해야 하는 경우가 생길 수 있으므로 구분해서 회계처리하는 것이 좋습니다.

○ **'종교단체 회계'와 '종교인 회계'의 구분기장과 별도계좌 운용** : 종교단체의 고유목적사업에 관한 장부제출을 피하기 위해서는 [종교단체 회계]와 [종교인 회계]를 구분하여 기장해야 하고, 이를 위해서는 종교단체 명의로 각각 금융계좌를 구분하여 개설해 각 구분과 용도에 맞춰 사용하게 되면 명확하고 투명한 회계가 가능해지고, 필요에 따라서는 소속원 등에게 공개할 수 있는 기반이 마련될 것입니다.

Ⅱ 종교단체의 수익사업 세무

1 종교단체 고유목적사업과 수익사업

○ 종교단체는 원칙적으로 종교의 보급, 기타 교화(敎化)를 목적으로 하는 단체이므로 고유목적사업에 대하여는 과세되지 않지만, 계속·반복적인 수익사업을 영위하는 경우 수익사업에서 발생한 소득에 대하여는 종교단체의 성격에 따라 법인세나 소득세가 과세된다.

○ 주무관청에 등록한 종교단체(그 소속단체를 포함한다)가 고유목적사업이나 지정기부금에 지출하기 위해 「법인세법」에 따라 '고유목적사업준비금'을 손금계상한 경우, 법인세 신고시 이자·배당소득과 수익사업소득의 50%를 손금산입함으로써 이미 납부한 원천납부세액을 환급받을 수 있다.

비영리법인의 법인세 과세대상

○ 「법인세법」은, 법인세의 과세대상 소득을 ① 각 사업연도의 소득, ② 청산소득(淸算所得), ③ 토지 등 양도소득, ④ 미환류소득(법인세법 §56, 조특법 §100의 32②) 등으로 정하고 있습니다. 이 중에서 종교단체와 같은 비영리내국법인에게는 원칙적으로 '각 사업연도의 소득'과 '토지 등 양도소득'에 대하여만 법인세가 과세됩니다(법인세법 §3①).

○ 비영리내국법인의 '각 사업연도소득'으로 과세대상이 되는 '수익사업'은, ① 제조업, 건설업, 도매업·소매업, 소비자용품수리업, 부동산·임대 및 사업서비스업 등 사업* 중 수입이 발생하는 것(축산업 등을 제외합니다), ② 이자소득, ③ 배당소득, ④ 주식·신주인수권(新

株引受權)이나 출자지분의 양도수입, ⑤ 고정자산의 처분수입(고유목적사업에 3년 이상 계속하여 직접 사용하는 고정자산의 처분수입은 제외됩니다), ⑥ 부동산, 영업권 등 자산의 양도수입, ⑦ 채권 등의 매매익을 포함합니다.

* 사업 : 사업활동이 각 사업연도의 전 기간에 걸쳐 계속하여 행하여지는 사업 외에 상당 기간에 걸쳐 계속적으로 행하여지거나 정기적·부정기적으로 상당횟수에 걸쳐 행하여지는 사업을 포함합니다.

| 비영리법인 '수익사업'의 범위(법인세령 §2) |

수익사업	수익사업 제외대상	근거규정
제조업, 건설업, 도매업·소매업, 소비자용품수리업, 부동산·임대 및 사업서비스업 등의 사업 중 수입이 발생하는 것	1. 축산업(축산관련 서비스업을 포함한다)·조경수 식재 및 관리서비스업 외의 모든 농업	법인세령 §2①
	2. 사업서비스업 중 연구 및 개발업(계약 등에 의하여 그 대가를 받고 연구 및 개발용역을 제공하는 사업을 제외한다)	
	3. 비영리내국법인이 외국에서 영위하는 선급검사용역에 대하여 해당 외국이 법인세를 부과하지 아니하는 경우로서 해당 외국에 본점이나 주사무소가 있는 비영리외국법인(국내에 사업의 실질적 관리장소가 소재하지 아니하는 경우에 한한다)이 국내에서 영위하는 선급검사용역	
	4. 교육서비스업 중 「유아교육법」에 따른 유치원, 「초·중등교육법」과 「고등교육법」에 따른 학교, 「경제자유구역 및 제주국제자유도시의 외국교육기관설립·운영에 관한 특별법」에 따른 외국교육기관(정관 등에 따라 잉여금을 국외 본교로 송금할 수 있거나 실제로 송금하는 경우는 제외한다), 「평생교육법」 제31조 제4항에 따른 전공대학 형태의 평생교육시설과 같은 법 제33조 제3항에 따른 원격대학을 경영하는 사업	

수익사업	수익사업 제외대상	근거규정
제조업, 건설업, 도매업·소매업, 소비자용품수리업, 부동산·임대 및 사업서비스업 등의 사업 중 수입이 발생하는 것	5. 보건 및 사회복지사업 중 다음 각 목의 어느 하나에 해당하는 사회복지시설에서 제공하는 사회복지사업 ①「사회복지사업법」 제34조에 따른 사회복지시설 중 사회복지관, 부랑인·노숙인시설과 결핵·한센인 시설 ②「국민기초생활보장법」 제15조의 2 제1항 및 제16조 제1항에 따른 중앙자활센터와 지역자활센터 ③「아동복지법」 제52조 제1항에 따른 아동복지시설 ④「노인복지법」 제31조에 따른 노인복지시설(노인전문병원은 제외한다) ⑤「노인장기요양보험법」 제2조 제4호에 따른 장기요양기관 ⑥「장애인복지법」 제58조 제1항에 따른 장애인복지시설 ⑦「한부모가족지원법」 제19조 제1항에 따른 한부모가족복지시설 ⑧「영유아보육법」 제10조에 따른 어린이집 ⑨「성매매방지 및 피해자보호 등에 관한 법률」 제5조 제1항과 제10조 제2항에 따른 지원시설과 성매매피해상담소 ⑩「정신건강증진 및 정신질환자 복지서비스 지원에 관한 법률」 제3조 제6호·제7호에 따른 정신요양시설 및 정신재활시설 ⑪「성폭력방지 및 피해자보호 등에 관한 법률」 제10조 제2항과 제12조 제2항에 따른 성폭력피해상담소와 성폭력피해자보호시설 ⑫「입양특례법」 제20조 제1항에 따른 입양기관 ⑬「가정폭력방지 및 피해자보호 등에 관한 법률」 제5조 제2항과 제7조 제2항에 따른 가정폭력 관련 상담소와 보호시설	법인세령 §2①

수익사업	수익사업 제외대상	근거규정
제조업, 건설업, 도매업·소매업, 소비자용품수리업, 부동산·임대 및 사업서비스업 등의 사업 중 수입이 발생하는 것	⑭ 「다문화가족지원법」 제12조 제1항에 따른 다문화가족지원센터	법인세령 §2①
	6. 연금 및 공제업 중 다음의 사업 ① 「국민연금법」에 의한 국민연금사업 ② 특별법에 의하거나 정부로부터 인가나 허가를 받아 설립된 단체가 영위하는 사업(기금조성과 급여사업에 한한다)	
	7. 사회보장보험업 중 「국민건강보험법」에 의한 의료보험사업과 「산업재해보상보험법」에 따른 산업재해보상보험사업	
	8. 주무관청에 등록된 종교단체(그 소속단체를 포함한다)가 공급하는 용역 중 「부가가치세법」 제26조 제1항 제18호에 따라 부가가치세가 면제되는 용역을 공급하는 사업	
	9. 금융 및 보험 관련 서비스업 중 다음의 사업 ① 「예금자보호법」에 의한 예금보험기금 및 예금보험기금채권상환기금을 통한 예금보험 및 이와 관련된 자금지원·채무정리 등 예금보험제도를 운영하는 사업 ② 「농업협동조합의 구조개선에 관한 법률」 및 「수산업협동조합법」에 의한 상호금융예금자보호기금을 통한 예금보험 및 자금지원 등 예금보험제도를 운영하는 사업 ③ 「새마을금고법」에 의한 예금자보호준비금을 통한 예금보험과 자금지원 등 예금보험제도를 운영하는 사업 ④ 「금융회사부실자산 등의 효율적 처리 및 한국자산관리공사의 설립에 관한 법률」에 따른 구조조정기금을 통한 부실자산 등의 인수·정리와 관련한 사업	

수익사업	수익사업 제외대상	근거규정
제조업, 건설업, 도매업·소매업, 소비자용품수리업, 부동산·임대 및 사업서비스업 등의 사업 중 수입이 발생하는 것	⑤「신용협동조합법」에 의한 신용협동조합예금자보호기금을 통한 예금보험과 자금지원 등 예금보험제도를 운영하는 사업 ⑥「산림조합법」에 의한 상호금융예금자보호기금을 통한 예금보험과 자금지원 등 예금보험제도를 운영하는 사업	법인세령 §2①
	10.「대한적십자사 조직법」에 의한 대한적십자사가 행하는 혈액사업	
	11.「한국주택금융공사법」에 따른 주택담보노후연금보증계정을 통하여 주택담보노후연금보증제도를 운영하는 사업(보증사업과 주택담보노후연금을 지급하는 사업에 한한다)	
	12.「국민기초생활 보장법」 제2조에 따른 수급권자·차상위계층 등 금융소외계층에게 창업비 등의 용도로 대출하는 사업으로서 일정한 요건을 갖춘 사업	
	13. 비영리법인(사립학교의 신축·증축, 시설확충, 그 밖에 교육환경 개선을 목적으로 설립된 법인에 한한다)이 외국인학교의 운영자에게 학교시설을 제공하는 사업	
	14.「국민체육진흥법」 제33조에 따른 대한체육회에 가맹한 경기단체와 「태권도 진흥 및 태권도공원 조성에 관한 법률」에 따른 국기원의 승단·승급·승품 심사사업	
	15.「수도권매립지관리공사의 설립 및 운영 등에 관한 법률」에 따른 수도권매립지관리공사가 행하는 폐기물처리와 관련한 사업	
「소득세법」 제16조 제1항에 따른 이자소득		법인세령 §3③(2)

수익사업	수익사업 제외대상	근거규정
「소득세법」 제17조 제1항에 따른 배당소득		법인세령 §3③(3)
주식・신주인수권이나 출자지분의 양도로 인하여 생기는 수입		법인세령 §3③(4)
고정자산의 처분으로 인하여 생기는 수입	고유목적사업에 직접 사용하는 고정자산의 처분으로 인하여 해당 고정자산의 처분일(「국가균형발전특별법」 제18조에 따라 이전하는 공공기관의 경우에는 공공기관 이전일을 말한다) 현재 3년 이상 계속하여 법령이나 정관에 규정된 고유목적사업(수익사업은 제외한다)에 직접 사용한 것. 이 경우 해당 고정자산의 유지・관리 등을 위한 관람료・입장료수입 등 부수수익이 있는 경우에도 고유목적사업에 직접 사용한 고정자산으로 본다.	법인세법 §3③(5), 법인세령 §2②
부동산을 취득권리, 영업권 등의 양도로 인한 수입		법인세법 §3③(6)
대가 얻는 계속적 행위로 인하여 생기는 수입으로「소득세법」 제46조 제1항에 따른 채권 등(이자소득에 대해 법인세 비과세분은 제외)의 매매익	금융회사의 예금보험제도를 운영하는 사업 등에 귀속되는 채권 등의 매매익	법인세법 §3③(7), 법인세령 §2③

○ 비영리법인의 '수익사업'과 '비수익사업'의 구분 : 수익사업과 비수익사업은 해당 사업이나 수입의 성질을 기준으로 구분합니다.

구분	사업	예외
수익사업	① 학교법인의 임야에서 발생한 수입과 임업수입	
	② 학교부설연구소의 원가계산 등의 용역수입	
	③ 학교에서 전문의를 고용하여 운영하는 의료수입	
	④ 주무관청에 등록된 종교단체(그 소속단체를 포함한다) 등의 임대수입	「부가가치세법」 제26조 제1항 제18호에 따라 부가가치세가 면제되는 「문화재보호법」에 따른 지정문화재(지방문화재를 포함하며, 무형문화재는 제외한다)를 소유하거나 관리하고 있는 종교단체(주무관청에 등록된 종교단체로 한정)의 경내지(境內地) 및 경내지 안의 건물과 공작물의 임대용역
	⑤ 전답을 대여나 이용하게 함으로써 생긴 소득	
	⑥ 정기간행물 발간사업	특별히 정해진 법률상의 자격을 가진 자를 회원으로 하는 법인이 대부분을 소속회원에게 배포하기 위해 주로 회원소식, 기타 이에 준하는 내용을 기사로 하는 회보나 회원명부 발간사업과 학술, 종교의 보급, 자선, 기타 공익을 목적으로 하는 법인이 고유목적을 달성하기 위하여 회보 등을 발간하고 회원이나 불특정다수인에게 무상으로

구분	사업	예외
수익 사업		배포하는 것으로서 통상 상품으로 판매되지 아니하는 것
	⑦ 광고수입	
	⑧ 회원에게 실비 제공하는 구내식당 운영수입	
	⑨ 급수시설에 의한 용역대가로 받는 수입	
	⑩ 운동경기의 중계료, 입장료	
	⑪ 회원에게 대부한 융자금의 이자수입	
	⑫ 유가증권대여로 인한 수수료수입	
	⑬ 조합공판장 판매수수료수입	
	⑭ 교육훈련에 따른 수수료수입	
비수익 사업	① 징발보상금	
	② 일시적인 저작권의 사용료로 받은 인세수입	
	③ 회원으로부터 받는 회비나 추천수수료(간행물 등의 대가가 포함된 경우에는 그 대가상당액을 제외한다)	
	④ 외국원조수입이나 구호기금수입	
	⑤ 업무와 직접 관계없이 타인으로부터 무상으로 받은 자산의 가액	

종교단체의 '비수익사업' 예시

주무관청에 등록된 종교단체(그 소속단체를 포함합니다)가 공급하는 용역 중 비수익사업을 예시하면 다음과 같습니다.

○ 「부가가치세법」 제26조 제1항 제18호에 따라 종교, 자선, 학술, 구호(救護), 그 밖의 공익을 목적으로 하는 단체가 공급하는 다음 각호의 재화나 용역

① 주무관청의 허가나 인가를 받거나 주무관청에 등록된 단체로서 「상속세 및 증여세법 시행령」 제12조 각 호의 어느 하나에 따른 사업 또는 비영리법인의 사업으로서 종교, 자선, 학술, 구호, 사회복지, 교육, 문화, 예술 등 공익을 목적으로 하는 사업을 하는 단체가 그 고유의 사업목적을 위하여 일시적으로 공급하거나 실비(實費)나 무상으로 공급하는 재화나 용역

② 학술이나 기술 발전을 위하여 학술이나 기술의 연구와 발표를 주된 목적으로 하는 단체가 그 연구와 관련하여 실비나 무상으로 공급하는 재화나 용역

③ 「문화재보호법」에 따른 지정문화재(지방문화재를 포함하며, 무형문화재는 제외합니다)를 소유하거나 관리하고 있는 종교단체(주무관청에 등록된 종교단체로 한정합니다)의 경내지(境內地)나 경내지 안의 건물과 공작물의 임대용역

④ 공익을 목적으로 기숙사를 운영하는, 교육부장관이나 교육부장관이 지정하는 자의 추천을 받은 자로서 학생을 위하여 기숙사를 운영하는 자와 고용노동부장관이나 고용노동부장관이 지정하는 자의 추천을 받은 자로서 근로자를 위하여 기숙사를 운영하는 자가 학생이나 근로자를 위하여 실비나 무상으로 공급하는 음식이나 숙박 용역

⑤ 「저작권법」 제105조 제1항에 따라 문화체육관광부장관의 허가를 받아 설립된 저작권위탁관리업자로서 사단법인 한국음악저작권협회 등 일정한 사업자가 저작권자를 위하여 실비나 무상으로 공급하는 신탁관리 용역

⑥ 「법인세법」 제24조 제2항 제4호 나목에 따른 비영리 교육재단이 「초·중등교육법」 제60조의 2 제1항에 따른 외국인학교의 설립·경영 사업을 하는 자에게 제공하는 학교시설 이용 등 교육환경 개선과 관련된 용역

○ 종교단체가 고유목적을 달성하기 위하여 회보(會報) 등을 발간하고 회원이나 불특정다수인에게 무상으로 배포하는 정기간행물 발간사업

○ 종교단체가 수익사업으로 보지 아니하는 회보 등을 발간함에 있어서 회보에 광고를 게재하는 경우 광고수입(다만, 광고수입에 대응하는 손금인 회보발간비용 중 광고수입을 초과하는 회보발간비는 비수익사업의 비용으로 합니다)

○ 종교단체에서 교인에게 실비로 제공하는 구내식당 운영수입(다만 종교단체에서 구내식당을 운영하면서 교인이 아닌 외부인에게 식사를 제공하거나 교인에게 실비를 초과하는 금액으로 제공하는 음식용역은 수익사업에 해당합니다)

○ 종교단체가 운영하는 「유아교육법」에 따른 유치원, 「초·중등교육법」및 「고등교육법」에 따른 학교, 「경제자유구역 및 제주국제자유도시의 외국교육기관 설립·운영에 관한 특별법」에 따른 외국교육기관(정관 등에 따라 잉여금을 국외 본교로 송금할 수 있거나 실제로 송금하는 경우는 제외합니다), 「평생교육법」 제31조 제4항에 따른 전공대학 형태의 평생교육시설이나 같은 법 제33조 제3항에 따른 원격대학을 경영하는 사업

* 「평생교육법」에 따른 학교부설 평생교육기관인 전산정보교육원 등의 운영과 관련된 교육서비스업은 수익사업에 해당합니다.

○ 사회복지시설 중 사회복지관, 부랑인·노숙인 시설, 「국민기초생활보장법」에 따른 중앙자활센터와 지역자활센터, 「아동복지법」에 따른 아동복지시설, 「노인복지법」에 따른 노인복지시설(노인전문병원은 제외합니다), 「노인장기요양보험법」에 따른 장기요양기관, 「장애인복지법」에 따른 장애인복지시설, 「한부모가족지원법」에 따른 한부모가족복지시설, 「영유아보육법」에 따른 어린이집, 「정신건강증진 및 정신질환자 복지서비스 지원에 관한 법률」에 따른 정신요양시설과 정신재활시설, 「성폭력방지 및 피해자보호 등에 관한 법률」에 따른 성폭력피해상담소와 성폭력피해자보호시설, 「입양특례법」에 따른 입양기관, 「가정폭력방지 및 피해자보호 등에 관한 법률」에 따른 가정폭력 관련 상담소와 보호시설, 「다문화가족지원법」에 따른 다문화가족지원센터 등 종교단체가 운영하는 보건·사회복지사업

관련해석

❒ 종수익사업에 해당하는지 여부

○ **장애인 보호작업장의 수익사업 해당 여부** : 비영리법인이 「장애인복지법」 제58조 제1항에 따른 장애인복지시설로서 같은법 시행규칙 [별표 4]에 열거하고 있는 장애인 보호작업장을 운영하는 경우, 해당 사회복지사업은 「법인세법 시행령」 제2조 제1항 제4호에 해당하여 수익사업에 해당하지 아니한다(서면법인 2017-827, 2017.4.27.).

○ **국가위탁사업 손익을 국가에 반납하지 않고 비영리법인에 귀속** : 비영리법인이 국가로부터 위탁받은 사업을 수행하면서 사업집행자금을 지급받고, 사업종료 후 일체의 손익을 정산하여 국가에 반납함으로써 해당 사업의 손익이 전부 국가에 귀속되는 경우 수익사업에 해당하지 아니하나, 그 손익의 전부나 일부가 비영리법인에 귀속되는 경우 수익사업에 해당한다(서면법령해석 법인 2016-5039, 2017.5.29.).

○ **명상수련원 비영리법인의 참가비와 입회비** : 명상수련원 사업을 영위하는 비영리법인이 명상수행법 전수 프로그램에 참여한 회원에게 지급받은 수행참가비와 입회비는 「법인세법」상 수익사업 및 「부가가치세법」상 용역 제공의 대가로 보아 법인세와 부가가치세를 과세한 처분은 정당하다(조심 2016부4366, 2017.7.19.).

○ **자원봉사자 공제사업 비영리법인의 보험수입** : 전국 지방자치단체 및 지역자원봉사센터에 등록된 자원봉사자들의 자원봉사활동 중에 발생한 인적·물적 손해공제 급부 등을 목적사업으로 설립된 비영리법인으로, 자원봉사자 상해공제사업으로 얻은 수입은 보험업이므로 이 공제사업은 수익사업에 해당한다(대법원 2017두37338, 2017.6.20.).

2 종교단체의 기부금 수입

○ 종교단체 기부금 중 불특정다수인이 출연한 기부금은 공익법인 출연금 사후관리대상이 아니지만 출연자의 명의를 알 수 있거나 부동산이나 주식 등으로 출연한 경우에는 사후관리대상이다.

○ 종교단체에 지출한 기부금이 세법상 '지정기부금'으로 인정받기 위해서는 ① 주무관청의 허가를 받아 설립한 종교단체(그 소속단체를 포함한다)가 ② 종교활동 등 고유목적사업비로 지출하는 데 충당한 기부금이어야 한다.

종교단체의 기부금에 대한 취급

종교단체 지정기부금의 요건 :

① 문화체육관광부장관의 허가를 받아 설립한 종교단체에 지출한 기부금
② 종교단체의 고유목적사업비로 지출한 기부금

○ **공익법인 기부금수입의 과세 제외** : 사회복지 · 문화 · 예술 · 교육 · 종교 · 자선 · 학술 등 공익성을 고려하여 종교의 보급, 그 밖에 교화를 목적으로 「민법」 제32조에 따라 문화체육관광부장관이나 지방자치단체의 장의 허가를 받아 설립한 비영리법인(그 소속 단체를 포함합니다)이 기부 받은 금품은 과세소득에 포함되지 않습니다.

○ **종교단체 기부자에 대한 기부금 세액공제** : 종교단체에 기부한 사업자나 개인은 지정기부금으로 과세소득에서 공제하는 손금(법인), 총수입금액에서 공제하는 필요경비로 인정되거나 세액공제(개인사업자)받을 수 있습니다.

○ **종교단체 지정기부금의 이월공제** : 사업자의 경우 지정기부금 중 손금(거주자 개인은 필요경비) 산입한도액을 초과하는 금액을 다음 과세기간 개시일부터 10년(2018년 이전 신고분은 5년) 이내에 종료하는 각 연도로 이월하여 각 연도별 지정기부금 손금산입 한도액에 미달하는 범위 안에서 손금에 산입할 수 있습니다(법인세법 §24⑤, 소득세법 §34④).

구분	기부금 손금(필요경비) 인정	연간 한도액
법인	법인이 지출한 지정기부금은 한도액인 ① 해당 사업연도의 소득금액(양도손익은 제외, 법정기부금과 지정기부금을 손금산입 전의 소득금액)에서 ② 법정기부금으로서 손금산입기부금과 법인세법상 결손금을 뺀 금액에 10% 범위에서 손금산입한다. 한도액 = (해당연도 소득금액 − 법정기부금 손금산입액 − 이월 결손금) × 10%	지정기부금의 손금산입 한도초과액은 10년(2018년이전 신고분은 5년)이내 각 사업연도에 이월하여 초과금액을 손금산입한다.
거주자(개인)	거주자(개인)이 지출한 지정기부금은 한도액 범위에서 필요경비에 산입한다. ○ 종교단체에 기부금액이 있는 경우 : 한도액 = [해당과세기간의 소득금액(법정기부금과 지정기부금을 필요경비 산입하기 전의 소득금액) − 필요경비에 산입하는 기부금과 이월결손금] × 10% + [(해당과세기간 소득금액−법정기부금 등) × 20%와 종교단체 외에 지급한 금액 중 적은 금액] 한도액 = {기준 소득금액 − 이월 결손금 − 법정기부금 등 × 10%} + MIN{(① 기준 소득금액 − 이월 결손금 − 법정기부금등 × 20%) (② 종교단체 외에 지급한 금액)}	지정기부금 필요경비산입 한도초과액은 10년(2018년 이전 신고분은 5년) 이내 각 과세기간에 미달범위에서 이월산입한다.

지정기부금과 지정기부금단체(「법인세법 시행령」 제36조)

○ 지정기부금

① 「사회복지사업법」에 따른 사회복지법인에 고유목적사업비로 지출하는 기부금

② 「영유아교육법」에 따른 어린이집에 고유목적사업비로 지출하는 기부금

③ 「유아보육법」에 따른 유치원, 「초 · 중등교육법」 및 「고등교육법」에 따른 학교, 「근로자직업능력 개발법」에 따른 기능대학, 「평생교육법」에 따른 전공대학 형태의 평생교육시설과 원격대학 형태의 평생교육시설에 고유목적사업비로 지출하는 기부금

④ 「의료법」에 따른 의료법인에 고유목적사업비로 지출하는 기부금

⑤ 종교의 보급, 그 밖에 교화를 목적으로 「민법」 제32조에 따라 문화체육관광부장관이나 지방자치단체의 장의 허가를 받아 설립한 비영리법인(그 소속 단체를 포함합니다)에 고유목적사업비로 지출하는 기부금

⑥ **공익성기부금 지정단체** : 「민법」 제32조에 따라 주무관청의 허가를 받아 설립된 비영리법인(=「민법」상 비영리법인), 「협동조합 기본법」 제85조에 따라 설립된 사회적협동조합, 「공공기관 운영에 관한 법률」 제4조에 따른 공공기관(공기업은 제외합니다)이나 법률에 따라 직접 설립된 기관이 요건*을 모두 충족하여 주무관청의 추천을 받아 기획재정부장관이 지정하여 고시한 법인(=공익성기부금 지정단체)에 지정일이 속하는 연도의 1월 1일부터 6년간(=지정기간) 고유목적사업비로 지출하는 기부금

* **공익성기부금 지정단체 지정요건** : 공익성기부금 지정단체는 다음 요건을 모두 충족하여야 지정되며, 지정기간 중 준수의무가 있습니다(법인세령 §36 ①).

구분		지정 요건	지정기간 준수의무
① 법인별 요건	「민법」상 비영리법인 · 비영리외국법인	• 정관상 수입을 회원이익이 아닌 공익 위해 사용하고 사업의 직접수혜자가 불특정 다수일 것 • 비영리외국법인 : 추가로 「재외동포의 출입국과 법적 지위에 관한 법률」 제2조에 따른 재외동포의 협력 · 지원, 한국의 홍보나 국제교류 · 협력을 목적으로 할 것	(좌동)
	사회적협동조합	정관의 내용상 「협동조합 기본법」 제93조 제1항 제1~3호까지의 사업 중 어느 하나의 사업을 수행할 것	(좌동)
	공공기관이나 법률에 따라 직접 설립된 기관	설립목적이 사회복지 · 자선 · 문화 · 예술 · 교육 · 학술 · 장학 등 공익목적 활동을 수행하는 것	(좌동)
② 해산시 잔여재산 국가등 귀속		국가 · 지방자치단체나 유사한 목적을 가진 다른 비영리법인에 귀속하도록 한다는 내용이 정관에 포함되어 있을 것	-
③ 인터넷 공개 의무		• 인터넷 홈페이지가 개설되어 있고, 정관에 인터넷 홈페이지를 통하여 연간 기부금 모금액 및 활용실적을 공개한다는 내용이 포함될 것 • 재지정은 매년 기부금 모금액 및 활용실적을 사업연도 종료일부터 3개월 이내에 해당 비영리법인과 국세청의 인터넷 홈페이지에 각각 공개하였을 것	• 매년 기부금 모금액과 활용실적을 사업연도 종료일부터 3개월 내 해당 지정기부금단체등과 국세청의 인터넷 홈페이지에 각각 공개 • 이 경우 국세청의 인터넷 홈페이지에는 '기부금 모금액 및 활용실적 명세서'에 따라 공개

구분	지정 요건	지정기간 준수의무
④ 정치활동 금지	비영리법인으로 지정 · 고시된 날이 속하는 연도와 그 직전 연도에 해당 비영리법인의 명의나 그 대표자의 명의로 특정 정당이나 특정인에 대한 「공직선거법」 제58조 제1항에 따른 선거운동을 한 것으로 권한 있는 기관이 확인한 사실이 없을 것	해당 지정기부금단체등의 명의나 대표자의 명의로 특정 정당이나 특정인에 대한 「공직선거법」 제58조 제1항에 따른 선거운동을 한 것으로 권한 있는 기관의 확인사실이 없을 것(지정일 직전연도 포함한다)
⑤ 지정취소 등 유예기간	• 국세청장의 요청에 따라 지정이 취소된 경우 그 취소된 날부터 3년, 재지정을 받지 못하게 된 경우 그 지정기간의 종료일부터 3년이 지났을 것 • ①~③에 따른 의무를 위반한 사유만으로 지정을 취소하거나 재지정을 하지 아니한 경우는 적용 제외한다.	-
⑥ 고유목적사업 지출의무	-	각 사업연도의 수익사업의 지출을 제외한 지출액의 80% 이상을 직접 고유목적사업에 지출할 것
⑦ 전용계좌 개설의무	-	전용계좌를 개설하여 사용할 것
⑧ 일정한 외부감사의무	-	공익법인 등에 적용되는 회계기준에 따라 외부 감사인에게 외부회계감사를 받을 것(총자산 100억 미만 공익법인 등은 제외한다)

⑦ 단체별로 인정하는 공익성기부금

비영리단체	기부금
「유아교육법」에 따른 유치원의 장, 「초·중등교육법」·「고등교육법」에 따른 학교의 장, 「근로자직업능력 개발법」에 따른 기능대학의 장, 「평생교육법」에 따른 전공대학 형태의 평생교육시설이나 원격대학 형태의 평생교육시설	학교 등의 장이 추천하는 개인에게 교육비·연구비나 장학금으로 지출하는 기부금
공익법인 등(수혜자)	「상속세 및 증여세법 시행령」 제14조 제1항 각 호의 요건을 갖춘 공익신탁으로 신탁하는 기부금
사회복지·문화·예술·교육·종교·자선·학술 등 단체	공익목적으로 지출하는 기부금으로서 기획재정부장관이 지정하여 고시하는 기부금
사회복지시설이나 기관 중 무료나 실비로 이용할 수 있는 시설이나 기관	기부하는 금품의 가액(다만, 노인주거복지시설 중 양로시설을 설치한 자가 해당시설의 설치·운영비용을 부담하는 경우 부담금 중 해당시설의 운영으로 인한 손실금을 포함한다)

⑧ 사회복지, 문화, 예술, 교육, 종교, 자선, 학술 등 공익을 위한 사업을 수행하고, 우리나라가 회원국으로 가입된 국제기구로서 기획재정부장관이 지정하여 고시하는 국제기구에 지출하는 기부금

종교단체의 기부금영수증 발급

○ 「기부자별 기부금영수증 발급명세」 보관의무 : 기부금영수증을 발급하는 종교단체는 기부자의 성명·주민등록번호·주소(기부자가 법인인 경우에는 상호, 사업자등록번호, 본점 소재지), 기부금액, 기부금 기부일자, 기부금영수증 발급일자, 그 밖에 사항을 기재한 「기부자별 기부금영수증 발급명세」를 작성하여 발급한 날부터 5년간 보관하여야 합니다. 만약 국세청장, 지방국세청장이나 납세지 관할 세무서장이 그 명세를 요청하는 경우에는 제출하여야 합니다.

○ 「기부금영수증 발급명세서」 제출의무 : 기부금영수증을 발급하는 종교단체는 해당 사업연도의 기부금영수증 총 발급 건수와 금액 등이 적힌 「기부금영수증 발급명세서」를 해당 연도의 종료일이 속하는 달의 말일부터 6개월 이내에 관할 세무서장에게 제출하여야 합니다(법인세법 §112의 2 ; 소득세법 §160의 3).

○ 종교단체의 기부금영수증 허위발급·기부자별 명세 미작성 가산세 : 기부금영수증을 발급하는 종교단체가 기부금영수증을 사실과 다르게 적어 발급(기부금액이나 기부자의 인적사항 등 주요사항을 적지 아니하고 발급하는 경우를 포함합니다)하거나 「기부자별 기부금영수증 발급명세」를 작성·보관하지 아니한 경우에는 가산세를 부과됩니다(법인세나 소득세 등 납부할 세금이 없는 경우에도 징수됩니다).

① 기부금영수증에 기부금액을 사실과 다르게 적어 발급한 경우 : 사실과 다르게 발급된 금액[영수증에 실제 적힌 금액(영수증에 금액이 적혀 있지 아니한 경우 기부금영수증을 발급받은 자가 공제신청한 금액)과 건별로 발급하여야 할 금액과의 차액]의 2%

② 기부자의 인적 사항 등을 사실과 다르게 적어 발급하는 등 기타의 경우 : 영수증에 적힌 금액의 2%

③ 「기부자별 기부금영수증 발급명세」를 작성·보관하지 아니한 경우 : 발급명세 작성·보관대상 기부금액의 0.2%

○ 기부금영수증 발급 종교단체에 대한 세무조사 : 세무공무원은 기부금영수증의 부정발급 확인 등 그 직무 수행상 필요한 경우에는 기부금영수증을 발급하는 종교단체에 대하여 질문하거나 해당 장부·서류나 그 밖의 물건을 조사하거나 그 제출을 명할 수 있습니다(소득세법 §170).

* 기부금영수증 허위발급 등에 대한 세무조사는 종교인소득에 대한 원천징수의무자로서 세무조사와 달리 종교단체에 대한 직접조사의 성격을 띠며, 부정발급 혐의가 있는 경우 사전 소명요구나 수정신고안내를 하지 않고도 가능하니 유의하여야 합니다.

관련법령

❐ 기부금영수증 발급과 가산세

법인세법 제112조의 2 [기부금영수증 발급명세의 작성 · 보관의무 등]

① 기부금영수증을 발급하는 법인은 대통령령으로 정하는 **기부자별 발급명세**를 작성하여 발급한 날부터 5년간 보관하여야 한다.

② 기부금영수증을 발급하는 법인은 제1항에 따라 보관하고 있는 기부자별 발급명세를 국세청장, 지방국세청장이나 납세지 관할 세무서장이 요청하는 경우 이를 제출하여야 한다.

③ 기부금영수증을 발급하는 법인은 해당 사업연도의 기부금영수증 총 발급 건수 및 금액 등이 적힌 기획재정부령으로 정하는 **기부금영수증 발급명세서**를 다음 연도의 6월 30일까지 관할 세무서장에게 제출해야 한다.

법인세법 제76조(가산세)

⑩ 납세지 관할 세무서장은 내국법인이 제24조에 따라 기부금을 손금에 산입하기 위하여 필요한 기부금영수증 또는 거주자나 「소득세법」 제121조 제2항 및 제5항에 따른 비거주자가 「소득세법」 제34조 및 제59조의 4 제4항에 따라 기부금을 필요경비에 산입하거나 기부금으로 기부금세액공제를 받기 위하여 필요한 기부금영수증(이하 이 항 및 제112조의 2에서 "기부금영수증"이라 한다)을 발급하는 법인이 기부금영수증을 사실과 다르게 적어 발급(기부금액 또는 기부자의 인적사항 등 주요사항을 적지 아니하고 발급하는 경우를 포함한다. 이하 이 항에서 같다)하거나 기부자별 발급명세를 제112조의 2 제1항에 따라 작성 · 보관하지 아니한 경우에는 다음 각 호의 구분에 따른 금액을 산출세액 또는 결정세액에 가산하여 징수하여야 한다. 이 경우 산출세액 또는 결정세액이 없는 경우에도 가산세를 징수하며, 「상속세 및 증여세법」 제78조 제3항에 따라 보고서 제출의무를 이행하지 아니하거나 같은 조 제5항에 따라 출연받은 재산에 대한 장부의 작성 · 비치 의무를 이행하지 아니하여 가산세가 부과되는 경우 제2호는 적용하지 아니한다.

1. 기부금영수증의 경우
   가. 기부금액을 사실과 다르게 적어 발급한 경우 : 사실과 다르게 발급된 금액[영수증에 실제 적힌 금액(영수증에 금액이 적혀 있지 아니한 경우에는 기부금영수증을 발급받은 자가 기부금을 손금 또는 필요경비에 산입하거나 기부금세액공제를 신청한 해당 금액으로 한다)과 건별로 발급하여야 할 금액과의 차액을 말한다]의 100분의 2에 해당하는 금액
   나. 기부자의 인적 사항 등을 사실과 다르게 적어 발급하는 등 가목 외의 경우 : 영수증에 적힌 금액의 100분의 2에 해당하는 금액
2. 기부자별 발급명세의 경우 : 작성·보관하지 아니한 금액의 1천분의 2

관련해석

❐ 종교단체 지정기부금 인정 사례

【법인 46012-461, 1998.2.23.】 주무관청의 허가를 받지 못한 종교단체에 지급한 기부금의 지정기부금 해당 여부

법인이 **주무관청으로부터 「민법」 제32조의 규정에 의한 비영리법인의 설립허가를 받지 못하여** 거주자 등에 의하여 임의로 조직된 종교단체에 지출하는 기부금은 지정기부금에 해당되지 아니함.

【법인 46012-2586, 1998.9.14.】 종교단체 건축헌금의 지정기부금 해당 여부

비영리법인인 사회복지법인이 종교의 보급, 기타 교화를 목적으로 설립하여 **주무관청에 등록된 종교단체에 건축헌금을 기부하는 경우에는 지정기부금**에 해당하는 것이며, 이 경우 영수증은 기부한 내용이 객관적으로 인정될 수 있는 것으로 함.

【조심 2011중3732, 2011.11.24.】 종교단체가 종교의 보급, 기타 교화를 목적으로 설립하여 주무관청에 등록된 단체에 해당함을 입증 못하므로 기부금 불공제 타당함

○ 당사자는 해당 종교단체가 「법인세법 시행령」 제36조 【지정기부금의 범위】 제1항 제1호 마목 "종교의 보급, 기타 교화를 목적으로 설립하여 주무관청에 등록된 단체"에 해당함을 입증하지 못하므로 해당 종교단체가 지정기부금단체에 해당한다고 보기는 어렵다.

○ 해당 종교단체가 종교의 보급, 기타교화를 목적으로 설립되었고, 관할구청인 OOO구청으로부터 종교단체로 등록되었으므로 「법인세법 시행령」 제36조 제1항 제1호 마목에서 열거하고 있는 주무관청에 등록된 종교단체에 해당한다는 주장이나,

○ 공익을 해하고 법인 설립 허가 시 종교·사회적 갈등이 야기될 가능성이 높다는 사유 등으로 비영리법인의 설립 허가가 불허된 경우, **적법한 기부금 단체에 대하여 「법인세법 시행령」 제36조 제1항 제1호 마목에서 종교의 보급, 기타 교화를 목적으로 설립하여 주무관청에 등록한 단체라고 규정하고 있는 바, 쟁점종교단체가 총회 또는 중앙회 등의 명칭으로 주무관청에 등록되었다는 점을 입증하지 못하고 있으므로** 지정기부금 대상단체에 해당한다는 청구주장은 받아들이기 어려운 것으로 판단된다.

【재삼 46014-3122, 1995.12.5.】 교회·성당 등 개별 종교단체에 지출하는 기부금이 지정기부금에 해당하는지 여부

거주자가 종교의 보급, 기타 교화를 목적으로 설립되어 주무관청에 등록된 단체에 소속되어 있는 교회·성당 등 개별 종교단체에 지출하는 기부금은 지정기부금에 해당하는 것이나, 이에 해당하는지의 여부는 사실에 따라 판단하여야 할 사항임.

【서면1팀-111, 2008.1.18.】 종교단체의 경우 기부금영수증 외 증빙서류의 제출 여부

기부금납입영수증 외에 그 개별 종교단체가 소속한 교파의 총회나

중앙회 등이 주무관청에 등록되어 있음을 증명하는 서류를 원천징수 의무자에게 제출하여야 하는 것임.

【원천-201, 2010.3.5.】 지자체로부터 설립허가를 받기 전에 기부받은 종교단체 기부금의 기부금영수증 발급시기

종교의 보급, 그 밖에 교화를 목적으로 지자체로부터 설립허가를 받기 전에 설립 중인 종교단체에 지급한 지정기부금은 허가를 받은 연도의 기부금영수증 발급대상에 해당함.

■ 법인세법 시행규칙 [별지 제63호의 3 서식] (2013. 2. 23. 개정)

일련번호	

기 부 금 영 수 증

※ 아래의 작성방법을 읽고 작성하여 주시기 바랍니다.

❶ 기부자

성명(법인명)	주민등록번호 (사업자등록번호)
주소(소재지)	

❷ 기부금 단체

단 체 명	사업자등록번호 (고유번호)
소 재 지	기부금공제대상 기부금단체 근거법령

❸ 기부금 모집처(언론기관 등)

단 체 명	사업자등록번호
소 재 지	

❹ 기부내용

유 형	코 드	구 분	연월일	내 용			금 액
				품명	수량	단가	

「소득세법」 제34조, 「조세특례제한법」 제76조 · 제88조의 4 및 「법인세법」 제24조에 따른 기부금을 위와 같이 기부하였음을 증명하여 주시기 바랍니다.

년 월 일

신청인 (서명 또는 인)

위와 같이 기부금을 기부받았음을 증명합니다.

년 월 일

기부금 수령인 (서명 또는 인)

작 성 방 법

1. ❷ 기부금 단체는 해당 단체를 기부금공제대상 기부금단체로 규정하고 있는 「소득세법」 또는 「법인세법」 등 관련 법령을 적어 기부금영수증을 발행하여야 합니다.(예, 「소득세법 시행령」 제80조 제1항 제5호, 「법인세법 시행규칙」 제18조 제1항)
2. ❸ 기부금 모집처(언론기관 등)는 방송사, 신문사, 통신회사 등 기부금을 대신 접수하여 기부금 단체에 전달하는 기관을 말하며, 기부금단체에 직접 기부한 경우에는 적지 않습니다.
3. ❹ 기부내용의 유형 및 코드는 다음 구분에 따라 적습니다.

기부금 구분	유형	코드
「소득세법」 제34조 제2항, 「법인세법」 제24조 제2항에 따른 기부금	법정	10
「조세특례제한법」 제76조에 따른 기부금	정치자금	20
「소득세법」 제34조 제1항(종교단체 기부금 제외), 「법인세법」 제24조 제1항에 따른 기부금	지정	40
「소득세법」 제34조 제1항에 따른 기부금 중 종교단체기부금	종교단체	41
「조세특례제한법」 제88조의 4에 따른 기부금	우리사주	42
필요경비(손금) 및 소득공제금액대상에 해당되지 아니하는 기부금	공제제외	50

3. ❹ 기부내용의 구분란에는 "금전기부"의 경우에는 "금전", "현물기부"의 경우에는 "현물"로 적고, 내용란은 현물기부의 경우에만 적습니다.

210mm×297mm[백상지 80g/㎡ 또는 중질지 80g/㎡]

■ 법인세법 시행규칙 [별지 제75호의 2 서식] (2014. 3. 14. 개정)

사업 연도	. . . ~ . . .	기부자별 발급명세서	법 인 명	
			사업자등록번호	

일련 번호	기부 일	기부자 성명 (상호)	주민등록번호 (사업자등록번호)	기부명세			발급명세	
		주 소 (본점 소재지)		내용	코드	금액	발급 번호	발급 일

작성방법

※ 코드란에는 법정기부금(10), 「조세특례제한법」상 기부금(30), 지정기부금(40)으로 구분하여 작성합니다.

210mm×297mm[백상지 80g/㎡ 또는 중질지 80g/㎡]

[별지 제75호의 3 서식] (2012. 2. 28. 개정)

기 부 금 영 수 증 발 급 명 세 서

사업연도 (과세기간)	. . ~ . .

1. 기부금 영수증 발급자(단체)	① 단 체 명		② 대 표 자	
	③ 사업자등록번호 (고 유 번 호)		④ 전화번호	
	⑤ 소 재 지			
	⑥ 유 형 (해당란에 √)	□ 정부등 공공 □ 교육 □ 종교 □ 사회복지 □ 자선 □ 의료 □ 문화 □ 학술 □ 기타		

2. 해당 사업연도(과세기간)의 기부금영수증 발급현황

(단위: 원)

⑦ 구 분 / ⑫ 기부자	⑧ 합 계		⑨ 법정기부금		⑩ 특례기부금		⑪ 지정기부금	
	건수	금액	건수	금액	건수	금액	건수	금액
법 인								
개 인								

「소득세법」 제160조의 3 제3항 및 「법인세법」 제112조의 2 제3항에 따른 기부금 영수증 발급명세서를 제출합니다.

년 월 일

제출인 (서명 또는 인)

세무서장 귀하

작성방법

1. 이 서식은 기부금영수증을 발급하는 자가 해당 사업연도(과세기간)의 종료일이 속하는 달의 말일부터 6개월 이내에 관할세무서장에게 제출하여야 합니다.
2. ⑥ 유형란: 기부금 영수증 발급자(단체)에 해당하는 유형을 선택합니다.
3. ⑧ ~ ⑪ 란: 해당 사업연도의 해당 기부금영수증 총 발급건수 및 총 발급금액을 적습니다.

210mm×297mm[백상지 80g/㎡ 또는 중질지 80g/㎡]

3 종교단체의 법인세

종교단체의 법인세 납세의무

비영리 구분	수익사업이 있는 경우	이자소득만 있는 경우 (①, ② 중 선택)	이자소득도 없는 경우
납세의무 범위와 방법	수익사업에 대한 법인세 신고납부 의무	① **과표신고납부** : 원천징수된 이자소득세를 공제하여 과세표준신고(고유목적사업준비금 설정) 법인세 환급 ② **원천분리과세** : 원천징수로서 납세절차를 종결하고 별도 신고를 하지 않는 방법	법인세신고 의무(이자소득 포함) 없음

○ 「법인세법」에 따라 비영리법인의 법인세는 '수익사업'에 한해서 과세되므로, 종교단체도 수익사업을 영위하지 않으면 법인세의 납세의무가 없습니다.

○ **비영리법인의 이자소득 법인세 신고** : 종교단체를 비롯한 비영리법인은 이자 · 할인액 이나 이익 등 이자소득(비영업대금의 이익은 제외하고, 투자신탁의 이익을 포함합니다)으로서 원천징수된 이자소득에 대하여는 법인세 과세표준 신고를 하지 아니할 수 있습니다. 이 경우 과세표준 신고를 하지 아니한 이자소득은 각 사업연도의 소득금액을 계산할 때 포함하지 아니합니다(법인세법 §62).

○ **비영리법인의 이자소득 신고의무 면제** : 종교단체를 비롯한 비영리법인은 원천징수된 이자소득 중 일부에 대하여도 과세표준 신고를 하지 아니할 수 있습니다. 법정신고기한 내 과세표준 신고를 하지 아니한 이자소득에 대하여는 수정신고, 기한 후 신고나 경정 등 어떤 방법으로도 과세표준에 포함시킬 수 없습니다(법인세령 §99).

종교단체의 고유목적사업준비금 설정

○ **종교단체의 법인세 신고시 고유목적사업준비금 설정** : 주무관청에 등록한 종교단체(법인으로 보는 그 소속 단체를 포함합니다)는 고유목적사업이나 지정기부금에 지출하기 위하여 '고유목적사업준비금'을 계상하는 경우 다음 금액의 합계액의 범위에서 소득금액을 계산할 때 손금에 산입할 수 있습니다. 만약 「주식회사 등의 외부감사에 관한 법률」에 따른 감사인의 회계감사를 받는 비영리내국법인이 고유목적사업준비금을 세무조정계산서에 계상하고 이익처분시 적립금으로 적립한 경우에도 세무상 손금으로 인정합니다.

① 이자소득(비영업대금의 이익 즉, 개인 사채이자는 제외)

② 배당소득

③ 수익사업에서 발생한 소득의 50%

○ **종교단체의 법인세신고를 통한 원천납부세액의 환급** : 종교단체가 원천징수된 이자소득·배당소득이 있는 경우 '고유목적사업준비금'을 설정하고 법인세 과세표준 신고납부 방식을 통해 법정신고기한까지 신고하면 이미 원천납부한 법인세도 환급받을 수 있습니다.

○ **개인인 종교단체의 원천징수세액의 환급** : 사단법인·재단법인뿐만 아니라 법인으로 보는 개별 종교단체(고유번호 가운데가 82인 단체)도 고유목적사업준비금을 설정할 수 있지만, 개인으로 보는 사단재단 등 기타단체(고유번호 가운데가 89인 단체)는 세법상 고유목적사업준비금을 설정을 통한 환급을 받을 수 없습니다.

핵심 절세 팁 : 종교단체가 낸 이자 원천징수세액 돌려받기

종교단체가 법인이 아니라 개인으로 취급되는 경우에는 세금이 많아질 수 있으므로 법인으로 보는 단체로 변경해 등록하는 것이 좋습니다. 법인으로 보더라도 이자·배당소득이 있는 종교단체는 반드시 법인세신고기한(통상 3.31.)까지 법인세신고를 하면 원천징수해서 이미 납부한 세금을 돌려받을 수 있습니다.
법정신고기한이 경과된 후에는 기한후신고를 하여도 환급받을 수 없음에 유의해야 합니다.

수익사업을 영위하는 종교단체의 납세의무

○ **수익사업은 '계속·반복적 사업'**: 종교단체 등 비영리법인이 종교의 보급, 기타 교화 활동이라는 고유목적사업 외에 임대업, 서점운영 등 상품판매업, 카페운영업(휴게음식점), 구내식당 운영업 등 계속 반복적으로 사업을 영위하는 경우에는 수익사업으로 과세됩니다.

○ **수익사업을 위한 사전준비** : 종교단체가 영위하고 있는 '수익사업'이 과세사업이라면 '수익사업개시신고'를 하고 '사업자등록증'으로 바꿔 발급받아 수익사업을 착수해야 합니다. 수익사업을 영위하면서도 수익사업개시신고를 하지 않으면 가산세를 부담합니다.

○ **수익사업 구분경리 의무** : 종교단체가 수익사업을 하게 되면 수익사업에서 발생한 소득(각 사업연도 소득)은 법인세가 부과됩니다. 이에 따라 종교단체가 수익사업을 하게 되면 자산·부채나 손익을 수익사업회계와 수익사업이 아닌 목적사업회계로 각각 다른 회계로 구분하여 기록해야 합니다(법인세법 §113①).

○ **수익사업 구분경리 방법** : 종교단체가 수익사업을 영위하면 사업이나 재산별로 자산·부채나 손익을 각각 독립된 계정과목에 의하여 구분 기장하여야 합니다. 다만, 각 사업이나 재산별로 구분할 수 없는 공통적인 수입(공통익금)과 공통적인 비용(공통손금)은 구분하지 않아도 됩니다.

4 종교단체의 부가가치세

면세되는 종교단체의 재화 · 용역 범위

○ 종교단체 등 공익법인이 공급하는 재화 · 용역의 부가세 면세 : 종교, 자선, 학술, 구호(救護), 그 밖의 공익을 목적으로 하는 단체가 공급하는 재화나 용역 중 다음의 것은 부가가치세를 면세합니다(부가세법 §26①⒅ ; 부가세령 §45).

① 주무관청의 허가 · 인가를 받거나 주무관청에 등록된 단체로서 종교단체가 그 고유의 사업목적을 위하여 일시적으로 공급하거나, 계속적으로 공급해도 실비(實費)나 무상으로 공급하는 재화나 용역

관련판례

실비(實費)의 판단기준 【서울고법 2017.9.21. 선고, 2017누40565 판결】

어떠한 용역을 실비로 공급할 경우 실비의 개념과 판단기준에 관하여 부가가치세법령이나 기본통칙에 특별한 규정이 없는 바, 우선 실비의 사전적(辭典的) 의미(실제로 드는 비용) 등에 비추어 볼 때 **실비란 용역을 공급받은 자로부터 받은 금액 등의 경제적 대가가 해당 용역의 공급업무에 필요한 비용을 초과하지 않음을 의미**한다고 할 것이고, 용역을 공급받는 자로부터 받은 금원 등 용역대가가 실비에 해당되는지 여부는 관련 법령 내지 계약 등을 기초로 용역의 공급의도 · 목적, 용역의 내용과 성격, 공급 이후 과세기간 종료시까지의 제반사정(용역대가에 이윤포함 여부 등)을 종합하여 합리적으로 판단하여야 한다.

② 학술이나 기술 발전을 위하여 학술 · 기술의 연구와 발표를 주된 목적으로 하는 단체가 그 연구와 관련하여 실비나 무상으로 공급하는 재화나 용역

③ 「문화재보호법」에 따른 지정문화재(지방문화재를 포함하며, 무형문화재는 제외합니다)를 소유하거나 관리하고 있는 종교단체(주무관청에 등록된 종교단체로 한정됩니다)의 경내지(境內地)와 경내지 안의 건물과 공작물의 임대용역

④ 공익을 목적으로 기숙사를 운영하는 자가 학생이나 근로자를 위하여 실비나 무상으로 공급하는 음식이나 숙박 용역

⑤ 「저작권법」 에 따라 문화체육관광부장관의 허가를 받아 설립된 저작권위탁관리업자가 저작권자를 위하여 실비나 무상으로 공급하는 신탁관리 용역

⑥ 「법인세법」 제24조 제2항 제4호 나목에 따른 비영리 교육재단이 「초 · 중등교육법」 에 따른 외국인학교의 설립 · 경영 사업을 하는 자에게 제공하는 학교시설 이용 등 교육환경 개선과 관련된 용역

종교단체의 재화 · 용역 공급에 대한 면세 적용

○ **공익단체의 계속적 임대사업** : 주무관청에 등록된 종교단체의 소유 부동산의 임대 · 관리사업[다만, 「문화재보호법」에 따른 지정문화재(지방문화재를 포함하며, 무형문화재는 제외한다)를 소유하거나 관리하고 있는 종교단체의 경내지(境內地)와 경내지 안의 건물과 공작물의 임대용역은 제외한다]와 종교단체가 소유한 상가건물을 점포나 주차장 등으로 임대하고 그 중 일부를 종교단체가 사용하는 경우에는 부가가치세가 과세됩니다(부가 46015-1345, 1998.6.22.)

○ **자체기금 조성을 위한 계속적 상품 공급사업** : 종교단체가 자체기금 조성을 위하여 생활필수품, 고철 등을 공급하는 사업 등의 경우

계속적으로 운영 관리하는 수익사업이라면 과세사업에 해당합니다(부가세법 기본통칙 26-45-2).

○ **일시적으로 신도에게 실비 공급되는 재화와 용역의 면세** : 주무관청에 등록된 종교단체가 직접 그 고유의 사업목적을 위하여 일시적으로 공급하거나 실비로 공급하는 재화나 용역에 대하여는 「부가가치세법」 제12조 제1항 제16호 및 같은 법 시행령 제37조 제1호의 규정에 따라 부가가치세가 면제됩니다. 하지만 종교단체나 특정인이 사업상 독립적으로 종교집회에 참석하는 신도들에게 재화나 용역을 공급하는 경우에는 제외됩니다(부가 22601-9, 1989.1.7.).

○ **면세사업인 납골시설 공급업** : 주무관청에 등록된 종교단체나 재단법인이 납골시설을 설치·운영하면서, 시설이용자에게 그 대가를 실비로 받는 경우 부가가치세가 면제됩니다(부가 46015-439, 2001.03.08.).

○ **종교단체가 교인에게 주차료대신 자율적인 헌금을 받는 경우 면세** : 종교단체(교회)가 주차장을 설치·운영하며 그 이용자로부터 대가를 받는 경우에는 「부가가치세법」 제1조 제1항 제1호의 규정에 의하여 부가가치세가 과세되는 것이나, 주무관청에 등록된 종교단체가 당해 교회건물에 설치된 주차장을 이용하는 교인 등으로부터 그 고유의 사업목적을 위하여 자율적인 이용료로 헌금을 받는 경우에는「부가가치세법」 제12조 제1항 제16호와 같은 법 시행령 제37조 제1호에 따라 부가가치세가 면제됩니다(부가 46015-2376, 1995.12.20.).

○ **종교단체 경내 입장료의 면세** : 주무관청에 등록된 종교단체가 동 종교단체 소재지의 경내 입장료를 직접 징수하거나 경내입장료 징수권을 타인에게 위탁하고 그 수탁자로부터 받는 수입금에 대하여는 「부가가치세법」 제12조 제1항 제16호와 같은 법 시행령 제37조의 규정에 따라 부가가치세가 면제됩니다(조법 1265.2-212, 1983.3.2.).

종교단체가 받은 세금계산서의 매입세액공제

○ **종교단체의 수익사업에 관련된 부가세 환급** : 인테리어, 사업장비 구입 등 관련 시설투자를 하거나 수익사업에 소요되는 원재료와 자재를 매입하는 경우, '사업자등록번호'로 세금계산서 · 신용카드매입전표 · 현금영수증 등을 받으면 부가세 신고시 매출세액에서 매입세액을 차감하거나 매입세액을 환급 받을 수 있습니다.

수익사업	과세대상	매입세액 공제 대상
부동산 임대	임대수입, 관리수입	건물수선비, 전기료(수익사업분) 외 관리비
카페	음식수입	• 매장 인테리어비, 주방장비, 종이컵 등 부재료, 전기료 외 관리비 • 원두 등 원재료(의제매입세액공제)
구내식당	음식수입 (교인에 대한 실비 공급분 제외)	• 식당 인테리어비, 주방장비, 전기료 외 관리비 • 쌀 · 고기 · 반찬용 음식재료(의제매입세액공제)
서점	도서판매수입 (면세)	• 도서구입(면세), 인테리어, 관리비(면세에 공급하는 매입세액으로 공제 불가)

○ **수익사업과 관련한 운영비 · 관리비 지출** : 수익사업에 직접 소요되는 경비뿐만 아니라 수익사업 업무를 담당하는 임직원의 통신비, 여비교통비 등 사업관련 관리비나 운영비를 지출할 때, '사업자등록번호'로 된 종교단체 명의의 신용카드나 현금영수증을 사용하면 그 공급가액의 10/110를 매입세액으로 공제받아 부가가치세 부담을 크게 줄일 수 있습니다.

* 종교단체가 수익사업을 시작하려는 경우, 먼저 '수익사업개시신고'를 하여 고유번호가 아닌 사업자등록번호를 부여받아 신용카드가맹점 개설 등을 하여야 합니다. 수익사업 관련 경비를 지출할 때도 사업자번호로 신용카드를 발급받거나 현금영수증을 등록하면 세금을 줄일 수 있습니다.

Ⅲ 종교단체의 공익법인 세무

○ 종교단체는 「상속세 및 증여세법」에 따른 '공익법인' 등으로 출연금과 기부금에 대하여 상속세・증여세 과세가액 불산입, 지정기부금 혜택 등 각종 혜택과 지원을 받고 있다.

○ 세법상 증여세 과세가액 불산입 후 엄격한 사후관리가 되는 다른 비영리법인과는 달리 종교단체의 경우, 종교단체의 특성을 고려하여 투명성 제고를 위한 결산서류의 공시, 전용계좌의 사용, 외부전문가 세무확인, 회계감사 등 제반 의무를 대부분 면제받고 있다.

1 종교단체와 공익법인

○ **「공익법인의 설립・운영에 관한 법률」에 따른 공익법인** : 재단법인이나 사단법인 중 사회 일반의 이익에 이바지하기 위하여 학자금・장학금, 연구비의 보조나 지급, 학술, 자선(慈善)에 관한 사업을 목적으로 하는 법인을 '공익법인'으로 구분하여 그 적용대상으로 하고 있습니다(「공익법인의 설립・운영에 관한 법률」 제2조).

* 「공익법인의 설립・운영에 관한 법률」상 '공익법인'은 민법상 비영리법인 중 「공익법인의 설립・운영에 관한 법률」에서 정한 요건을 갖추어 공익법인으로 설립허가를 받은 법인을 말합니다.

* 종교단체가 공익법인의 하나로 보는 것은 세법상 분류일 뿐이고, 원칙적으로 「공익법인의 설립・운영에 관한 법률」상 '공익법인'에 해당하지 않습니다.

○ **「상속세 및 증여세법」 상 공익법인 등** : 세법(상증세법)은 비영리법인 중에서 종교・자선・학술 관련 사업 등 공익성을 고려하여 「상속세 및 증여세법 시행령」 제12조 각 호에 열거된 공익사업을 영위하는 단체를 '공익법인 등' 으로 정하고 증여세 과세가액 불산입 등

세법상 혜택을 부여함과 동시에 엄격한 사후관리를 하고 있습니다. 이에 따라 종교단체(개인으로 보는 종교단체도 포함됩니다)도 '종교의 보급, 기타 교화에 현저히 기여하는 사업'으로서 '공익법인 등'으로 취급됩니다.

2 종교단체에 대한 조세지원

종교단체는 비영리법인으로 보든지 거주자로 보든지간에 세법상 '공익법인 등'으로 「상속세 및 증여세법」상 증여세 과세가액 불산입 등 다양한 지원을 하고 있다.

공익법인으로서 종교단체에 대한 조세지원

조세지원제도	내용	비고
① 출연재산의 상속세 과세가액 불산입	• 피상속인이나 상속인이 종교단체에 상속세 과세표준 신고기한 내에 출연한 재산의 가액은 상속세 과세가액에 불산입한다. • 상속세 과세가액 불산입 후 재산이나 이익이 상속인과 특수관계인에게 귀속되는 경우 상속세를 추징한다.	상증세법 §16
② 출연재산의 증여세 과세가액 불산입	• 종교단체가 출연받은 재산의 가액은 증여세 과세가액에 산입하지 아니한다. • 세법에서 규정하고 있는 출연재산 등의 사용 및 각종 보고의무 등을 위반하는 공익법인은 증여세 등을 과세한다.	상증세법 §48
③ 공익법인에 대한 부가가치세 면세	종교단체가 공급하는 일정한 재화나 용역과 일정한 재화의 수입은 부가가치세를 면세한다.	부가세법 §26①(18)

3 공익법인으로서 종교단체의 책임과 의무

종교단체의 헌금(기부금)에 대한 출연재산 사후관리

○ 공익법인에 대한 출연금(出捐金)은 「상속세 및 증여세법」에 따라 원칙적으로 증여세와 상속세 과세가액 불산입 혜택을 부여하지만 각종 사후관리에 관한 의무를 준수해야 합니다.

| 공익법인의 사후관리 의무 |

구분		준수할 의무와 추징사유
출연재산 등의 사용의무	출연재산 사용의무	재산을 출연 받은 때에는 3년 내에 직접 공익목적사업에 사용한다. ※ 목적 외 사용금액, 미사용금액에 대하여 증여세 부과
	출연자산 매각금액	출연재산 매각금액은 1년 내 30%, 2년 내 60%, 3년 내 90% 이상 공익목적사업에 사용해야 한다. ※ 미달 사용금액에 증여세 과세
	운용소득	운용소득금액의 70% 이상을 1년 내 직접 공익목적사업에 사용해야 한다. ※ 기준금액 미사용시 미사용금액의 10% 가산세 부과
주식 취득 보유	주식 출연 받거나 취득시	동일한 내국법인의 의결권 있는 주식등이 발행주식 총수 등의 5%(성실공익법인 10%) 초과한 경우 증여세를 부과한다. ※ 초과보유분 가산세 부과, 성실공익법인의 경우 10% 초과 출연분 3년 내 매각시 부과 제외('11.1.1. 이후 취득분)
	계열기업의 주식보유	총재산가액 중 특수관계 있는 내국법인 주식이 30%(외부감사, 전용계좌개설·사용, 결산서류 등 공시 이행한 경우 50%) 초과보유를 금지한다. ※ 초과 보유주식의 매 사업연도말 시가의 5% 가산세 부과

구분	준수할 의무와 추징사유
출연자 등 이사 등 취임시 지킬 일	출연자와 그 특수관계인이 이사수의 1/5을 초과하거나 임직원으로 취임을 금지한다. ※ 관련 경비 전액에 가산세 부과
보고서 등 제출 의무	결산서류, 출연재산보고서와 외부전문가 세무확인서류를 3개월 내 세무서장에게 제출의무가 있다. ※ 미제출 · 불분명분 증여세의 1% 가산세 부과 ※ 미이행시 MAX {① (해당연도 수입금액+출연재산가액)×0.07%, ② 100만원} 를 가산세로 부과
회계투명성 의무	결산서류 공시의무, 자기내부거래 금지, 전용계좌 개설 · 사용 등 의무가 있다. ※ 미공시 · 허위공시에 대한 시정요구 불응시 자산총액의 0.5% 가산세 부과

○ 종교단체의 불특정다수인으로부터의 헌금 : 종교단체가 불특정 다수인으로부터 출연받은 재산 중 출연자별로 출연 받은 재산가액을 산정하기 어려운 재산으로서 종교사업에 출연하는 '헌금'에 대하여는 출연재산 사후관리 대상에서 제외됩니다. 하지만 '부동산' 이나 '주식' 등 현물로 출연하는 경우는 원칙적으로 아무리 작은 금액이라도 사후관리 대상이 됩니다(상증세법 §48 ② 단서, 상증세령 §38 ①).

○ 이때 '헌금'이란 이미 설립되었거나 신설하려는 종교단체가 각각 교인들로부터 직접 출연받은 금전을 말합니다. 만약 종교단체가 교인들로부터 금전을 출연받아 이 헌금을 별도로 설립된 다른 종교단체에 출연하는 경우에 다른 종교단체가 출연받은 금전은 사후관리 대상에서 제외하는 '헌금'에 해당되지 아니합니다(서면4팀-2322, 2005.11.24.; 재산상속 46014-1405, 2000.11.24.).

공익법인으로서 종교단체의 투명성

○ 종교단체의 공익법인으로서의 의무 : 공익법인은 수입과 지출의 투명성을 담보할 수 있도록 ① 직접 공익목적사업과 관련한 수입과 지출의 전용계좌 사용, ② 재무상태표 등 결산서류의 국세청 홈페이지 공시, ③ 외부전문가의 세무확인, ④ 외부감사 등 필요한 의무를 지우고 있습니다.

○ 하지만 공익법인 중 종교의 보급, 기타 교화에 현저히 기여하는 사업(상증세령 §12(1)), 즉 종교단체에 해당하면 회계투명성 제고를 위한 대부분의 의무를 면제하고 있기 때문에 종교단체는 현재로서는 공익법인으로서의 해당 의무를 준수하지 않아도 됩니다.

| 종교단체과 공익법인의 세법상 의무 |

의무규정	내 용	근거법률
외부전문가의 세무확인	• 공익법인은 사업연도별로 출연받은 재산의 공익목적사업 사용여부 등에 관해 2명 이상의 세무사 등을 선임하여 세무확인*하여야 한다. * **세무확인사항** : 출연 받은 재산의 공익목적 사용여부, 상증법상 공익법인 의무사항 이행 여부, 그 밖에 공익목적 사업운영 등 정한 사항 • 사업연도 종료일부터 3개월 이내에 관할 세무서장에게 보고한다. • 세무서장은 일반인이 열람하도록 공시한다. * **세무확인이 면제되는 공익법인** : ① 사업연도의 종료일 현재 대차대조표상 총자산가액(부동산은 상증법에 따른 평가가액이 대차대조표상의 가액보다 큰 경우 그 평가가액)이 5억원 미만인 공익법인 등. 다만, 사업연도의 수입금액(수익사업과 관련된 수입금액과 사업연도에 출연받은 재산가액의 합계액이 3억원 이상	상증세법 §50①

의무규정	내 용	근거법률
외부전문가의 세무확인	인 공익법인 등은 제외) ② 불특정다수인으로부터 재산을 출연받은 공익법인 등(다만, 출연자 1명과 그의 특수관계인이 출연한 출연재산가액이 공익법인 등이 출연받은 총 재산가액의 5%에 미달하는 경우로 한정) ③ 국가나 지방자치단체가 재산을 출연하여 설립한 공익법인 등으로서 「감사원법」이나 관련 법령에 따라 감사원의 회계검사를 받는 공익법인 등(회계검사를 받는 연도분으로 한정한다)	상증세법 §50①
전용계좌 개설 · 사용 의무	• 공익법인(종교의 보급, 기타 교화에 현저히 기여하는 사업은 제외한다)은 직접 공익목적사업과 관련하여 받거나 지급하는 수입과 지출 중 일정한 경우* 전용계좌를 사용하여야 한다. * 전용계좌 사용대상인 일정한 수입과 지출 : ① 직접 공익목적사업과 관련된 수입과 지출을 금융회사 등을 통하여 결제하거나 결제받는 경우 ② 기부금, 출연금이나 회비를 받는 경우(현금으로 직접 지급받은 기부금 · 출연금이나 회비를 지급받는 날부터 5일까지 전용계좌에 입금하는 경우 포함한다) ③ 인건비 · 임차료를 지급하는 경우 ④ 기부금 · 장학금 · 연구비 등 대통령령으로 정하는 직접 공익목적사업비를 지출하는 경우(100만원을 초과하는 경우로 한정한다) ⑤ 수익용이나 수익사업용 자산의 처분대금, 그 밖의 운용소득을 고유목적사업회계에 전입(현금 등 자금의 이전이 수반되는 경우만 해당한다)하는 경우 • 최초로 공익법인에 해당하게 된 날부터 3개월 이내에 전용계좌를 개설하여 해당 공익법인의	상증세법 §50의 2

의무규정	내 용	근거법률
전용계좌 개설 · 사용 의무	납세지 관할 세무서장에게 신고하여야 하며, 전용계좌를 변경하거나 추가로 개설할 때도 신고하여야 한다.	상증세법 §50의 2
회계감사 의무	• 공익법인은 사업연도별로 「주식회사 등의 외부감사에 관한 법률」 제3조에 따른 감사인(회계법인, 감사반)에게 회계감사를 받을 의무가 있다. * 회계감사 제외대상 : ① 직전 사업연도 종료일의 대차대조표상 총자산가액(부동산인 경우 평가가액이 대차대조표상의 가액보다 크면 그 평가한 가액)의 합계액이 100억원 미만인 공익법인 ② 종교의 보급, 기타 교화에 현저히 기여하는 사업 ③ 「초 · 중등교육법」 및 「고등교육법」에 의한 학교, 「유아교육법」에 따른 유치원을 설립 · 경영하는 사업 • 회계감사를 받은 공익법인은 감사인이 작성한 감사보고서를 사업연도 종료일부터 3개월 이내에 관할 세무서장에게 제출한다. • 관할 세무서장은 제출받은 감사보고서를 일반인이 열람할 수 있도록 공시한다.	상증세법 §50③
결산서류 등의 공시의무	• 공익법인은 ① 재무상태표 ② 운영성과표 ③ 기부금 모집 및 지출 내용 ④ 해당 공익법인의 대표자 · 이사 · 출연자 · 소재지 및 목적사업에 관한 사항 ⑤ 주식보유 현황 등 결산서류 등을 사업연도 종료일부터 4개월 이내에 국세청의 인터넷 홈페이지에 게재하는 방법으로 공시하여야 한다. * 결산서류 공시 제외 대상 공익법인 : ① 자산규모, 사업의 특성 등을 고려하여 해당 연도의	상증세법 §50의 3

의무규정	내 용	근거법률
결산서류 등의 공시의무	종료일 현재 재무상태표상 총자산가액(부동산인 경우 평가가액이 재무상태표상의 가액보다 크면 그 평가한 가액)의 합계액이 5억원 미만인 공익법인(다만, 해당 연도의 수입금액과 그 연도에 출연 받은 재산가액의 합계액이 3억원 이상인 공익법인은 제외), ② 종교의 보급, 기타 교화에 현저히 기여하는 사업 • 국세청장은 공익법인이 결산서류 등을 공시하지 아니하거나 그 공시내용에 오류가 있는 경우에는 1개월 이내의 기간을 정하여 공시하도록 하거나 오류를 시정하도록 요구할 수 있다. • 국세청장은 공익법인이 공시한 결산서류 등을 국세청장이 지정하는 공익법인에게 제공할 수 있다.	상증세법 §50의 3

1 종교단체와 부동산

○ 종교단체는 종교활동 등 고유목적사업을 수행하기 위해 취득・사용하는 부동산에 대하여는 원칙적으로 부동산의 취득・보유・매각에 따른 국세와 지방세 등 모든 세금을 면제한다.

○ 고유목적사업에 3년 이상 계속 사용하지 않은 부동산의 경우 비과세되지 않고 양도차익에 대한 세금이 부과되고, 보유기간 중 고유목적사업이 아닌 수익사업에 사용한 부분에 대해서도 취득・보유・매각에 따른 세금을 부담하여야 한다.

종교단체가 보유하는 부동산에 대한 취급

○ 종교의 보급, 기타 교화를 목적으로 하는 종교단체가 고유목적사업에 사용하기 위하여 취득하거나 고유목적에 사용하면서 보유하는 부동산에 대하여는 원칙적으로 증여세 등 국세는 물론 취득세・재산세 등 지방세를 부과하지 않습니다.

구분	조세지원제도	내용	관련법령
국세	출연 부동산의 증여세 과세 제외	종교단체가 출연받은 부동산은 증여세대상에서 제외한다.	상증세법 §48
	종합부동산세 비과세	「지방세특례제한법」 등에 따른 재산세의 감면규정은 종합부동산세를 부과할때도 준용한다.	종부세법 §6①
	고유목적사업 사용한 부동산	종교단체가 3년 이상 계속하여 해당 고유목적사업에 직접 사용한 부동산	법인세법 §62의 2,

구분	조세지원제도	내용	관련법령
국세	양도차익 비과세	등 고정자산을 처분하여 생기는 양도차익에 대하여 비과세한다.	§3③(5), 법인세령 §2②
지방세	종교단체 부동산 취득세 면제	종교단체가 종교행위를 목적으로 하는 사업에 직접 사용하기 위하여 취득하는 부동산에 대한 취득세를 면제한다.	지방세특례제한법 §50①
	재산세 면제	종교단체가 과세기준일 현재 해당 사업에 직접 사용(종교단체가 제3자의 부동산을 무상으로 해당 사업에 사용하는 경우 포함한다)하는 부동산에 대해 재산세를 면제한다.	지방세특례제한법 §50②
		사찰림(寺刹林)과 「전통사찰의보존 및 지원에 관한 법률」 제2조 제1호에 따른 전통사찰이 소유한 전통사찰보존지에 대해 재산세를 면제한다.	지방세특례제한법 §50⑥
	지역자원개발세 면제	종교단체가 과세기준일 현재 해당 사업에 직접 사용(종교단체가 제3자의 부동산을 무상으로 해당 사업에 사용하는 경우 포함한다)하는 부동산에 대한 지역자원개발세를 면제한다.	지방세특례제한법 §50②
	주민세 균등분 면제	종교의식을 행하는 교회·성당·사찰·불당·향교 등에 대하여 주민세 균등분을 면제한다.	지방세특례제한법 §50⑥

2 종교단체의 부동산 취득

○ 종교단체가 부동산을 취득하는 경우 시·군·구에서 '부동산등기용 등록번호'를 부여받아 종교단체 명의로 사용해 등기해야 하며, 종교단체의 소속 교단의 명의를 사용하거나 종교단체의 대표자 개인명의로 등기하는 것은 추후 세무·법률상 문제를 야기한다.

○ 종교단체가 종교행위를 목적으로 하는 사업에 직접 사용하기 위하여 취득하는 부동산에 대해서는 취득세를 면제하며, 취득한 후 5년 이내에 수익사업에 사용하거나, 3년 이내에 정당한 사유 없이 해당 용도로 직접 사용하지 아니하거나 2년 미만 해당 용도로 직접 사용한 후 매각·증여, 다른 용도로 사용하는 경우 면제한 취득세를 추징한다.

종교단체 부동산 취득시 소유권 이전

○ **종교단체의 부동산 취득등기** : 종교단체가 소유권 이전 등 부동산 등기를 할 때에는 부동산 권리자로서 권리자의 성명이나 명칭 외에 '부동산등기용 등록번호'와 주소나 사무소 소재지를 함께 기록하여야 합니다(부동산등기법 §48②).

○ **부동산등기용 등록번호 발급** : 법인 아닌 사단이나 재단인 종교단체가 부동산 등기를 할 때는 시장(「제주특별자치도 설치 및 국제자유도시 조성을 위한 특별법」 제10조 제2항에 따른 행정시의 시장을 포함, 「지방자치법」 제3조 제3항에 따라 자치구가 아닌 구를 두는 시의 시장은 제외합니다), 군수이나 구청장(자치구가 아닌 구의 구청장을 포함합니다)으로부터 '부동산등기용 등록번호'는 부여받아 부동산등기부에 등기할 수 있습니다.

○ **개별 종교단체의 종단 등 명의 등기시 명의신탁 허용** : 법인이나 「부동산등기법」에 따라 등록번호를 부여받은 법인 아닌 사단·재단으로서 종교의 보급, 기타 교화를 목적으로 설립된 종단·교단·유지재단이나 이와 유사한 연합종교단체와 개별단체, 그 종단 등에 소속된 종교단체는 조세포탈, 강제집행의 면탈을 목적으로 하지 아니한 경우 소속 종교단체 간에 명의신탁등기를 할 수 있습니다. 이 경우에는 명의신탁이라해도 「부동산 실권리자명의 등기에 관한 법률」에 따른 실명전환 등기의무와 과징금을 부과하지 않습니다(부동산 실권리자명의 등기에 관한 법률 §11).

○ 하지만 개별 종교단체가 종단 등으로 등기하는 경우 소유권 분쟁이 생기거나 권리행사에 제약을 받을 수 있으므로, 원칙적으로 지방자치단체로부터 '부동산등기용 등록번호'를 부여받아 해당 종교단체 명의로 등기하고 종단 등의 명의를 등기하는 것은 부득이한 경우에 한정해야 합니다.

관련법령

❐ 종교인 명의 명의신탁한 부동산의 취급

○ 「부동산등기법」 제26조(법인 아닌 사단 등의 등기신청)

① 종중(宗中), 문중(門中), 그 밖에 대표자나 관리인이 있는 법인 아닌 사단(社團)이나 재단(財團)에 속하는 부동산의 등기에 관하여는 그 사단이나 재단을 등기권리자나 등기의무자로 한다.

② 제1항의 등기는 그 사단이나 재단의 명의로 그 대표자나 관리인이 신청한다.

「○ 부동산 등기규칙」 제48조(법인 아닌 사단이나 재단의 등기신청)

법 제26조의 종중, 문중, 그 밖에 대표자나 관리인이 있는 법인 아닌 사단이나 재단이 등기를 신청하는 경우에는 다음 각 호의 정보를 첨

부정보로서 등기소에 제공하여야 한다.

1. 정관이나 그 밖의 규약
2. 대표자나 관리인임을 증명하는 정보. 다만, 등기되어 있는 대표자나 관리인이 신청하는 경우에는 그러하지 아니하다.
3. 「민법」 제276조 제1항의 결의가 있음을 증명하는 정보(법인 아닌 사단이 등기의무자인 경우로 한정한다)
4. 대표자나 관리인의 주소 및 주민등록번호를 증명하는 정보

관련해석

❐ 종교단체의 부동산 등기절차

○ 종교인 개인명의로 명의신탁된 종교단체 부동산이 부동산 실명법 위반인지(부등 3402-350, 2003.6.23.)

○○예수교장로회와 소속 종교단체의 목사 개인 명의로 명의신탁된 부동산이제11조 제1항 단서에 해당되는지 여부

「부동산 실권리자명의 등기에 관한 법률」 제11조 제1항 단서 및 같은 법 시행령 제5조에 의하면, 법인이나 「부동산등기법」 제41조의 2 제1항 제3호의 규정에 의하여 등록번호를 부여받은 법인 아닌 사단·재단으로서 종교의 보급, 기타 교화를 목적으로 설립된 종단·교단·유지재단이나 이와 유사한 연합종교단체와, 그 종단에 소속되어 종교의 보급, 기타 교화를 목적으로 설립된 법인이나 단체간에, 법이 시행되기 전에 **조세포탈이나 강제집행의 면탈을 목적으로 하지 아니하고 명의신탁된 부동산의 경우에는 법 제11조 제1항 본문에 규정된 유예기간이 경과한 후에도 명의신탁해지를 원인으로 하여 소유권이전등기를 신청**할 수 있으나, **등록번호를 부여받은 ○○예수교장로회와 소속 종교단체인 △△교회간의 명의신탁이 아닌 △△교회의 목사 개인 명의로 명의신탁된 부동산은 법 제11조 제1항의 단서에 해당되지 아니하여 유예기간이 경과된 후에는 명의신탁약정과 이에 따른 등기가 무효**이다.

○ 종교단체의 근저당권설정등기 신청시 국민주택채권 매입 여부(1997. 7.13. 등기 3402-514 질의회답)

「주택건설촉진법 시행령」 제17조 제1항 [별표3] 제3호 "나"목의 규정에 의하면, 민법 제32조의 규정에 의하여 허가를 받은 종교단체가 종교용으로 건물을 신축하거나 당해 토지나 건축물의 소유권보존등기나 이전등기를 신청하는 때에 한하여 국민주택채권의 매입의무가 면제되므로, 위 **종교단체가 그 소유의 부동산에 대하여 근저당권설정등기를 신청하는 경우에는 국민주택채권을 매입하여야 할 것**이다.

종교단체의 부동산 취득시 세금 면제

○ 종교단체 부동산 취득세 면제 : 종교단체가 종교행위를 목적으로 하는 사업에 직접 사용하기 위하여 타인으로부터 매매나 증여 등을 원인으로 취득하는 부동산에 대해서는 취득세를 면제합니다(지방세특례제한법 §50).

* '종교행위를 목적으로 하는 사업에 직접 사용' : 현실적으로 해당 부동산의 사용용도가 종교목적 사업 자체에 직접 사용되는 것을 뜻하고, 그 범위는 해당 종교목적 단체의 사업목적과 취득목적을 고려하여 그 실제의 사용관계를 기준으로 객관적으로 판단해야 합니다(대법원 2009.6.11. 선고, 2007두20027 판결 등 참조).

○ 종교단체 아닌 종교인이나 허가를 받지 않은 단체의 취득세 : 종교단체가 취득하는 부동산에 대하여 취득세를 면제받기 위해서는 '주무관청에 허가를 얻은 종교단체'에 해당되어야 하고, 종교단체가 아니라 종교단체의 대표자 개인 명의로 등기를 하거나 거주자로 취급되는 경우에는 취득세가 면제되지 않습니다.

관련해석

종교단체에 대한 부동산의 비과세 범위(내무부 세정 13430-58, 1996.2.6.)

종교단체가 담임목사 등 성직자의 주거용으로 사용하기 위한 사택의 목적으로 취득하는 부동산에 대하여는 취득세를 비과세하되, 그 기준은 다음과 같다.

① 「택지소유상한에 관한 법률」에서 규정하는 허가기준 면적 이내의 부동산으로서 단독주택 1호당 660㎡, 공동주택 1세대당 132㎡, 1동의 공동주택이 5세대 미만인 경우 660㎡를 당해 동의 세대수로 나눈 면적 이내

② 성직자의 범위

○ 가톨릭 : 신부 · 수녀 · 수사

○ 대한성공회 : 신부 · 부제 · 전도사

○ 구세군 : 사관

○ 전도관 : 관장 · 부관장 · 전도사

○ 천도교 : 교역자

○ 대순진리회 : 선감 · 교감 · 보정

○ 대한예수교장로회 등 : 목사, 부목사, 전도사

○ 불 교 : 승려 · 법사

○ 원불교 : 교무

종교단체의 부동산 취득세 면제 후 추징사유

○ **종교단체 취득세 추징** : 종교단체가 부동산 취득 시 취득세를 면제받은 후 ① 해당 부동산을 취득한 날부터 5년 이내에 수익사업에 사용하거나 ② 정당한 사유 없이 취득일부터 3년이 지날 때까지 해당 용도에 직접 사용*하지 아니하거나 ③ 해당 용도로 직접 사용한 기간이 2년 미만인 상태에서 매각 · 증여하거나 다른 용도로 사용하는

경우에는 그 해당 부분에 대해 면제받은 취득세를 추징합니다.

* 해당 용도에 직접 사용 : 종교단체의 해당 사업에 직접 사용되고 있는 경우만을 지칭하는 것으로, 해당 사업에 직접 사용하기 위한 준비에 사용된 경우를 제외되며, 현실적으로 해당 사업에 직접 사용하지 못한 것에 귀책이 없다해도 이를 정당한 사유가 있다고 볼 수 없습니다(대법원 2016.6.23. 선고, 2016두37676 판결 참조).

○ 종교단체 부동산의 사용주체에 따른 과세 구분

① 기도 · 교육 등 종교의식과 전도 생활공간인 주택은 종교용도에 직접 사용 : **종교단체의 주택 등 부동산을 사용하는 종교인이 종교활동을 직접 담당하면서 종교단체의 원활한 사업수행에 필요불가결한 존재이고, 부동산을 지역 신자들이 참여해 기도, 교육 등 종교의식과 전도생활이 이뤄지는 공간으로 사용된 경우 해당 주택은** 목적사업에 직접 사용되는 부동산으로 취득세 추징대상으로 보긴 어렵다(대법원 2015.9.15.선고 2014두557 판결).

② 종교단체를 관리 · 책임지고 있는 책임자가 아닌 종교인이 사용하는 사택은 종교용도에 직접사용 제외 : 종교단체가 소속 교역자의 사택용으로 부동산을 취득한 경우에 **이를 종교단체가 그 사업에 직접 사용하기 위하여 취득한 것이라 하여 취득세가 비과세하기 위해서는 적어도 부동산을 사용하는 교역자가 당해 종교단체의 필요불가결한 중추적 지위에 있음을 요**하여야 하는 바, 주택에 거주하고 있는 **원로목사들이 현재도 설교, 강연, 심방 등의 사목활동을 담당하고 있다고 하더라도, 정기적으로 주일에 예배를 집도하고, 교회 공동체 전체를 통솔하면서 교회를 관리 · 책임지고 있는 담임목사와는 달리, 원로목사들은 설교나 전도, 심방 업무 등을 보조하고, 교인들의 신앙생활의 일부분을 지도하는 업무를 수행하는데 불과**하여 종교활동에 필요불가결한 중추적인 지위에 있다고는 할 수 없다(대법원 2016.11. 선고, 2016두47611 판결).

③ 종교단체의 종교인이 주로 사용하는 사택이라 해도 **부목사는 교회의 필요에 따라 당회장인 위임목사를 보좌하기 위하여 수시로 노회(老會)의 승낙을 받아 임명되어 임의로 시무하는 목사라는 점에서 종교활동에 필요불가결한 중추적인 지위에 있다고는 할 수 없으므로** 담임목사 아닌 부목사 사택용으로 사용하는 주택은 취득세 비과세 대상에서 제외된다(대법원 1989.11.14. 선고, 89누2608 판결).

○ 종교단체 부동산의 용도에 따른 과세 구분

① 해당용도로 2년간 사용 입증하면 취득세 면제 : 종교목적을 감면받은 후 2년 이내 임대하여 취득세 추징대상이 되자, 해당 용도로 직접 사용한 기간이 2년 미만이 아니라는 사실을 인정받기 위해 취득신고 1년 전에 작성한 원 계약서를 제출한 경우, **취득신고한 매매계약서 이외 원 계약서를 나중에 제출한 경우라도 이 원 계약서가 사실상 계약서로 인정되면 이를 기준으로 취득일로 인정하여 직접 사용한 기간을 소급 적용** 가능하다(대법원 2016.1.28. 선거 2015두54773 판결).

② 종교활동에 상시적 · 일시적으로 사용되는 부동산의 취급 : 상시적으로 종교단체가 보유한 부동산 중 취득세가 감면대상이 되려면 **종교의식, 예배축전, 종교교육 및 선교 등 종교목적에 사용될 수 있는 교회당 등의 예배시설을 갖추고 상시적으로 종교목적에 사용**되어야 한다. 그러므로 수양관이나 기도원 용도의 부동산 내부에 종교의식 등을 할 수 있는 십자가, 설교대, 헌금함 등이 비치되어 **상시적으로 종교의식 등 종교목적으로 직접 사용되는 부동산**인 경우 감면대상이 된다고 할 것이고, **종교시설이 갖추어지지 아니한 주택 등의 형태이고 일시적으로만 종교용에 사용된 경우에는 취득세 등 감면대상에서 제외**하는 것이 타당하다(조심 2017지616, 2017.10.17. ; 조심 2015지851, 2015.9.17.).

③ 해당 종교단체 아닌 종단소속 법사승려 등이 숙소 및 수행공간으로 사용한 부동산 : 종교단체가 시내에 위치한 사찰 부지가 협소하여 법회나 승려수행을 위한 공간이 부족해지자, **사찰 공간을 확장하기 위해 인근 부동산을 매입하여 소속 사찰의 운영과 포교활동을 지원하는 총본산 종단 소속 법사승려, 부전승려, 행사 진행승려 등이 사찰을 방문할 때 숙소 및 수행공간으로 제공**되었고 기존 ○○사 **소속 승려들과 신도들의 종교활동의 공간으로도 사용**되며, 과세관청이 건물의 사용실태를 조사를 통해 종교목적의 사용 중이라는 사실을 인정한 바 있고 현재도 ○○사 인근에 종교집회장이나 불교용품 보관창고로 사용되고 있는 건물을 종교목적으로 사용한 것으로 인정하여 재산세 등을 면제하고 있으므로 이 부동산은 종교목적 사업에 직접 사용되는 부동산이라고 할 것이다(대구고법 2017.9.29. 선고, 2016누7263 판결).

○ 종교단체 부동산의 종교용도 사용범위

① 다른 종교단체가 종교용도로 사용 : 종교단체가 종교용으로 취득한 부동산을 취득 후 2년이 경과하지 않은 상태에서 **다른 교회에게 유상으로 임대하여 사용한 경우 임차 종교단체가 별도로 사업자등록이 되고 서로 다른 교단에 속하는 등 별개의 종교단체에 해당하므로 취득세 면제대상인 해당 용도로 사용한 것으로 볼 수 없고 임대 등 자신의 고유목적사업이 아닌 수익용도로 사용한 것이므로** 「지방세특례제한법」 제50조 제1항에 따른 취득세 추징대상에 해당한다(조심 2015지303, 2015.10.12.).

② 산하 종교단체에 증여한 후 종교용도에 계속 사용 : 종교단체가 별도의 정관을 두고 대표자, 이사회, 소재지를 달리하는 독립된 법인인 **산하 종교단체에 취득 후 2년 내 증여한 경우에는 산하 종교단체가 종교용도에 계속 사용하게 하였더라도 당초 보유한 종교**

단체는 소유자로서의 지위를 상실하여 부동산의 소유자나 사실상 취득자의 지위에서 해당 사업에 직접 사용하고 있지 아니하므로 추징사유가 발생한 것으로 보아야 한다(대법원 2016.6.10. 선고, 2016두34707 판결)

○ 종교목적 건물 신축 설계와 건축 중인 경우 정당한 사유나 종교용도 적용불가 : 종교단체가 부동산을 취득하여 종교목적 건물을 신축하기 위해 설계가 진행 중이었고 이와 근접한 시점에 실제로 건축이 진행되어 수익사업 등 다른 용도로 사용한 것이 아닌 경우, **설계와 건축에 상당한 기간이 소요되었다 하더라도 과세기준일 당시 해당 부동산이 해당 사업에 직접 사용하기 위한 준비를 위하여 사용된 것에 불과할 뿐 해당 사업에 직접 사용되지 아니하였다면 취득세 등 부과대상**이 된다(대법원 2016.6.23. 선고, 2016두37676 판결).

3 종교단체의 부동산 보유

○ 종교단체가 종교행위를 목적으로 하는 사업에 직접 사용하기 위해 보유하는 부동산에 대하여는 종합부동산세, 재산세, 지역자원시설세 등 각종 보유세가 면제된다.

○ 종교단체가 종교용도에 사용하기 위해 취득한 부동산의 경우 취득 후 종교단체가 종교용도에 직접 상시 사용하지 않거나 임대 등 수익사업에 사용한 경우 추징된다.

종교단체 부동산 보유에 대한 조세지원

○ **사업에 직접 사용하는 부동산 보유세 면제** : 종교단체가 종교행위를 목적으로 하는 사업에 직접 사용하기 위하여 취득하여 보유하는 부동산(해당 사업에 직접 사용할 건축물을 건축 중인 경우와 건축허가 후 행정기관의 건축규제조치로 건축에 착공하지 못한 경우의 건축 예정 건축물의 부속토지를 포함합니다)에 대하여 종교용도에 상시 사용하는 경우에는 종합부동산세, 재산세, 지역자원시설세 등을 면제합니다.

○ **사찰림과 전통사찰보존지 등의 재산세 면제** : 사찰림(寺刹林)과 「전통사찰의 보존 및 지원에 관한 법률」 제2조 제1호 및 제3호에 따른 전통사찰이 소유하고 있는 전통사찰보존지에 대해서는 재산세(「지방세법」 제112조에 따른 재산세 도시지역분 부과액을 포함합니다)를 면제합니다.

○ **수익사업 · 유료사용, 목적사업에 직접 사용되지 않는 자산의 과세** : 수익사업에 사용하거나 유료로 사용되는 경우의 그 재산, 해당 재산의 일부가 그 목적에 직접 사용되지 아니하는 경우의 그 일부 재산에 대해서는 면제받을 수 없습니다.

종교단체 부동산의 취득세 – 재산세 과세대상의 상호관계

○ **종교단체의 부동산에 대한 지방세 면제** : 종교단체가 종교행위를 목적으로 하는 사업에 직접 사용하기 위하여 취득하는 부동산에 대해서는 취득세를 면제하며, 재산세 과세기준일 현재 해당 사업에 직접 사용하는 부동산에 대해서는 재산세와 지역자원시설세를 각각 면제합니다.

○ **취득세와 재산세의 추징대상비교** : 취득세는 ① 해당 부동산을 취득 후 5년 이내에 수익사업에 사용하거나 ② 그 취득일부터 3년이 경과할 때까지 정당한 사유 없이 해당 용도로 '직접 사용'하지 아니하거나 ③ 해당 용도로 직접 사용한 기간이 2년 미만인 상태에서 매각·증여하거나 다른 용도로 사용하는 경우 등 3가지 중 하나에 추징대상이 되는 반면, 재산세는 과세기준일 현재 기준으로 판단해 수익사업에 사용하는 경우(유료로 사용되는 경우 포함합니다)에 그 해당부분에 대해 면제대상에서 제외됩니다.

* '직접 사용' : 토지에 대한 재산세의 감면규정을 적용할 때 직접 사용의 범위에는 해당 감면대상 업무에 사용할 건축물을 건축 중인 경우를 포함합니다(지방세특례제한법 시행령 §123).

○ **취득세와 재산세 과세대상간 연관관계** : 재산세가 부과되었다 하더라도 취득세 추징대상에 해당하는 경우가 아니라면 취득세가 무조건 추징되지 않습니다. 만약 취득세가 추징되었다고 해도 과세기준일 현재 해당 사업에 직접 사용하는지 여부를 따져 재산세의 추징대상이 아니라면 재산세가 부과되지 않습니다.

* '종교용도 유예기간'(취득 후 3년)은 대상기간 제한 없이 보유기간 중 종교용도 사용기간을 통산해서 판단하며, '수익사업 금지기간'(취득 후 5년, 2017년부터 적용)은 유예기간이 없고 정당한 사유도 인정되지 않으며, '종교용도 사용기간'(통산 3년)은 유예기간이 없지만 정당한 사유가 인정됩니다.

종교단체 부동산 감면후 사후관리 (과세 유예기간과 사용내용)		취득세 (사후관리)	재산세 (매년 6.1.현재)
종교목적 사용 유예기간 (취득 후 3년간)	종교목적 사용(3년내)	-	면제
	종교목적 미사용(3년내)	추징	과세
수익사업 금지 관리기간 (취득 후 5년간)	수익사업 미사용(5년내)	-	면제
	수익사업 사용(5년내)	추징	과세
종교용도 사용 통산기간 (취득 후 2년간)	종교용도 사용(2년간)	-	면제
	종교용도 미사용(2년간)	추징	과세

적용사례

종교단체 "갑"이 2016.1.1. 종교목적으로 취득한 토지의 취득세와 재산세 면제 후 사후관리

종교용 부동산 상황	취득세	재산세, 지역자원시설세
[사례 1] 취득 후 직접 사용하다가 2018.1.1. 다른 종교단체에 임대 개시	취득 후 5년 내 수익사업에 사용, 취득세 추징	임대한 기간 재산세 등 과세(2018~)
[사례 2] 취득 후 자금부족으로 2019.1. 건축설계를 진행하여 2019.7.1. 건축 착공	취득 후 3년 내 종교용도에 직접 미사용, 취득세 추징	해당 목적에 미사용 재산세 등 과세 (2016~2018)
[사례 3] 나대지 상태로 보유하다가 2018.7.1. 타인 매각	취득 후 3년내 종교용도 미사용, 2년 미만 직접 사용 후 매각하였으므로 취득세 추징	해당 목적에 미사용 재산세 등 과세 (2016~2018)
[사례 4] 취득 후 2018.3.31.까지 토지를 종교용도 사용 후 2018.7.1. 매각	2년 이상 직접 사용 후 매각하였으므로 취득세 추징대상 아님	유휴토지로 사용된 경우 재산세 등 과세 (2018)
[사례 5] 취득 이후 종교단체에서 유료주차장으로 사용	취득 후 5년 내 수익사업에 사용, 취득세 추징	유료로 사용되므로 재산세 등 과세 (2016~)

종교단체 부동산 보유시 유의사항

○ 종교단체의 부동산을 임대, 수익사업 등 용도로 전용한 경우

① 종교단체의 부동산 일부에 외부인에 유료로 판매하는 카페 운영 : 종교단체가 종교용도에 사용하기 위하여 부동산을 취득한 후 내부 일부 공간을 교인들을 위한 카페로 만들어 운영하는 경우 이 부동산(카페 용도에 사용되는 일부 면적)은 종교의식이나 예배 등 종교목적이 아니라 불특정 다수인에게 유료로 커피 등을 판매하고 자유롭게 앉아서 마실 수 있는 공간이 마련되어 카페의 커피 등을 제조하는 공간과 좌석이 마련되어 있는 공간을 사업장 면적을 기준으로 취득세 추징과 재산세 부과대상이 된다(조심 2017지938, 2017.11.15.).

② 부속주차장의 효율적인 운영을 제3자에게 임대 : 학교법인이 △△대학교 의과대학 부속병원으로 사용되는 부동산을 제3자에게 주차장을 월 일정액의 유상으로 위탁 운영한 경우 의료업의 공공성을 감안하여 지방세를 감면하도록 한 취지에 비추어 볼 때 수익사업으로 보지 않는 '의과대학 부속병원이 경영하는 의료업'에는 '의료인이 공중이나 특정 다수인을 위하여 하는 의료·조산의 업'(의료법 제3조 제1항)뿐만 아니라 공중이나 특정 다수인을 위하여 의료·조산의 업을 제공하는 데 필수적으로 수반되는 업도 포함된다고 봄이 상당하다. 학교법인이 대학교 부속병원의 운영을 위하여 주차장을 취득하였다면 이 주차장은 대학교가 해당 사업에 사용하기 위해 필수적으로 필요한 것으로 이를 효율적으로 관리하기 위하여 제3자에게 임대한 것은 공중이나 특정 다수인을 위하여 하는 의료·조산의 업을 운영하면서 반드시 필요한 것으로 수익사업으로 볼 수 없어 취득세 과세대상이 될 수 없다.

학교 등이 과세기준일 현재 해당 사업에 직접 사용하는 부동산은 재산세 및 지역자원시설세를 면제한다고 규정하고, 다만 수익사업에 사용하는 경우와 해당 재산이 유료로 사용되는 경우의 그 재산에 대하여는 면제하지 아니하므로, **일부 이용객으로부터 유료로 사용되는 주차장에 대한 재산세와 지역자원시설세는 면제되지 아니한다**(대법원 2017.9.21. 선고, 2017두47502 판결).

③ 병원 내 종교시설에 대한 재산세 감면 : **병원내의 일부시설이 과세기준일 현재 무상으로 종교단체가 직접적인 종교활동에 사용하고 수익사업에 사용되지 않고 있는 경우**라면, 그 일부시설은 재산세 감면대상으로 볼 수 있으나, 취득세는 종교단체가 아닌 제3자가 소유한 부동산이므로 감면대상이 아니다(서울세무-19682, 2017.8.18.).

○ 종교단체의 사택을 소속 종교인이 사용하는 경우

① 종교단체 부교역자가 사용한 사택용 부동산의 재산세 등 면제 : 종교단체가 소속 교역자의 사택용으로 부동산을 사용한 경우에 이를 종교단체가 그 사업에 직접 사용하기 위하여 취득한 것으로 보아 「지방세특례제한법」 제50조 제2항에 의하여 재산세 등을 감면하기 위해서는 적어도 그 **교역자가 당해 종교단체의 필요불가결한 중추적 지위에 있음을 요한다 할 것인 바, 교회 운영상 담임목사 외에 부목사가 필요하다 하더라도 일반적으로 부목사는 교회의 종교 활동에 필요불가결한 중추적인 지위에 있다고는 할 수 없으므로, 부목사의 사택으로 제공된 부동산은 교회의 목적사업에 직접 사용되는 것이라고 할 수 없어** 재산세 등 감면 대상에 해당하지 않는다고 판단된다(서울세제-1062, 2017.7.21.).

② 선교사 거주용 종교단체 부동산의 종합부동산세 과세 : 종교 등을 목적으로 하는 단체가 해당 사업에 직접 사용하는 부동산에

대하여는 종합부동산세와 농어촌특별세 등이 면제되는데, 이때 '해당 사업에 직접 사용하는지 여부'는 해당 단체의 사업목적과 취득목적을 고려하여 그 실제의 사용관계를 기준으로 객관적으로 판단되어야 한다. 만약 비영리사업자가 구성원에게 숙소를 제공한 경우 그 구성원이 비영리사업자의 사업 활동에 필요불가결한 중추적 지위에 있어 숙소에 체류하는 것이 직무 수행의 성격도 겸비한다면 해당 숙소는 목적사업에 직접 사용되는 것으로 볼 수 있지만, **숙소의 제공이 단지 구성원에 대한 편의를 도모하기 위한 것이거나 그곳에 체류하는 것이 직무 수행과 크게 관련되지 않는다면 그 숙소는 비영리사업자의 목적사업에 직접 사용되는 것으로 볼 수 없다**(대법원 2014.3.13. 선고 2013두21953 판결 ; 서울행법 2017.6.2. 선고, 2016구합76015 판결).

지방세 감면신청

○ 별도의 감면신청 없다면 지방세는 원칙적으로 감면 제외 : 취득세 등 지방세의 감면을 받으려는 종교단체는 관할 지방자치단체에 지방세 감면신청을 하여야 합니다. 지방자치단체의 장은 지방세 감면 여부를 결정하여 감면에 따른 의무사항을 위반하는 경우 감면받은 세액이 추징될 수 있다는 내용과 함께 그 결과를 서면으로 통지하여야 합니다(지방세특례제한법 §183).

감면 세목		감면신청기간	비고
취득세		감면대상을 취득한 날부터 60일 이내	
등록면허세	등록분	등록 전까지	
	면허분	면허증서를 발급받거나 송달받기 전까지	

감면 세목		감면신청기간	비고
주민세	균등분	과세기준일부터 10일 이내	
	재산분	과세기준일부터 30일 이내	
	종업원분	급여지급일의 다음달 10일 이내	
재산세·지역자원시설세		과세기준일부터 30일 이내	
자동차세		과세기준일부터 10일 이내	자동차의 사용본거지 아닌 시장·군수·구청장도 가능

○ 다만, 지방자치단체의 장이 감면대상을 알 수 있을 때에는 신청이 없더라도 직권으로 지방세를 감면해 줄 수 있습니다.

관련판례

❐ **지방세감면 신청요건**

【광주고법 1971.11.25. 선고, 71구13 판결】「지방세법」 제184조 제1항 소정의 재산세 비과세재산과 동조 제2항 소정의 신청과의 관계

종교단체가 그 목적사업에 직접 사용하는 재산이라 할지라도 그 재산에 대한 재산세를 면제받기 위해서는「지방세법」 184조 2항에 따른 그 면세신청을 하여야 하며 그렇지 아니한 경우에는 재산세가 면제되지 아니한다.

4 종교단체의 부동산 매각

○ 종교단체가 보유하면서 목적사업에 사용해 온 부동산을 매각하는 경우 매각에 따른 양도차익은 원칙적으로 법인세를 면제하지만, 계속하여 고유목적사업에 3년 이상 사용하지 아니한 경우나 부동산의 일부를 수익사업에 사용한 경우에는 수익사업에 사용한 부분에 대한 양도차익에 대한 세금을 납부하여야 한다.

○ 양도당시 비영리법인이 아닌 '거주자'로 취급되는 종교단체의 경우, 부동산을 3년 이상 고유목적사업에 계속하여 사용했다 해도 법인이 아닌 거주자가 양도한 것으로 보므로 양도소득세 과세대상이다.

고유목적사업 부동산의 양도차익 법인세 비과세

○ **3년 이상 고유목적사업 사용부동산의 양도차익 법인세 비과세** : 종교단체를 비롯한 비영리법인이 해당 고정자산의 처분일(「국가균형발전 특별법」 제18조에 따라 이전하는 공공기관의 경우에는 공공기관 이전일을 말합니다) 현재 '3년 이상 계속하여 법령이나 정관에 규정된 고유목적사업(수익사업은 제외합니다)에 직접 사용'*하는 고정자산의 처분으로 인하여 생기는 수입은 법인세 과세대상에서 제외됩니다(법인세법 §3③(5) ; 법인세령 §2②).

* 3년 이상 계속하여 고유목적사업에 직접 사용 : 처분일부터 소급하여 3년 이상 중단 없이 계속하여 고유목적사업에 직접 사용한 경우로서, 보유기간 중 고유목적사업에 직접 사용하지 못한 부득이한 사유발생은 동 규정 적용의 고려 요소가 아니다(서면법인 2016-5775, 2017.3.28.).

○ **입장료 등 부수수익이 있는 경우 고유목적사업 인정** : 해당 고정자산의 유지·관리 등을 위한 관람료·입장료수입 등 '부수수익'이 있는 경우에도 고유목적사업에 직접 사용한 고정자산으로 보고 수익사업을 영위한 것으로 보지 않습니다.

* 고유목적사업에 사용된 기간의 기산일 : 고정자산의 처분일 현재 고유목적사업에 3년 이상 계속하여 사용되었는지 여부를 판단함에 있어서 고유목적사업에 사용된 기간은 해당 법인이 그 고정자산을 취득한 날부터 기산한다(서면법인 2016-4591, 2016.10.26.).

*** 종교단체의 부동산 양도차익에 대한 법인세 과세제외 요건 :**
① 처분일부터 소급해 3년 이상 계속 ② 정관에 규정된 고유목적사업에 직접 사용 ③ 수익사업 사용기간은 제외 ④ 부득이한 미사용 등 정당한 사유 불인정

○ **수익사업에 사용하던 기간분 양도차익은 면제 제외** : 종교단체가 수익사업에 사용하던 부동산을 고유목적사업에 전입한 후 처분하는 경우, 전입시 시가로 평가한 가액을 그 고정자산의 취득가액으로 감면할 양도차익을 계산하여 고유목적사업에 사용한 기간분만 감면받을 수 있습니다.

* 이 규정은 2018. 2월 이후 수익사업에 사용하던 고정자산을 고유목적사업에 지출하거나 전입하는 분부터 적용합니다. 과거에는 매각하기 전 3년간만 따져 고유목적사업에 사용하기만 하면 전액 감면이 되었지만, 앞으로는 수익사업에 사용했다면 그 기간분은 감면되지 않습니다.

적용사례 **종교단체 부동산 양도차익 과세**

종교단체 "을"이 2010.1.1. 종교목적으로 1천만원에 취득한 부동산을 2021.7.1. 매매가액 5억원에 양도한 경우

사례(부동산 사용내용)	양도차익 과세	세금계산
[사례 6] 종교단체 "을"이 비영리법인이 아닌 거주자(고유번호 가운데가 89)인 채로 매각	고유목적사용 여부와 관계없이 양도차익 과세(양도소득세)	(5억-1천만-장기보유공제액)×소득세율
[사례 7] 취득 후 종교용 고유목적에 사용하다가 2021.1.	과거 고유목적사용 여부와 관계없이 수익사업에 사용	(5억-1천만)×법인세율

사례(부동산 사용내용)	양도차익 과세	세금계산
1.부터 임대하다가 매각	하다 양도시 양도차익은 전액 과세	
[사례 8] 취득 후 임대 등 수익사업으로 사용하다가 2016. 1월부터 고유목적에 사용(당시가액 2.5억원)하다가 매각	개정 전부터 3년 이상 고유목적사업 사용 양도차익은 전액 비과세	-
[사례 9] 취득 후 임대 등 수익사업에 사용하다가 2018. 3월부터 고유목적에 사용(당시 평가액 3억원)하다가 매각	3년 이상 고유목적 사용하였으나, 개정 후 고유목적에 전입하였으므로 수익사업기간 양도차익은 과세	(3억－1천만) × 법인세율
[사례 10] 취득 후 임대 등 수익사업에 전부 사용하다가 2015. 1월부터는 부동산 일부(1/2)(당시가액 1억)를 고유목적에 사용하다가 전부 매각	개정 전 3년 이상 고유목적사업에 사용하다 매각한 1/2은 양도차익은 전액 비과세	(2.5억－5백만)× 법인세율
[사례 11] 취득 후 임대 등 수익사업에 전부 사용하다가 2018. 6월부터는 부동산 일부(1/2)(당시가액 1.7억)를 고유목적에 사용하다가 전부 매각	개정 후 3년 이상 고유목적사업에 사용하였으나, 수익사업으로 사용한 기간의 양도차익은 과세	{(2.5억－5백만)+(1.7억－5백만)}× 법인세율

관련해석

❐ 종교단체의 부동산 양도차익 감면 대상 여부

○ 고정자산을 고유목적사업에 직접 사용한 기간의 기산일 : 법인으로 승인 받기 전에 취득한 부동산을 처분하는 경우, 법인으로 보는 단체로 승인 받기 전부터 사실상 고유목적사업에 직접 사용한 때에는 고유목적사업에 직접 사용한 날부터 기산한다(서면법인 2016－4066, 2016.9.9.).

○ '법인으로 보는 단체' 승인 후 1년 내 양도손익 : 「국세기본법」 제13조에 따라 법인으로 보는 단체로 승인받은 종중이 **단체로 승인받기 전에 부동산을 양도하고 1거주자로 양도소득세를 신고·납부한 경우로서 해당 양도손익을 구성원에게 분배하지 아니하고 사실상 단체에 귀속시킨 것이 확인되며, 조세포탈의 우려가 없는 때에는 최초 사업연도의 기간이 1년을 초과하지 아니하는 범위에서 해당 양도손익을 단체의 최초사업연도의 손익에 산입할** 수 있다. 다만, 양도손익의 사실상 단체 귀속 및 조세포탈 우려 여부는 양도대금의 실제 사용내역, 단체 승인 전·후의 실체 동일 여부 등에 따라 사실판단할 사항으로 본다(서면법인 2016-6018, 2017.3.28.; 서면법령해석 법인 2016-3484, 2016. 7.11.).

○ 선교사들의 숙소로 사용하다가 양도한 주택의 법인세 과세 : 선교사업에 목적을 두고 선교사의 선발, 훈련, 파송 및 관리, 효율적인 선교활동을 위한 행정적 지원 등을 목표로 설립된 비영리법인(「국세기본법」 제13조에 따른 '법인으로 보는 단체')가 정관에 규정된 고유목적사업을 수행하기 위하여 **해당 단체에 소속되어 종교의 보급, 기타 교화업무를 전업으로 하는 선교사에게 해외 선교를 하다가 잠시 귀국하여 선교를 위한 교육 및 추가 파송을 위한 준비를 할 경우, 국내에 거주할 주택으로 사용하기 위해 적립된 선교사 퇴직기금으로 부동산을 매입하여 계속 선교사들의 숙소로 계속 사용하다가 사택으로 제공한 부동산을 처분**하는 경우 각 사업연도 소득에 대한 법인세가 과세되지 않는다(사전법령해석 법인 2016-589, 2016.12.23.).

관련판례

❒ 고유목적사업에 3년 이상 사용 판단

【대법원 2008.6.12. 선고 2008두1368 판결】 부족한 주차공간 확보 위해 교회에서 상당한 거리에 대지를 취득해 주차장으로 사용한 경우

단독주택 밀집지역에 위치한 종교단체인 원고교회는 교회 내의 공간 및 기존 주차장만으로는 부족한 교회신도들의 주차 공간을 확보하기 위해 교회에서 약 80m 떨어진 이 사건 대지를 취득한 점, 위 대지는 인접한 원고교회 사택계단을 이용하면 바로 교회본당으로 통행할 수 있고, 현재 교회신도들의 전용주차장으로 사용되는 점 등의 사정과 헌법상 보장되는 종교의 자유는 정신적 존재로서의 인간의 존엄과 가치, 행복추구권과 밀접한 관계를 가지고 있어 가급적 광범위하게 보장되어야하는 점에 비추어 이 대지는 원고교회의 비영리사업에 직접 사용된다고 봄이 상당하므로, 재산세 등을 부과한 이 사건 처분은 위법하다.

【대법원 2013.6.28. 선고 2013두2778 판결】 취득등기 후 유예기간 내 합의해제로 된 경우 취득세 등 납세의무

비영리사업자가 고유업무에 직접 사용하기 위하여 부동산 등기를 하였다가 합의해제 등으로 구 「지방세법」(2010.3.31. 법률 제10221호로 전부개정되기 전의 것) 제127조 제1항 단서 소정의 유예기간 내에 당해 부동산에 관한 등기까지 말소하였다면 해당 부동산을 고유업무에 직접 사용하여야 할 세법상의 의무가 소멸하므로 고유업무에 직접 사용하지 못한 정당한 사유가 있어 등록세를 부과할 수 없다고 할 것이나, 계약의 합의해제 등이 있어도 해당 부동산등기를 유예기간 이후에 말소했다면 당해 부동산을 고유업무에 직접 사용하지 못한 정당한 사유가 될 수 없다.

【대법원 2017.7.11. 선고 2016두64722 판결】 비영리법인의 고정자산처분수입은 실제 양도가액에서 취득가액을 차감하여 산정

비영리법인의 고정자산처분수입 산정시 종전 고유목적사업 사용기간 만큼의 평가이익 상당액을 차감할 수 없고, 구분경리 조항은 과세소득 계산의 근거도 아니므로 실제 양도가액에서 취득가액을 차감하여 양도차익을 산정하여야 한다.

V 종교단체의 종교인소득 세무

1 종교단체와 종교인소득

○ 종교인소득 과세에 있어서 '종교단체'는 소속된 종교단체가 사단법인·재단과 '법인으로 보는 단체' 등 세법상 법인은 물론 법인이 아닌 거주자로 취급되는 종교단체도 모두 해당된다.

○ 종교인소득 납세의무자인 '종교관련종사자'는 종교단체에서 종교활동을 하는 목사·신부·승려·교무 등 성직자와 수녀·수사·전도사 등 그 밖의 종교인을 말한다.

종교인소득 과세관련 '종교단체'란?

○ **종교인소득을 지급하는 종교단체** : 다음의 하나에 해당하는 종교의 보급, 그 밖에 교화를 목적으로 설립된 단체(그 소속 단체를 포함합니다)로서 해당 종교관련종사자가 소속된 단체를 말합니다(소득세령 §42).

① 「민법」 제32조에 따라 설립된 비영리법인(사단법인, 재단법인)

② 「국세기본법」 제13조 제4항에 따른 법인으로 보는 단체

③ 「부동산등기법」 제49조 제1항 제3호에 따라 등록번호를 부여받은 법인 아닌 사단·재단

'종교관련 종사자'(=종교인)은?

○ 종교인소득 과세대상 '종교관련종사자': 「통계법」 제22조에 따라 통계청장이 고시하는 '한국표준직업분류'에 따른 ① 목사·신부·승려·교무 등 성직자와 ② 수녀와 수사·전도사 등 기타 종교

관련종사자를 포함합니다. 그러므로 종교단체에 근무하는 임직원이나 봉사자는 종교관련종사자에 해당하지 않습니다.

| 한국표준직업분류상 종교관련종사자 |

소분류		세분류			세세분류		
번호	분류명	번호	분류명	설명	번호	분류명	설명
248	종교관련 종사자			종교적인 업무에 종사하거나 특정 종교의 가르침을 설교하고 전파한다.			
		2481	성직자	종교예식이나 의식을 집행하고 관장하며 신자들에게 정신적, 도덕적 지도를 하는 사람으로 교리의 해설과 설교를 하며, 종교의식을 집행한다. 〈주요업무〉 • 종교의례와 의식을 거행하거나 관리하며 창조, 속죄나 구원행사의 의식적 재연을 관장한다. • 의식을 거행할 때에는 불경이나 성경 등의 경전을 읽는다. • 정신적인 결핍이나 안식을 갈망하는 사람들을 도와주며 신앙으로 인도한다. • 교육기관 · 의료기관 · 교도소 · 경찰 · 군대 등에서 교육적 · 종교적 활	24811	목사	기독교 종교예식이나 의식을 집행하고 관장하며 신자들에게 정신적, 도덕적 지도를 하는 사람으로 교리의 해설과 설교를 하며, 종교의식을 집행하는 자를 말한다. 〈직업예시〉 • 목사(교목, 원목, 군목, 부목사)
					24812	신부	천주교 종교예식이나 의식을 집행하고 관장하며 신자들에게 정신적, 도덕적 지도를 하는 사람으로 교리의 해설과 설교를 하며, 종교의식을 집행하는 자를 말한다. 〈직업예시〉 • 사제(주교, 신부), 부제

<table>
<tr><th colspan="2">소분류</th><th colspan="3">세분류</th><th colspan="3">세세분류</th></tr>
<tr><th>번호</th><th>분류명</th><th>번호</th><th>분류명</th><th>설명</th><th>번호</th><th>분류명</th><th>설명</th></tr>
<tr><td rowspan="3"></td><td rowspan="3"></td><td rowspan="3">2481</td><td rowspan="3">성직자</td><td rowspan="3">동을 수행하기도 한다.
• 신도의 가정을 방문하여 신앙심을 고취시키거나 병든 사람을 위로하며 가난한 사람을 도와주고, 정신적인 결핍이나 안식을 갈망하는 사람들을 도우며 신앙으로 인도한다.
• 각종 모임이나 종교 교육프로그램을 지도·감독한다.
• 단체에 근무하는 경우 성직자 양성을 담당하거나 하위성직자로 하여금 종단의 관리나 인사·재무·사무 등의 일을 제대로 수행하도록 지도하거나 감시하며, 임금근로자나 자원봉사자가 있을 경우에는 이에 대한 관리감독의 업무를 수행하기도 한다.</td><td>24813</td><td>승려</td><td>불교의 종교예식이나 의식을 집행하고 관장하며 신자들에게 정신적, 도덕적 지도를 하는 사람으로 교리의 해설과 설교를 하며, 종교의식을 집행하는 자를 말한다.
〈직업예시〉
• 승려(스님, 법사)</td></tr>
<tr><td>24814</td><td>교무</td><td>원불교의 종교예식이나 의식을 집행하고 관장하며 신자들에게 정신적, 도덕적 지도를 하는 사람으로 교리의 해설과 설교를 하며, 종교의식을 집행하는 자를 말한다.
〈직업예시〉
• 교무(원불교)</td></tr>
<tr><td>24819</td><td>그 외 성직자</td><td>상기 세세분류 어느 항목에도 포함되지 않는 기타 종교관련 성직자가 여기에 분류된다.
〈직업예시〉
• 전교(대종교, 유교)</td></tr>
<tr><td></td><td></td><td>2489</td><td>기타 종교관련</td><td>해당 종교의 한 구성원으로 성직자를 보조하고 제반 종교적 활동을 수행한다. 수녀는 천주교회에서</td><td>24891</td><td>수녀 및 수사</td><td>천주교회에서 신부를 보조하여 미사 등의 집전을 보조하며, 신자들에게 신앙 및 정신적·도</td></tr>
</table>

소분류		세분류			세세분류		
번호	분류명	번호	분류명	설명	번호	분류명	설명
			종사자	신부를 보조하거나 수녀원 등에서 제반 종교적 활동을 수행한다. 그 외 종교기관이나 종교단체 종사자로 종교적인 업무를 담당하거나 특정 종교의 가르침을 설교하고 전파하는 일을			덕적 지도를 하는 자를 말한다. 수녀수련소와 수사수련소에서 수녀 및 수사 지원자를 교육시키기도 한다. 〈직업예시〉 • 수녀 · 수사 · 수사
				한다. 〈주요업무〉 • 일정한 수련과정을 거치며 신앙을 고취하기 위하여 수도를 한다. • 종교의 교리를 가르치기도 하며 사회적인 봉사활동을 조직하여 수행하기도 한다.	24892	전도사	교회에서 맡은 역할에 따라 청소년이나 신자들의 교육을 담당하거나, 찬양, 율동, 음악 등을 지도하는 자를 말한다. 교회의 홍보업무를 담당하기도 한다. 〈직업예시〉 • 전도사
		2489	기타 종교관련 종사자	• 포교사는 불교에서 수행정진, 종단과 사찰운영 및 포교를 겸하고 있는 승려와는 달리 재가불자로서 포교를 중심적으로 수행한다. 또한 새롭게 불교에 입문하고자 하는 초심자에게 불교문화를 자연스럽게 연결해 주거나 사회에서 소외되어 있는 계층(장애인, 독거노인, 일탈청소년, 수용시설 수용자, 환자, 소년소녀	24899	그 외 종교관련종사자	상기 세세분류 어느 항목에도 포함되지 않는 기타 종교관련 종사자가 여기에 분류된다. 〈직업예시〉 • 포교사

소분류		세분류			세세분류		
번호	분류명	번호	분류명	설명	번호	분류명	설명
		2489	기타 종교관련 종사자	가장 등)에 대해 상담활동, 물질적 지원 등을 수행한다. • 전도사는 교회에서 맡은 역할에 따라 청소년이나 초 신자들의 교육을 담당하거나, 찬양, 율동, 음악 등을 담당하기도 하며, 교회의 홍보업무를 담당하기도 한다. • 수녀는 천주교회에서 신부를 보조하여 미사와 일곱 집전을 보조하며, 신자들에게 신앙 및 정신적·도덕적 지도를 하며, 수녀수련소에서 수녀 지원자를 교육시킨다.			

* 한국산업분류표의 '종교관련종사자' 외에 종교단체의 반주자, 지휘자, 음향직원, 사무행정직원, 경비원, 운전기사 등 직원에게 급여를 지급하거나 신자 중 봉사자는 '종교관련종사자'에 해당하지 않으므로 그들에게 지급하는 수당이나 급여는 계약형태에 따라 근로소득이나 기타소득으로 원천징수해야 합니다.

'종교인소득'이란?

○ 종교인소득은 소속 종교인으로서 활동관련 소득 : '종교인소득'은 종교관련종사자가 종교의식을 집행하는 등 종교관련종사자로서의 활동과 관련하여 소속 종교단체로부터 받은 소득을 말합니다.

* 종교인소득에 해당되려면, ① [종교단체－소속 종교인간 수수] 종교단체가

주고 소속 종교인이 받는 것, ② [종교활동의 대가] 종교의식 집행 등 종교인으로서의 활동과 관련해 받는 것이어야 합니다.

* 종교인소득에 원칙적으로 포함되는 금품이나 이익 : 종교인이 종교단체로부터 받은 소득으로 사례비(개신교), 보시(불교), 사목활동비(천주교), 기본용금, 매월이나 정기적으로 지급되는 수당 등을 말합니다.

○ **종교인소득에는 퇴직이후에 받는 소득은 제외** : 종교인소득에는, 종교관련종사자가 그 활동과 관련하여 현실적인 퇴직 이후에 종교단체로부터 정기적이나 부정기적으로 지급받는 소득으로서 현실적인 퇴직을 원인으로 종교단체로부터 지급받는 소득(퇴직소득)에 해당하지 아니하는 소득을 포함합니다.

* 종교단체가 원로목사, 은퇴목사 등의 현실적인 퇴직에 따라 종교단체의 규약 등에 따라 정해 퇴직 이후 지급하는 수당, 생활비 등은 퇴직소득으로 보며, 다만 은퇴 후에도 계속적으로 종교행사를 집행하면서 받은 금액은 종교인소득으로 봅니다.

적용사례 **종교단체와 종교인소득**

[사례 12] 목사 1인이 대표자인 개별교회도 종교인소득 과세관련 '종교단체'에 해당되나요?

➡ 개별교회의 경우 소속 교단이 있지만, 독립적으로 운영되는 경우 별도의 '종교단체'로 보아 목사 1인에게 지급하는 종교인소득에 대해 별도로 원천징수와 지급명세서를 제출을 할 수 있습니다.

[사례 13] 종교인이 종교활동과 관련없이 받은 것도 종교인소득인가요?

➡ 종교인소득은 종교관련종사자가 종교활동과 관련하여 종교단체로부터 받은 소득이므로, 종교단체 부설 복지시설에서 근로대가로 받은 소득은 근로소득으로 원천징수하여야 합니다.

[사례 14] 목사가 신학대학원의 교수로서 재직하면서 강의료 등을 받는 경우 종교인 소득에 해당하는지요?

➡ 종교인소득은 종교의식의 집행 등 종교활동과 관련하여 종교단체에서 지

급받는 소득이므로 아무리 종교관련종사자라 해도 종교활동과 관련없이 대가를 받는 경우 종교인소득에 해당하지 않으며, 종교활동비가 인정되지 않는 근로소득으로 봅니다.

[사례 15] 사찰에서 서무 등 행정업무를 보는 승려 등 종교관련종사자에게 급여를 지급한 경우 종교인소득에 해당하는지요?

➡ 종교인소득은 종교의식의 집행 등 종교활동과 관련하여 종교단체에서 지급받는 소득이므로 아무리 종교단체가 종교인에게 지급하였다 해도 종교인소득이 아니라 근로소득으로 원천징수하여야 합니다.

[사례 16] 종교인이 소속 종교단체가 아닌 다른 종교단체에서 지급받은 사례비도 종교인소득인가요?

➡ 종교인이 종교활동과 관련하여 다른 종교단체로부터 사례비를 지급받은 경우에는 소속 종교단체가 아니라면 종교인소득에 해당되지 않습니다. 만약 소속 종교단체가 둘 이상인 경우에는 각각의 종교단체로부터 받은 소득을 합산하여야 합니다.

[사례 17] 종교인 소득을 지급하면서 국민연금이나 건강보험 개인부담분을 별도로 지급한 경우 종교인소득에 포함되나요?

➡ 종교인소득과 별개로 지급한 국민연금, 건강보험 본인부담분 지원액은 종교인소득에 포함되나, 직장가입자의 회사부담분을 종교단체가 납부하는 것은 종교단체의 고유한 비용 지출(세금과공과 · 복리후생비 등)이므로 종교인소득이 아닙니다.

[사례 18] 종교단체의 선교활동을 위해 필요한 지출(예를 들면, 종교관련종사자 개인명의 차량의 유류비 등)을 소속 종교인이 자신의 자금으로 지출하고 종교단체에 영수증을 제시하여 종교인에게 해당금액을 지급한 경우 종교인소득에 포함되나요?

➡ 종교인이 종교단체의 고유한 종교활동에 소요되는 비용은 종교단체의 직접적인 예산지출이므로 비과세되는 자가운전보조금 규모(월 20만원)를 초과했는지 여부와 관계없이 종교인소득에 해당하지 않습니다.

[사례 19] 종교단체에서 종교관련종사자가 종교활동에 따라 사례비(비과세 제외)를 매월 200만원씩 2,400만원을 받고 종교단체의 어려운 재정을 감안해 1,200만원을 헌금한 경우, 종교인소득은 얼마인가요?

➡ 종교인이 종교인소득을 받은 후 종교단체에 다시 헌금을 하였다 해도 종교단체가 당초 종교관련종사자에게 지급한 2,400만원이 종교인소득이 되며, 헌금은 기부금공제를 받을 대상일 뿐입니다. 재정을 고려해 부득이하다면 의결기구의 의결을 통해 사례금을 1,200만원으로 축소해야 실제로 귀속된 1,200만원만 종교인소득으로 잡을 수 있습니다.

[사례 20] 종교단체가 아닌 교인으로부터 종교관련종사자가 사례비를 받은 경우 과세방법은?

➡ 교인이 종교관련종사자가 지급한 사례비가 종교단체에 귀속되는 것이라면 종교단체에 귀속시키고 교인에게 기부금영수증을 발급해야 합니다. 종교관련종사자에게 순수하게 귀속된 것이라면 원칙적으로 기타소득(사례금)으로 과세대상입니다.

참고 외국의 종교인소득 과세는 어떨까?

OECD 국가는 모든 국가가 종교인을 비롯한 모든 직업에서 소득이 있는 경우 대부분 근로소득이나 사업소득 등으로 연방세와 주세, 사회보장세, 건강보험세 등 과세를 하고 있으며, 종교인이라고 해서 과세방법에서 예외를 두고 있는 경우는 흔치 않습니다.

다만, 종교라는 특성 때문에 종교전통이 오랜 일부 가톨릭 국가를 중심으로 종교인에게 지급하는 소득의 재원을 정부가 '교회세(Kirchensteuer)'의 방법으로 신앙을 가진 국민들로부터 별도로 징수하여 각 종교단체나 종교인에게 분배(급여 지급)를 해주는 형태를 가지고 있는 경우가 있습니다.

○ **독일** : 교회의 재산이 국유화된 독일은 종교인들이 국가공무원의 신분으로, 종교신자(신분증에 신자를 표기한 국민)에게 월 소득세의 8%(일부 지역은 9%)인 '교회세'를 징수하여 교인 수에 따라 각 종교에 분배하고 소득세를 원천징수합니다. 근로소득뿐만 아니라 2015년부터는 이자소득과 재산소득에 대해서도 원천징수하도록 바뀌자 종교신자들이 탈퇴신고를 하고 있습니다.

* 교회세(敎會稅) : 독일, 이탈리아, 덴마크, 스웨덴, 아이슬란드, 오스트리아, 핀란드 등에서 종교 신자들에게 종교단체 운영에 필요한 재원에 충당하기 위해 과세소득의 1~2% 세율로 부과되는 세금

○ 미국

- 목회자 등 종교인은 근로소득이나 사업소득으로 연방·주 소득세를 부담합니다. 목회자의 소득에는 사례비, 교회에서 내주는 소득세나 사회보장세, 의료보험세, 차량유지비, 도서구입비 등 목회활동비가 포함되며, 결혼식, 장례식, 세례식 등의 행사를 통해 개인적으로 받는 사례비도 포함됩니다(IRC§417 성직자의 소득). 종교단체가 수익사업을 하거나 조세탈루의 합리적 의심을 할 수 있으면 세무조사가 가능합니다(IRC§7611).
- 종교기관으로부터 기준에 따라 보조받은 주거비(사택유지비, 임차료, 집수리비, 공과금 지원금)와 재산세는 종교인소득에서 비과세되며, 사회보장세와 건강보험세는 은퇴 후 연금을 받지 않겠다고 미리 면세신청을 하면 원천징수하지 않습니다. 종교단체와 종교인이 면세받는 세금총액은 연간 약 $710억으로 알려지고 있습니다.
- 목사를 제외한 교회 직원의 경우 교회가 사회보장세로 급여의 6.2%, 건강보험세로 1.45% 등 합계 7.65%를 부담해야 하지만, 종교적인 이유로 사회보장세와 의료보험세 부담을 반대하는 경우 연방정부에 요청해 승인받으면 부담을 피할 수 있습니다. 이 경우 연간 $100 이상의 급여를 받는 교회직원이라면 종합소득세 신고를 하면서 7.65%의 사회보장세와 건강보험세를 납부합니다.

○ 캐나다 : 종교인에 대한 특별한 과세제도 없이 근로소득 등 개인에 대한 소득세 과세제도와 동일하게 적용됩니다. 종교인은 종교단체에서 지급받는 보수 및 사례금 등을 수입금액으로, 성직자 주거지공제 등을 적용하여 소득세를 신고납부를 하며, 만약 소득이 없더라도 보조금 수령 등을 위해 신고를 하여야 합니다.

○ 일본 : '종교법인' 제도가 확립된 일본도 종교인에 대한 별도의 과세규정을 두지 않고 근로소득세 등 개인소득세 과세제도를 적용합니다. 종교인들에게 지급하는 급여, 상여금, 주거지원비용, 자녀학자금 등이 과세대상이고 통근·이사비용, 종교단체 내의 주거제공이익, 종교의복 등은 비과세됩니다. 하지만 대부분의 성직자가 과세미달인 경우가 많아 과세액은 미미합니다.

2 종교인소득 과세제도

○ 종교인소득은 '종교관련종사자가 소속 종교단체로부터 종교활동과 관련하여 받은 소득'으로, 종교단체의 원천징수때나 종교관련종사자의 종합소득세 확정신고를 통해 '기타소득'이나 '근로소득'을 선택하여 세금을 신고납부할 수 있다.

○ 종교인의 종교활동비를 비과세받기 위해서는, ① 종교단체 규약이나 의결기구 승인을 받은 지급기준에 따라 ② 종교활동에 사용할 목적으로 지급한 것에 해당하는 경우 한도 없이 전액 비과세된다. 다만, 지급명세서 제출시 비과세항목으로 표시해 세무관서에 제출해야 한다.

○ 종교단체가 종교인소득으로 원천징수하는 경우, ① 지급시마다 비과세소득을 제외하고 종교인소득 간이세액표를 적용하여 원천징수한 후 ② 반기별 납부승인받은 경우 연2회 원천징수이행상황신고와 원천징수세액을 납부하고 ③ 연1회 지급명세서를 제출한다.

종교인소득의 분류(과세구분)

○ **종교인소득은 '기타소득' · 근로소득' 중 택일** : 종교인소득은 세법상 원칙적으로 '기타소득'으로 분류됩니다. 하지만 지급자인 종교단체가 근로소득으로 원천징수하거나 종교관련종사자가 근로소득으로 종합소득 과세표준 확정신고를 한 경우에는 해당 소득은 기타소득이 아닌 '근로소득'으로 간주됩니다.

○ **원천징수의무와 종합소득세 신고** : 종교인소득을 지급하는 소속 종교단체가 원천징수할 때는 지급받는 종교인과 협의해 '기타소득' 이나 '근로소득' 여부를 결정해야 합니다. 하지만 원천징수를 하지 않은 경우 종교관련종사자가 종합소득 과세표준 확정신고를 할 때 종교인소득을 '근로소득' 이나 '기타소득' 중 하나로 선택해 신고할 수 있습니다.

○ 종교인소득의 분류와 판정

신고납부방법과 소득선택		신고납부의무자	최종 소득판정
신고 · 납부방법	소득종류 선택		
① 원천징수	①-1. 종교인소득 (기타소득)	소속 종교단체 (선택)	기타소득
	①-2. 근로소득	소속 종교단체 (선택)	근로소득
② 종합소득 과세표준 확정신고	②-1. 종교인소득 (기타소득)	종교관련종사자 (의무)	기타소득
	②-2. 근로소득	종교관련종사자 (의무)	근로소득

종교인소득 세액계산구조

계산구조		종교인소득(기타소득)	근로소득
총지급액		• 종교관련종사자가 소속 종교단체로부터 종교활동과 관련해 받은 금품	
(-)비과세소득		• 종교활동비(무제한, 규약 등 근거 필요), 사택임차료(종교단체 직접 계약시 무제한), 10만원 이하 식대(식사 비제공시), 20만원 이하 자가운전보조금(본인명의 차량보유시), 10만원 이하 양육비(6세 이하 자녀 둔 종교인), 학자금(자녀 제외 종교인 본인) 외	
과세소득액			
(-)필요경비/근로소득공제		• 종교인소득 필요경비 (종교인 소득금액별로 20~80%)	• 근로소득공제 (근로소득금액별로 2~70%)
소득금액			
(-) 소득공제	인적공제	• 인적공제(기본공제+ 추가공제) (본인 부양가족 1인당 150만원 + 경로 100만, 장애인 200만)	• 인적공제(기본+추가)

계산구조		종교인소득(기타소득)	근로소득
(−) 소득공제	특별공제	• 국민연금보험료 소득공제	• 국민연금보험료 소득공제(전액) • 건강 · 고용보험료 소득공제(전액)
	조특법 공제	• 창투조합 출자금 소득공제 • 개인연금저축 소득공제	• 창투조합 출자금 소득공제 • 개인연금저축소득공제 • 주택자금소득공제(300~1800만원) • 신용카드등사용액 소득공제 • 장기펀드저축 소득공제
과세표준			
(×) 세율		과세표준 × 6~42%(초과누진세율)	
산출세액			
(−) 세액공제	근로소득		• 근로소득세액공제(50~74만원)
	외국납부	• 외국납부세액공제	• 외국납부세액공제
	자녀	• 자녀세액공제(1~3명 15~60만원)	• 자녀세액공제
	연금계좌	• 연금계좌세액공제(12%, 400만원 한도)	• 연금계좌세액공제
	특별	• 기부금세액공제(정치자금 포함)	• 보험료세액공제(12%, 100만원 한도) • 교육비세액공제(12%, 300만원 한도) • 의료비세액공제(15%, 700만원 한도) • 기부금세액공제(정치자금 포함) (15~30%)
	표준	• 특별세액공제 없을 때 표준공제(7만원)	• 특별세액공제 없을 때 표준공제(13만원)

계산구조	종교인소득(기타소득)	근로소득
결정세액		
기 납부세액	원천징수세액	
납부할 소득세		
(×) 지방소득세율	소득세 결정세액의 10%	
납부할 지방소득세		
총부담세액 (국세+지방세)		

종교인소득 납세의무 흐름도

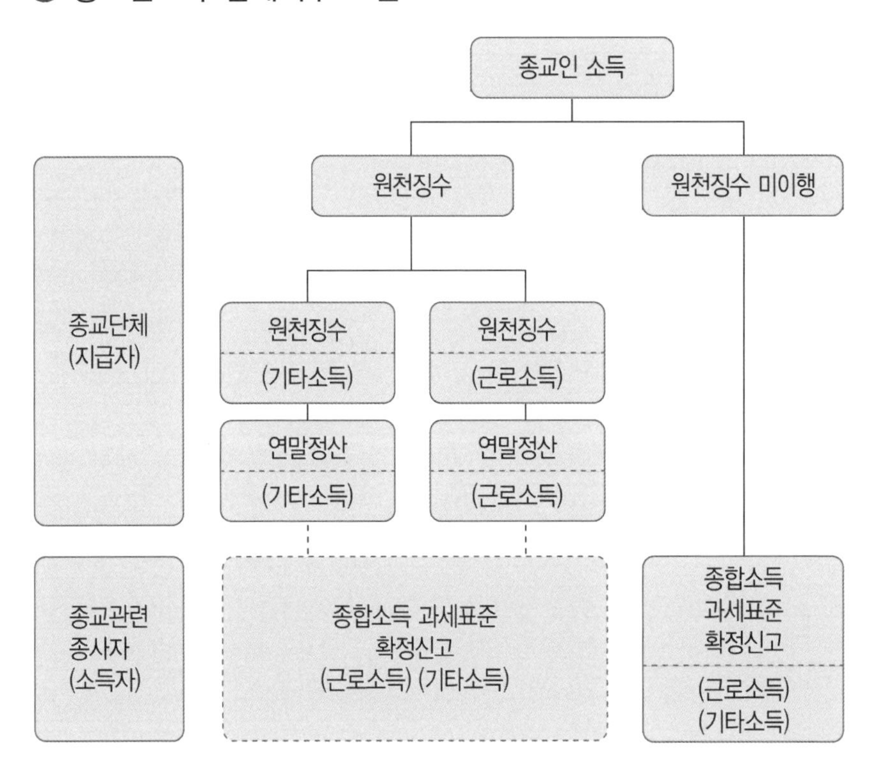

비과세되는 종교인소득

「통계법」 제22조에 따라 통계청장이 고시하는 '한국표준직업분류'에 따른 종교관련종사자가 받는 종교인소득 중 다음의 어느 하나에 해당하는 소득에 대하여는 비과세합니다(소득세법 §12(아)).

○ **학자금** : 종교단체가 소속된 종교관련종사자에게 종교활동과 관련 있는 교육・훈련을 위하여 ① 「초・중등교육법」 제 2조에 따른 학교(외국에 있는 이와 유사한 교육기관을 포함합니다) ② 「고등교육법」 제2조에 따른 학교(외국에 있는 이와 유사한 교육기관을 포함합니다) ③ 「평생교육법」 제5장에 따른 평생교육시설에 지급하는 입학금・수업료・수강료나 그 밖의 공납금

* 종교단체가 종교관련종사자의 자녀에 대한 교육비(유학비 포함)를 지원하는 경우 전액 과세대상임에 유의하여야 합니다.

* 자녀 교육비가 많은 경우 종교인소득 아닌 근로소득 신고시 교육비공제를 받는 것이 유리할 수 있습니다.

○ **식사(현물)와 식사대** : ① 종교단체가 소속 종교관련종사자에게 제공하는 식사나 그 밖의 음식물의 가격, ② 식사나 그 밖의 음식물을 제공받지 아니하는 대신 받는 월 10만원 이하의 식사대

○ **실비변상적인 급여** : 종교단체로부터 종교관련종사자가 받는 실비변상(實費辨償)적 성질의 지급액

① 일직료・숙직료와 그 밖에 이와 유사한 성격의 급여

② 여비로서 실비변상 정도의 금액(종교관련종사자가 본인 소유의 차량을 직접 운전하여 소속 종교단체의 종교관련종사자로서의 활동에 이용하고 소요된 실제 여비 대신에 해당 종교단체의 규칙 등에 정하여진 지급기준에 따라 받는 금액 중 월 20만원 이내의 금액을 포함합니다)

③ 종교관련종사자가 천재・지변이나 그 밖의 재해로 인하여 받는 지급액

④ 종교관련종사자가 소속 종교단체의 규약이나 소속 종교단체의 의결기구의 의결 · 승인 등을 통하여 결정된 지급 기준에 따라 종교활동을 위하여 통상적으로 사용할 목적으로 지급받은 금전이나 물품(=종교활동비)

* 종교인소득뿐만 아니라 근로소득으로 신고(원천징수 연말정산이나 종합소득 확정신고)하는 경우도 종교활동비 비과세를 적용받는 것이 가능합니다.

핵심 절세 팁 : 종교활동비로 비과세 받기

○ 종교활동비 비과세요건 : ① **규약이나 의결기구 승인을 받은 지급기준에 따라** ② **종교활동에 사용할 목적으로 지급받은 것에 해당**하는 경우 금액 다과에 관계없이 비과세 종교인소득에 해당합니다. 하지만 지급명세서 제출시 비과세항목에 표시 제출하여야 합니다.

* 각 종교단체의 종교활동비 : 종교단체가 소속 종교관련종사자에게 의결기구의 의결을 거쳐 종교활동에 사용하도록 지급한 금액

종교별	개신교	불교	천주교	원불교
의결기구	당회,공동의회	총무회의	사제회의	교의회
종교활동비 (예)	목회활동비	종무활동비, 수행지원비	성무활동비	

○ 각 종교단체의 종교활동비 구분 : 불교의 수행지원비, 개신교의 목회활동비, 천주교의 성무활동비 등과 같이 종교 단체가 포교 목적 등에 쓰도록 따로 명목을 지정해서 스님 · 목사 · 신부 등 종교인에게 준 금액이 해당됩니다.

○ 정관 등 규약이나 당회 등 의결기구 승인을 거친 지급기준의 제정 : 종교인소득이 과세되기 전에는 종교관련종사자가 지출하는 경비는 대부분 '종교활동비'로 처리해 왔습니다. 하지만 종교인소득 과세제도 시행으로 종교관련종사자별 '종교활동비'의 총액을 국세청 등 외부에 보고하여야 합니다. 이에 따라 종교인소득 과세제도에서 '종교활동비'는 규약이나 의결기구 의결을 거치는 등 일정한 요건에 해당한 종교활동비인 경우 무제한으로 인정될 수 있으나, 비과세소득이 지나치게 많아지는 문제점을 해소할 필요가 있습니다.

○ '종교단체의 지출'과 '종교관련종사자의 소득'의 재설계 : 종교관련종사자의 '종교활동비' 중에서 개인에게 귀속하는 '소득'이 아니라 종교단체 고유의 '예산'을 집행하는 지출의 경우에는 종교단체의 고유의 지출항목으로 전환하는 등 사전에 '종교단체의 지출'과 '종교관련종사자의 소득'을 명확하게 구별하여 사전에 재설계하고 의결기구의 의결을 받아 놓을 필요가 있습니다.

○ 보육수당 : 종교관련종사자나 그 배우자의 출산이나 6세 이하 자녀(해당 연도의 개시일을 기준으로 판단합니다)의 보육과 관련하여 종교단체로부터 받는 월 10만원 이내의 금액

○ 사택제공으로 인한 이익 : ① 종교단체가 소유한 것으로서 「통계법」 제22조에 따라 작성된 한국표준직업분류에 따른 종교관련종사자에게 무상이나 저가로 제공하는 주택, ② 종교단체가 직접 임차한 것으로서 종교관련종사자에게 무상으로 제공하는 주택을 제공받아 얻는 각각의 이익

* 종교관련종사자가 직접 임차한 주택의 임차료를 지급하는 경우 원칙적으로 비과세 대상은 아니지만, 종교활동비로 규약 등에서 정한 경우에는 비과세를 적용받을 수 있습니다.

○ 비과세되는 종교인소득과 근로소득간의 비교

구분	종교인소득	근로소득
학자금	종교단체가 소속된 종교관련종사자에게 종교활동과 관련있는 교육·훈련을 위하여 ① 「초·중등교육법」 제2조에 따른 학교(외국에 있는 이와 유사한 교육기관을 포함한다) ② 「고등교육법」 제2조에	「초·중등교육법」 및 「고등교육법」에 따른 학교(외국에 있는 이와 유사한 교육기관 포함한다)와 「근로자직업능력 개발법」에 따른 직업능력개발훈련시설의 입학금·수업료·수강료, 그 밖의 공납금 중 다음 각 호의 요건을

구분	종교인소득	근로소득
학자금	따른 학교(외국에 있는 이와 유사한 교육기관을 포함한다) ③ 「평생교육법」 제5장에 따른 평생교육시설의 입학금·수업료·수강료나 그 밖의 공납금	갖춘 학자금(해당 과세기간에 납입할 금액을 한도로 한다) ① 근로자가 종사하는 사업체의 업무와 관련있는 교육·훈련을 위하여 받는 것일 것 ② 근로자가 종사하는 사업체의 규칙 등에 의하여 정하여진 지급기준에 따라 받는 것일 것 ③ 교육·훈련기간이 6월 이상인 경우 교육·훈련 후 교육기간을 초과하여 근무하지 아니하는 때 지급액을 반납할 것을 조건으로 받는 것일 것
식사 및 식사대	종교단체가 소속 종교관련종사자에게 제공하는 식사, 그 밖의 음식물이나 식사나 그 밖의 음식물을 제공받지 아니하는 대신 받는 월 10만원 이하의 식사대	근로자가 사내급식이나 이와 유사한 방법으로 제공받는 식사 기타 음식물이나 식사 기타 음식물을 제공받지 아니하는 근로자가 받는 월 10만원 이하의 식사대
일직료·숙직료	종교단체로부터 종교관련종사자가 받는 일직료·숙직료와 그 밖에 이와 유사한 성격의 급여	일직료·숙직료
자가운전 보조금	여비로서 실비변상 정도의 금액(종교관련종사자가 본인 소유의 차량을 직접 운전하여 소속 종교단체의 종교관련종사자로서의 활동에 이용하고 소요된 실제 여비 대신에 해당 종교단체의 규칙 등에 정하여	여비로서 실비변상 정도의 금액(종업원의 소유차량을 종업원이 직접 운전하여 사용자의 업무수행에 이용하고 시내출장 등에 소요된 실제여비를 받는 대신에 그 소요경비를 당해 사업체의 규칙 등에 의하여 정하여진 지급기준

구분	종교인소득	근로소득
	진 지급기준에 따라 받는 금액 중 월 20만원 이내의 금액을 포함한다)	에 따라 받는 금액 중 월 20만원 이내의 금액을 포함한다)
종교 활동비	종교관련종사자가 소속 종교단체의 규약이나 소속 종교단체의 의결기구의 의결·승인 등을 통하여 결정된 지급 기준에 따라 종교 활동을 위하여 통상적으로 사용할 목적으로 지급받은 금액이나 물품	종교관련종사자가 소속 종교단체의 규약이나 소속 종교단체의 의결기구의 의결·승인 등을 통하여 결정된 지급 기준에 따라 종교 활동을 위하여 통상적으로 사용할 목적으로 지급받은 금액이나 물품
재해비	종교관련종사자가 천재·지변이나 그 밖의 재해로 인하여 받는 지급액	근로자가 천재·지변 기타 재해로 인하여 받는 급여
보육수당	종교관련종사자나 그 배우자의 출산이나 6세 이하(해당 과세기간 개시일을 기준으로 판단한다) 자녀의 보육과 관련하여 종교단체로부터 받는 금액으로서 월 10만원 이내의 금액	근로자나 그 배우자의 출산이나 6세 이하(해당 과세기간 개시일을 기준으로 판단한다) 자녀의 보육과 관련하여 사용자로부터 받는 급여로서 월 10만원 이내의 금액
사택제공 이익	종교단체가 소유한 것으로서 종교관련종사자에게 무상이나 저가로 제공하는 주택이나, 종교단체가 직접 임차한 것으로서 종교관련종사자에게 무상으로 제공하는 주택을 제공받아 얻는 이익	① 주주가 아닌 임원 ② 소액주주인 임원 ③ 임원이 아닌 종업원(비영리법인이나 개인의 종업원을 포함한다)이 무상이나 저가로 제공하거나, 사용자가 직접 임차하여 종업원 등에게 무상으로 제공하는 주택을 제공받은 이익

※ 비과세되는 종교인소득과 근로소득으로 신고하는 경우 비과세소득의 차이 : 2017년 12월 말 소득세법 시행령 개정을 통해 근로소득 비과세항목에도 '종교활동비'가 최종 포함됨으로써 종교인소득과 근로소득간 큰 차이는 없어졌습니다. 다만 일부 비과세항목(사택제공이익, 학자금)에 있어서 세부적인 비과세 적용상 차이가 있을 뿐입니다.

핵심 절세 팁 : '종교활동비'로 절세하기는 위험?

① 종교단체가 종교관련종사자에게 지급하는 것으로, ② 규약(정관)이나 종교단체 의결기구에서 종교활동에 사용하기 위한 지급기준을 결정 ③ '종교활동비'로 구분표시하여 지급하면 '종교활동비'로 비과세 받을 수 있습니다.

○ 세법은, 종교단체가 소속 종교관련종사자에 한해서 규약(정관)이나 의결기구의 의결·승인에 의해 정해진 지급기준에 따른 종교활동비를 지급한 경우에는 이를 비과세(종교인소득, 근로소득으로 신고하는 경우 공통)하도록 하여 이를 구분하지 않는 경우 세금과 각종 혜택과 불이익의 차이가 매우 크게 됩니다.

○ 그러므로 종교단체는 종교활동비 등 세법에서 정하고 있는 비과세항목의 적용을 위해 해당 단체의 규약(정관)을 보완하거나 종교단체의 의결기구에서 의결이나 승인된 종교활동비 등 지급기준을 따로 정해서 비과세를 받을 수 있습니다.

○ 비과세대상으로 정할 종교활동비의 범위는 각 종교단체의 의결에 따르는 것이지만 세무적으로 그 금액이 무조건 과다하다고 부적정한 것으로 볼 것은 아닙니다. 많고 적음과 관계없이 그 지급액이 실제 소득자 개인에게 귀속되는 것이 아니라 종교활동이나 부대직무에 사용되는 것이면 적정할 것으로 판단됩니다.

참고 외종교단체가 종교관련종사자에게 지급하는 보수사례(예시)

명칭	내용	종교인 소득	근로소득
사례비	종교인에게 매월이나 정기적으로 지급하는 사례비	과세	과세
상여금	종교인에게 지급하는 상여금	과세	과세
생활비	종교인에게 매월이나 정기적으로 지급하는 생활비	과세	과세
격려금	종교인에게 지급하는 격려금	과세	과세
공과금, 사택공과금	종교인에게 매월이나 정기적으로 일정액을 지급하는 경우	과세	과세
	종교인이 지출할 비용을 종교단체에서 부담한 경우	과세	과세
휴가비	종교인에게 지급하는 휴가비	과세	과세
특별격려금	종교인에게 지급하는 특별격려금	과세	과세
이사비	종교인이 지출할 비용을 종교단체에서 부담한 경우	과세	과세
건강관리비, 의료비	매월이나 정기적으로 일정금액을 지급하거나 종교인이 지출할 비용을 종교단체에서 부담	과세	과세
목회활동비, 선교비, 전도심방비, 사역지원금, 수련회 지원비	매월이나 정기적으로 일정액을 지급하는 경우(비용정산 분 제외)	과세 (종교활동비 비과세)	과세 (종교활동비 비과세)
접대(지원)비	종교인에게 매월이나 정기적으로 일정액을 지급하는 경우(비용정산 분 제외)	과세	과세

명칭	내용	종교인 소득	근로소득
종교인 도서비	종교인에게 매월이나 정기적으로 지급하는 도서비	과세 (종교활동비 비과세)	과세 (종교활동비 비과세)
종교인 연구비	종교인에게 매월이나 정기적으로 지급하는 연구비	과세 (종교활동비 비과세)	과세 (종교활동비 비과세)
판공비, 기밀비	종교인에게 매월이나 정기적으로 일정액을 지급하는 경우(실제 비용이 정산되지 않은 부분)	과세	과세
축·조위금	축·조위금 지출 명목으로 매월이나 정기적으로 일정금액을 지급한 경우로서 실제 비용이 정산되지 않은 부분	과세 (종교활동비 비과세)	과세 (종교활동비 비과세)
학자금	본인에 대한 학자금 지원액으로 비과세 요건을 충족하지 못한 경우(법령에서 정한 학교나 시설이 아닌 별도의 교육과정 등)	과세	과세
교육비	자녀 학자금(해외유학비 포함)을 지원한 금액	과세	과세
차량 유지비	본인소유 차량 이용 월 20만원 초과금액	과세 (종교활동비 비과세)	과세 (종교활동비 비과세)
	타인소유 차량 이용하면서 매월이나 정기적으로 일정금액을 지원받는 경우 * 종교활동 목적에 사용하고 유류비 등에 대해 실비정산하는 경우 비과세	과세 (종교활동비 비과세)	과세 (종교활동비 비과세)
국민연금 보험료	종교인이 부담하여야 할 본인부담분을 종교단체가 부담한 경우	과세	과세

명칭	내용	종교인 소득	근로소득
건강보험료	종교인이 부담하여야 할 본인부담분을 종교단체가 부담한 경우	과세	과세
출산(보육) 관련 비용	출산이나 6세 이하의 보육지원(월 10만원 초과하는 금액)	과세	과세
출산(보육) 관련 비용	7세 이상 자녀를 위해 지원하는 경우 * 6세 이하 판단은 해당 과세기간 1월 1일을 기준으로 판단	과세	과세
통신비	종교인에게 매월이나 정기적으로 일정 금액을 지원하는 경우(종교단체를 위해 실제 지출한 부분이 정산하지 않은 부분)	과세 (종교활동비 비과세)	과세 (종교활동비 비과세)
사택 지원비	금전으로 지원하는 경우 (종교단체 명의 임차시 비과세)	과세 (종교활동비 비과세)	과세 (종교활동비 비과세)
집회출장비, 여비교통비	월정액으로 지급되는 여비 중 실비변상적 비용으로 정산되지 않은 부분	과세 (종교활동비 비과세)	과세 (종교활동비 비과세)
식사, 식사대	월 10만원 초과분(식사제공 없음)	과세	과세
	현물식사를 제공하면서 현금으로 추가 지급하는 경우(현금 지급분) * 종교인이 신도나 소속되지 아니한 종교단체 등에서 지급받는 경우	과세	과세

명칭	내용	종교인 소득	근로소득
부흥 사례비	종교인이 소속되지 아니한 종교단체에서 직접 지급받는 경우	과세	과세
	종교인이 소속되지 아니한 종교단체에서 직접 지급받는 경우 * 종교인이 사례비를 지급한 종교단체에 기부한 경우 종교단체는 종교인에게 기부금 영수증 발행	과세	과세
	종교인이 속한 종교단체에 지급한 후 소속 종교단체가 종교인에게 별도 금액을 지급한 경우	과세 (종교인소득)	과세 (종교인소득)
해외선교비	다른 종교단체로부터 해외선교비 명목으로 지급받는 경우	과세	과세
종교단체 지원비	다른 종교단체 등으로부터 지급받은 지원비를 종교인이 소속 종교단체로 귀속시키지 아니한 경우	과세 (종교단체 귀속시 제외)	과세 (종교단체 귀속시 제외)
강연료	다른 기관(종교단체)나 방송에서 종교행사와 관계없이 강연이나 출연하고 받은 보수	기타소득 · 사업소득 과세	

종교인소득의 필요경비

○ 종교인소득금액은 해당 과세기간에 받은 종교인소득 합계액(비과세 종교인소득을 제외합니다)에서 '필요경비'를 공제한 금액으로 계산됩니다. 이때 공제하는 '필요경비'는 종교관련종사자가 연간 받은 금액을 기준으로 20~80%로 산정됩니다. 만약 실제 소요된 필요경비가 이 금액을 초과하면 그 초과하는 금액도 필요경비에 산입합니다.

종교인소득(비과세 제외)	필요경비
2천만원 이하	종교관련종사자가 받은 금액의 80%
2천만원 ~ 4천만원	1,600만원 + (2천만원을 초과하는 금액 × 50%)
4천만원 ~ 6천만원	2,600만원 + (4천만원을 초과하는 금액 × 30%)
6천만원 초과	3,200만원 + (6천만원을 초과하는 금액 × 20%)

* [예시] 종교인 수입금액(비과세 제외) 5,000만원일 때 종교인소득 필요경비 공제액은 2,900만원, 근로소득의 근로소득공제는 1,225만원을 각각 공제받아 소득금액이 1,625만원의 차이가 발생합니다.

○ 종교인소득에 대하여 종교관련종사자가 해당 과세기간에 받은 금액(비과세 종교인소득은 제외합니다)은 대응되는 필요경비 증명서류가 없더라도 종교인소득금액 별로 정한 필요경비 금액을 최소한으로 인정받을 수 있습니다.

적용사례 **종교인소득의 분류와 비과세, 필요경비**

[사례 21] 종교단체가 종교인소득을 지급하면서 비과세할 수 있는 종교활동비의 지급기준은?

➡ 종교단체가 종교관련종사자에게 종교 집행 등에 대한 대가로 지급하는 것으로, 종교활동에 사용할 목적으로 자체 규약이나 의결기구의 의결·승인 등에 의하여 결정된 지급 기준에 따라 지급하는 금액 및 물품은 어떠한 명칭이든 비과세대상이 됩니다. 다만, 실질적인 성격이 종교활동에

사용할 목적이 아닌 경우에는 아무리 종교활동비로 분류해도 과세대상이 될 수 있습니다.

[사례 22] 교회 등 종교단체가 목사, 전도사 등 소속 종교관련종사자에게 사택으로서 주택을 임차하여 제공하고 임대료를 부담하는 경우나 종교관련종사가가 주택을 임차한 경우 임대료상당액을 지급하는 경우 비과세 종교인소득에 포함되나요?

➡ 종교단체로부터 소속 종교관련종사자가 받는 사택제공으로 인한 이익이나 종교활동과 관련하여 제공받는 금품·이익은 비과세 종교인소득에 해당합니다. 근로소득으로 신고하는 경우에는 사택제공이익에 대한 과세가 될 수 있습니다.

[사례 23] 교회 담임목사를 은퇴한 원로목사가 받는 퇴직금 외에 별도로 생활비 형식으로 월 정기금을 받는 경우 종교인소득에 포함되나요?

➡ 은퇴 등 현실적인 퇴직을 한 후 교회의 원로목사로 있으면서 교회로부터 생활비를 지원받는 경우 규약 등에 따라 퇴직을 이유로 이연해 지급하는 경우 퇴직소득입니다. 그 외에 종교활동에 따른 경우 종교인소득에 포함(종교인소득이나 근로소득 원천징수대상)됩니다.

[사례 24] 종교단체가 소속 종교관련종사자에게 종교활동비를 포함하여 종교인소득을 지급하였으나, 원천징수하지 않고 소득자인 종교관련종사자가 다음해 직접 종합소득 과세표준확정신고하는 경우에도 종교활동비를 비과세받을 수 있나요?

➡ 종교인소득 중 종교활동비는 종교인소득이나 근로소득으로 원천징수하거나 종합소득세신고할 때 모두 적용받을 수 있습니다. 다만 종교활동비로 인정받기 위해서는 규약이나 의결기구의 의결이 반드시 선행되어야 합니다.

3 종교인소득의 원천징수 절차

> ○ 종교단체는 매월 종교인소득 지급시 기타소득이나 근로소득 중 하나를 선택하여 원천징수할 수 있다.
>
> ○ 종교단체는 원천징수를 하는 경우 원칙적으로 원천징수한 달의 다음달 10일까지, 반기별납부승인을 받은 경우에는 상·하반기 다음달 10일까지 신고·납부를 해야 한다.
>
> ○ 종교단체는 종교인소득이나 근로소득으로 원천징수를 한 경우 다음 해 2월 말까지 원천징수한 종교인소득이나 근로소득에 대하여 연말정산을 하고, 3월 10일까지 종교인소득 등 연말정산 지급명세서를 제출하여야 한다.

종교인소득 지급시 원천징수 여부의 결정과 방법 선택

○ 종교단체는 종교인소득을 지급할 때 '원천징수'하거나 하지 않을 수 있으며, 원천징수방법도 종교인소득(기타소득)이나 근로소득을 선택할 수 있습니다. 그러므로 미리 소속 종교관련종사자와 상의하거나 사전에 종교단체의 방침을 정해 원천징수 여부, 원천징수시 세목을 결정하는 게 좋습니다.

* 원천징수 : 소득자인 종교관련종사자가 소득 후 신고절차에 따라 세금을 납부하지 않고 종교단체처럼 소득을 지급하는 자에게 소득자인 종교관련종사자가 부담할 세액을 미리 징수하여 납부하는 제도로, 세금징수의 안정성과 편리성 확보를 위해 마련한 제도입니다.

○ 종교단체는 종교인에게 매월 소득을 지급하는 경우 기타소득이나 근로소득으로 소득세를 원천징수할 수 있습니다. 이 경우 다음 해 2월분 소득 지급 시에는 연말정산을 하고 그동안 지급한 종교인소득

에 대한 지급명세서(연말정산서류)를 제출해야 합니다(소득세법 §21 ③).

○ 만약 종교단체가 종교인소득에 대하여 원천징수를 하지 않는 경우 소득자인 종교관련종사자는 다음해 5월 반드시 종합소득 과세표준 확정신고를 하여야 합니다.

* 종교단체가 원천징수하지 않아 종교관련종사자가 직접 종합소득 과세표준 확정신고를 하는 경우에는 근로소득이나 기타소득(종교인소득)으로 선택할 수 있습니다(소득세법 §21 ③).

○ 종교인소득의 소득구분과 신고방법 비교

구분	종교인소득(기타소득)	근로소득
소득분류 사유	• 종교단체가 '종교인소득(기타소득)'으로 원천징수 • 원천징수받지 않은 종교관련종사자가 종합소득과세표준 확정신고시 '기타소득'으로 신고	• 종교단체가 '근로소득'으로 원천징수 • 원천징수받지 않은 종교관련 종사자가 종합소득과세표준 확정신고시 '근로소득'으로 신고
종교단체의 원천징수의무	임의(선택)	임의(선택)
비과세항목	• 종교활동비(한도 없음) • 사택제공이익 포함	• 종교활동비(종교인소득과 동일) • 통상적인 근로소득 비과세와 동일
필요경비(공제)	필요경비(80%~20%)	근로소득공제(70%~2%)
소득공제	• 기본공제 + 추가공제 • 국민연금보험료공제	• 기본공제 + 추가공제 • 국민연금보험료공제 + 건보료공제 • 주택마련저축공제 • 신용카드등사용액 소득공제
세액공제	• 자녀세액공제 • 기부금세액공제 • 연금계좌세액공제 • 표준세액공제(7만원)	• 자녀세액공제 • 기부금세액공제 • 연금계좌세액공제 • 월세세액공제 • 의료비 · 교육비 · 보험료 세액공제 • 표준세액공제(13만원)
원천징수세액	종교인소득 간이세액표에 의한 세액	근로소득 간이세액표에 의한 세액

구분		종교인소득(기타소득)	근로소득
반기별납부 대상		모든 종교단체 (종교인소득 포함 모든 원천세 반기별납부 가능)	모든 종교단체 (근로소득 포함 모든 원천세 반기별납부 가능)
연말정산		• 종교인소득(기타소득) 연말정산 • 원칙적으로 종합소득확정신고 제외 대상	• 근로소득 연말정산 • 원칙적으로 종합소득세 확정신고 제외 대상
종교단체	가산세	• 지급명세서 미제출시 가산세 • 종교인소득 원천징수의무 강제하지 않으나, 원천징수 후 미납부시 원천징수 불성실 가산세	(좌 동)
	세무조사	종교인소득 지급 및 원천징수 등 관련 질문·조사 가능(문제점 및 수정신고안내 후)	• 근로소득 원천징수 및 종합 소득세 신고시에도 지급내용에 대한 세무조사 가능(문제점 및 수정신고안내 후)
장·단점		• 종교인소득 필요경비 최대 80%까지 일괄공제 • 소득금액 최소화로 근로장려금 적용 확대	• 근로소득자와 동일한 소득·세액공제 가능 • 소득금액 과다로 근로장려금 적용 축소
사회보험		국민연금·건강보험 등 지역가입(직장가입도 가능)	국민연금·건강보험 등 직장가입 의무(지역가입 종료)

* 종교단체는 소속 종교관련종사자와 상의해 종교관련종사자가 원하는 소득, 세제상 유리한 쪽으로 선택해서 원천징수가 가능합니다.

적용사례 기타소득이나 근로소득으로 원천징수하는 경우 차이

[사례 25] 종교인소득과 근로소득으로 각각 원천징수하는 경우 세 부담 비교 : 종교활동비 12,000천원, 종교단체가 직접 임차한 사택임차료 12,000천원 포함

갑 종교단체가 소속 A종교인에게 종교인소득 총 48,000천원을 지급하거나 부담한 경우, 종교인소득과 근로소득으로 원천징수하는 경우(또는 원천징수를 하지 않고 종교인이 종합소득 확정신고를 하는 경우) 세액계산은?

※ 본인외 부양가족 등 공제, 신용카드소득공제나 합산대상 다른 소득은 없다고 가정합니다.

구분	① 종교인소득 (기타소득)	② 근로소득	차이 (②-①)
총지급액	48,000,000	48,000,000	-
(-)비과세소득	(-)24,000,000	(-)24,000,000	(종교활동비, 주택임차부담금 비과세)
과세소득액	24,000,000	24,000,000	-
(-)필요경비/근로소득공제	(-)18,000,000 (종교인소득 80%필요경비)	(-)8,850,000 (15% 근로소득공제)	-9,150,000
소득금액	6,000,000	15,150,000	+9,150,000
(-)기본공제	(-) 1,500,000	(-) 1,500,000	-
산출세액	270,000	967,500	+697,500
(-)근로소득 세액공제	0	(-)660,000	+660,000
(-)표준세액공제	(-)70,000	(-)130,000	+60,000
종합소득세	200,000	307,500	+107,500
지방소득세	20,000	30,750	+10,750
세 부담 총액	220,000	338,250	+118,250

※ 비과세소득이 동일하다고 보았을 때 종교인소득과 근로소득으로 신고한 경우 소득금액 차이 9,150,000원, 세부담 차이 118,250원이 발생합니다(근로소득의 경우 신용카드소득공제 등 추가공제액이 있는 경우 달라질 수 있습니다).

종교인소득(기타소득)으로서 원천징수

○ 종교인소득 간이세액표 적용 : 종교인소득에 대한 원천징수할 의무가 있는 종교단체는 「소득세법 시행령」 [별표3의 3]의 '종교인소득 간이세액표' 해당란의 세액을 기준으로 매월 종교인소득을 지급할 때 원천징수하여야 합니다.

* 종교인소득 간이세액표 : 종교단체가 소속 종교관련종사자에게 종교인소득을 지급할 때마다 원천징수할 소득세를 정한 원천징수세액 기준표를 말합니다.

○ 종교단체가 원천징수할 때 적용하는 「종교인소득 간이세액표」는 다음과 같이 조회할 수 있습니다.

- 〈부록 2〉 「종교인소득 간이세액표」 참조
- 인터넷 홈택스(http://www.hometax.go.kr) 〉 조회 발급 〉 기타 조회 〉 종교인소득 간이세액표

○ '종교인소득 간이세액표'의 산정기준

- 간이세액 조견표의 해당세액은 종교단체가 종교인소득(기타소득)으로 지급시 연간 지급받는 금액이나 월 지급액에 대하여 필요경비, 기본공제, 세액공제 수준을 반영하여 원천징수할 세액을 계산한 금액을 말합니다.
- 간이세액표를 만들기 위한 적용산식

[((매월 지급하는 소득 × 12 또는 연간 지급하는 소득)	(−)필요경비 (80~20%) (−)기본공제 (−)연금소득공제]	×	세율 (20%)]	−	(총지급액 구간별 기부금, 연금계좌 세액공제, 표준세액공제를 반영한 세액공제* 결과 계산한 세액) ÷ 12개월

- 연간 총지급액 구간별 기부금등 지출수준을 반영한 세액공제 금액

총지급액이 7천만원 이하인 자는 총지급액의 2.3%(7천만원 초과자는 정액 161만원 + 결정세액의 10%(90만원 한도)

- 공제대상 가족의 수를 산정할 때 본인과 배우자도 각각 1명으로 보아 계산합니다.
- 추가공제 대상자, 자녀세액공제가 있는 경우 간이세액표 적용방법은, ① 공제대상 가족 중 추가공제(경로우대, 장애인공제)가 있는 경우와 20세 이하의 자녀가 있는 경우 원천징수 세액은 (실제 공제대상 가족의 수 + 경로우대, 장애인공제대상 인원수, 20세 이하 자녀의 수)에 해당하는 금액으로 합니다.
- 공제대상 가족의 수가 10명을 초과하는 경우 10명의 세액으로 징수합니다.

○ **종교인소득 지급시기의 의제** : 종교인소득을 지급하여야 할 종교단체가 1월부터 11월까지의 종교인소득을 해당 과세기간의 12월 31일까지 지급하지 아니한 경우에는 12월 31일에 그 종교인소득을 지급한 것으로 보아 소득세를 원천징수합니다. 또한, 종교단체가 12월분의 종교인소득을 다음 연도 2월 말일까지 지급하지 아니한 경우에는 다음 연도 2월 말일에 그 종교인소득을 지급한 것으로 보아 소득세를 원천징수합니다.

○ **'종교인소득 원천징수부'의 기록·보관 의무** : 종교인소득 원천징수의무자는 '종교인소득 원천징수부'를 갖추어 매월 기록하여야 합니다. 이 경우 '종교인소득 원천징수부'를 전산처리된 테이프나 디스크 등으로 수록·보관하여 항상 출력이 가능한 상태에 둔 때에는 '종교인소득 원천징수부'를 갖추어 기록한 것으로 보게 됩니다.

근로소득으로서 원천징수

○ **근로소득으로서의 원천징수** : '근로소득 간이세액표'에 의하여 원천징수하고, 다른 근로소득자처럼 똑같이 신용카드 등 사용액 소득공제를 비롯한 각종 공제사항을 적용하여 연말정산합니다.

○ **종교인소득의 근로소득 신고시 유의점** : 종교인소득이나 근로소득으로 선택하는 것에 따라 신고제도의 편의성 여부만 차이가 있는 것이 아니라 신고방법에 따라 소득의 종류가 달라지고 비과세, 필요경비, 소득·세액공제의 차이로 소득금액이나 세액이 달라지므로 유의해야 합니다.

종교인소득을 원천징수를 하지 않은 경우 취급

○ **종교단체가 원천징수를 하지 않은 경우 책임** : 종교인소득을 지급하는 종교단체는 원칙적으로 기타소득이나 근로소득으로 원천징수를 하여야 합니다. 하지만 현재로서는 다른 근로자에 대한 원천징수의무와는 달리 설사 원천징수를 하지 않은 경우에도 종교단체는 아무런 책임이 없습니다.

○ **종교단체가 원천징수를 하지 않은 경우 종교관련소득자의 의무** : 종교단체는 종교관련소득자에게 지급하는 종교인소득에 대하여 원천징수와 연말정산을 하지 않을 수 있습니다. 만약 종교단체가 원천징수를 하지 않은 경우 종교관련종사자는 다음 해 5월 말까지 종합소득세 과세표준확정신고를 하여야 합니다.

○ **종합소득 과세표준확정신고를 하지 않은 종교관련소득자에 대한 제재** : 종교단체가 원천징수도 않고 종교관련소득자가 다음해 종합소득 과세표준 확정신고도 하지 않은 경우 종합소득세는 물론 무신고·납부지연가산세까지 부담하게 됩니다.

원천징수하지 않은 종교인소득 종합소득 과세표준 확정신고

○ **원천징수 없는 경우 종합소득 과세표준 확정신고 대상** : 종교인소득을 지급한 종교단체에서 원천징수와 연말정산을 하지 않은 경우에는 소득이 있는 종교관련종사자는 다음 해 5월 말까지 직전 연도에 지급받은 소득에 대해 근로소득이나 기타소득(종교인소득)으로 선택해 종합소득세 과세표준 확정신고를 하여야 합니다.

○ 종교관련종사자가 종교인소득 외에 다른 소득이 있는 경우에는 종교인소득과 다른 소득을 합산하여 종합소득세 과세표준 확정신고를 하여야 합니다.

* 종합과세 대상 다른 소득 : 모든 사업소득, 모든 근로소득, 연간 소득금액 3백만원 이상의 기타소득, 연간 소득금액 2천만원 이상의 금융회사 이자·배당소득 등을 말합니다.

종교단체의 원천징수세액 반기별 납부

○ **원천징수한 종교단체의 신고납부의무** : 종교단체는 매월 종교인소득을 지급할 때마다 '종교인소득 간이세액표'에 따라 원천징수를 한 후 종교단체 내부에 유보하고 있다가 원칙적으로 다음달 10일까지 세무관서에 납부하여야 합니다.

* 소득세 : 반기별납부승인 신청하여 승인된 경우, 해당 6개월간 원천징수한 소득세를 기재한 원천징수이행상황신고서를 홈택스(www. hometax.go.kr)로 전자신고하거나 주소지 관할 세무서로 제출합니다.

* 지방소득세 : 행정안전부가 전국단위로 관할하는 위택스(www.wetax.go.kr)나 서울시 이택스(etax.seoul.go.kr)에서 전자신고를 할 수 있습니다.

○ 종교인소득의 원천징수의무자는 원천징수 관할세무서장으로부터 원천징수세액을 매 반기별로 납부할 수 있도록 승인을 받거나 국세청장이 정하는 바에 따라 지정을 받을 수 있습니다.

모든 종교단체는 규모, 원천징수 대상소득과 관계없이 모든 원천징수분에 대한 반기별납부(1년에 두 번만 신고납부) 신청 가능

○ **종교단체 원천징수 반기별 납부신청** : 직전 연도(신규 사업을 개시한 경우 신청일이 속하는 반기)의 상시고용인원이 20명 이하인 사업자는 원천징수 반기별(半期別) 납부신청을 할 수 있습니다. 하지만 종교단체는 그동안 월별 납부하거나 근로소득으로 원천징수했다고 하더라도 종업원 규모, 원천 징수 소득의 종류와 관계없이 모두 반기별 납부신청이 가능합니다.

관련법령

「소득세법 시행령」 제186조 [원천징수세액의 납부에 관한 특례]

① 법 제128조 제2항에서 "대통령령으로 정하는 원천징수의무자"란 다음 각 호의 어느 하나에 해당하는 원천징수의무자로서 원천징수 관할세무서장으로부터 법 제127조 제1항 각 호에 해당하는 소득에 대한 원천징수세액을 매 반기별로 납부할 수 있도록 승인을 받거나 국세청장이 정하는 바에 따라 지정을 받은 자를 말한다.

1. 직전 과세기간(신규로 사업을 개시한 사업자의 경우 신청일이 속하는 반기를 말한다)의 상시고용인원이 20명 이하인 원천징수의무자(금융 및 보험업을 경영하는 자는 제외한다)
2. 종교단체

○ 종교인소득 원천징수의무자인 종교단체가 원천징수 관할세무서장으로부터 원천징수세액을 반기별로 납부할 수 있도록 승인받은 경우에는 상시인원의 규모와 관계없이 원천징수세액을 반기별로 납부할 수 있도록 종교단체에 대한 원천징수세액의 납부에 관한 특례 요건을 완화하였습니다.

○ **반기별 납부신청 기한** : 반기별 납부승인을 얻고자 하는 종교단체는 원천징수세액을 반기별로 납부하고자 하는 반기의 직전 월의 1일부터 말일까지 원천징수 관할세무서장에게 신청하여야 합니다.

* 종교단체에게 규모에 관계없이 반기별 납부승인을 허용한 「소득세법 시행령」 개정규정의 적용 : 종교단체는 2018.1.1. 이후 종교인소득을 원천징수하고 반기별 납부할 수 있으나, 2018.1.1.~ 6.30. 기간의 경우 시행령이 시행되기 전이어서 물리적으로 반기별 납부신청이 불가능하여 월별 납부가 불가피하게 되었습니다.

○ **반기별 납부신청에 대한 승인** : 원천징수의무자인 종교단체로부터 반기별 납부신청을 받은 관할세무서장은 원천징수세액 신고·납부의 성실도 등을 고려하여 승인 여부를 결정한 후 신청일이 속하는 반기의 다음 달 말일까지 통지하여야 합니다. 만약 원천징수의무자가 기한까지 승인 여부를 통지받지 못한 경우에는 승인받은 것으로 봅니다.

■ 소득세법 시행규칙 [별지 제21호의2서식] (2018.03.21 개정)

원천징수세액 반기별납부 승인신청서

(앞쪽)

접수번호	접수일자	처리기간

징수의무자 인적사항	상 호(법인명)	[ ] 종교단체 * 해당되면 √표기	대 표 자	
	사 업 장 주 소		업 종	
	사업자등록번호		전 화 번 호	

상시 고용인원수의 계산			
① 반기별 납부를 적용하려는 연도의 직전 연도 1월부터 12월까지의 매월 말일 현재 고용인원 누계(신규사업자의 경우 신청일이 속하는 반기의 매월 말일 현재의 고용인원 누계를 적습니다)		② 평균인원수 (① / 월수)	

근로소득 및 종교인소득 지급 및 징수 현황
(일용근로 소득은 제외)

(단위: 원)

월	인원	적용연도		직전연도		비 고
		총지급액	소득세 징수액	총지급액	소득세 징수액	
1월						
2월						
3월						
4월						
5월						
6월						
7월						
8월						
9월						
10월						
11월						
12월						
합 계	명					

년 월부터 매월 원천징수하는 세액을 반기별로 납부하기 위하여 「소득세법 시행령」 제186조제3항에 따라 승인을 신청합니다.

년 월 일

원천징수의무자 (서명 또는 인)

세 무 서장 귀하

작 성 방 법

1. "② 평균인원수"란에는 평균인원수 계산결과 소수점 이하가 있을 경우 소수점 이하는 버리고 기재합니다.
2. "적용연도"의 총지급액(비과세포함)은 신청월의 전월까지 지급분을 기재합니다. 다만, 비과세 근로소득의 경우 「소득세법 시행령」 제214조 제1항 제2호의2 및 제2호의3에 해당하는 금액은 제외하며, 비과세 종교인소득의 경우에는 「소득세법」 제12조 제5호 아목에 해당하는 금액은 제외합니다.

※ "적용연도"란은 6월에 반기별납부 승인 신청을 하는 경우에 작성합니다. 다만, 신규사업자는 12월에 반기별 납부 승인 신청을 하는 경우에도 작성합니다.

3. 종교단체의 경우에는 상시 고용인원을 기재하지 않아도 됩니다.

210mm×297mm[백상지 80g/㎡(재활용품)]

적용사례

종교인소득의 원천징수

[사례 26] 종교단체가 종교인소득을 기타소득으로 원천징수이행상황신고를 하고 원천징수 납부했으나, 신용카드소득공제 등을 감안하여 추후 근로소득으로 경정청구할 수 있는지요?

➡ 종교단체가 종교인소득을 지급할 때 필요경비를 공제하고 기타소득율을 적용하는 등 종교인소득 간이세액표에 따라 원천징수하여 신고납부하였다면 다시 근로소득으로 보아 원천징수를 변경할 수 없습니다. 하지만 종교관련종사자는 다음 해 근로소득으로 변경하여 종합소득 과세표준 확정신고를 할 수 있는 것으로 판단됩니다.

[사례 27] 종교단체가 2018.1~6월 종교관련종사자 A의 종교인소득을 원천징수를 하다가 2018.7월부터는 지급한 종교인소득에 대하여 원천징수를 이행하지 않은 경우 가산세 적용은?

➡ 종교단체는 종교인소득에 대하여 원천징수를 하지 아니할 수 있지만, 원천징수를 하였다면 계속 하여야 하는 것으로 원천징수를 이행하지 아니한 기간분에 대하여 원천징수납부 등 불성실가산세가 부과됩니다.

[사례 28] 종교단체가 종교관련종사자에게 종교활동과 관련하여 금품을 지급하는 경우 원천징수와 연말정산 방법은?

➡ 종교인소득(기타소득)으로 원천징수하는 경우 : 종교인소득 간이세액표로 원천징수 후 종교인소득 연말정산합니다.

➡ 근로소득으로 원천징수하는 경우 : 근로소득 간이세액표로 원천징수 후 근로소득 연말정산합니다.

[사례 29] 하나의 종교단체에서 종교관련종사자별로 종교인소득으로 원천징수하거나 근로소득으로 원천징수하거나 아예 원천징수를 하지 않고 종교관련종사자가 다음해 종합소득 과세표준 확정신고를 하게 할 수 있나요?

➡ 종교단체의 원천징수의무는 종교관련종사자의 소득세징수를 위한 편의적인 제도로 개별 종교관련종사자별로 선택할 수 있는 것이라고 보아야 할 것입니다. 그러므로 같은 종교단체에서도 종교관련종사자별로 종교인소득으로 원천징수, 근로소득으로 원천징수, 원천징수하지 않는 방법을 선택할 수 있는 것으로 판단됩니다.

■ 소득세법 시행규칙 [별지 제21호 서식] (2017. 3. 10. 개정)

(10쪽 중 제1쪽)

① 신고구분						[ ]원천징수이행상황신고서 [ ]원천징수세액환급신청서	② 귀속연월	년 월
매월	반기	수정	연말	소득처분	환급신청		③ 지급연월	년 월

원천징수 의무자	법인명(상호)		대표자(성명)		일괄납부 여부	여, 부
					사업자단위과세 여부	여, 부
	사업자(주민) 등록번호		사업장 소재지		전화번호	
					전자우편주소	@

❶ 원천징수 명세 및 납부세액 (단위: 원)

소득자 소득구분			코드	원천징수명세: 소득지급(과세 미달, 일부 비과세 포함) ④ 인원	⑤ 총지급액	징수세액 ⑥ 소득세 등	⑦ 농어촌특별세	⑧ 가산세	⑨ 당월 조정 환급세액	납부세액 ⑩ 소득세 등 (가산세 포함)	⑪ 농어촌특별세
개인(거주자·비거주자)	근로소득	간이세액	A01								
		중도퇴사	A02								
		일용근로	A03								
		연말정산 합계	A04								
		연말정산 분납신청	A05								
		연말정산 납부금액	A06								
		가감계	A10								
	퇴직소득	연금계좌	A21								
		그 외	A22								
		가감계	A20								
	사업소득	매월징수	A25								
		연말정산	A26								
		가감계	A30								
	기타소득	연금계좌	A41								
		종교인소득 매월징수	A43								
		종교인소득 연말정산	A44								
		그 외	A42								
		가감계	A40								
	연금소득	연금계좌	A48								
		공적연금(매월)	A45								
		연말정산	A46								
		가감계	A47								
	이자소득		A50								
	배당소득		A60								
	저축해지 추징세액 등		A69								
	비거주자 양도소득		A70								
법인	내·외국법인원천		A80								
수정신고(세액)			A90								
총합계			A99								

❷ 환급세액 조정 (단위: 원)

전월 미환급 세액의 계산: ⑫ 전월 미환급세액	⑬ 기환급 신청세액	⑭ 차감잔액 (⑫-⑬)	당월 발생 환급세액: ⑮ 일반 환급	⑯ 신탁재산 (금융 회사 등)	⑰ 그 밖의 환급세액: 금융 회사 등	합병 등	⑱ 조정대상 환급세액 (⑭+⑮+⑯+⑰)	⑲ 당월조정 환급세액계	⑳ 차월이월 환급세액 (⑱-⑲)	㉑ 환급 신청액

원천징수의무자는 「소득세법 시행령」 제185조 제1항에 따라 위의 내용을 제출하며, 위 내용을 충분히 검토하였고 원천징수의무자가 알고 있는 사실 그대로를 정확하게 적었음을 확인합니다.

년 월 일

신고인 (서명 또는 인)

세무대리인은 조세전문자격자로서 위 신고서를 성실하고 공정하게 작성하였음을 확인합니다.

세무대리인 (서명 또는 인)

세 무 서 장 귀하

신고서 부표 등 작성 여부 ※ 해당란에 "○" 표시를 합니다.		
부표(4~5쪽)	환급(7쪽~9쪽)	승계명세(10쪽)

세무대리인	
성명	
사업자등록번호	
전화번호	

국세환급금 계좌신고 ※ 환급금액 2천만원 미만인 경우에만 적습니다.	
예입처	
예금종류	
계좌번호	

210mm×297mm[백상지 80g/㎡(재활용품)]

■ 소득세법 시행규칙 [별지 제25호 서식(4)] (2017. 3. 10. 신설)

소득자별 종교인소득 원천징수부

(「소득세법 시행령」 제202조의4 관련)

징수 의무자	① 종교단체명		② 사업자등록 번호(고유번호)	- -	가족 사항	⑦ 배 우 자	유·무	⑪ 70세 이상	명
						부양 가족 ⑧ 20세 이하	명	⑫ 장 애 인	명
	③ 소 재 지								
소득자	④ 성 명		⑤ 주민등록번호	-		부양 가족 ⑨ 60세 이상	명	⑬ 부 녀 자	여·부
	⑥ 주 소					⑩ 신고서제출일	. . .	⑭ 한 부 모	여·부

⑮ 월 별	⑯ 지급일	⑰ 지급액 (비과세소득 제외)	원천징수세액 ⑱ 소득세	원천징수세액 ⑲ 지방소득세	⑳ 월 별	㉑ 지급일	㉒ 지급액 (비과세소득 제외)	원천징수세액 ㉓ 소득세	원천징수세액 ㉔ 지방소득세
1월분	. . .				7월분	. . .			
2월분	. . .				8월분	. . .			
3월분	. . .				9월분	. . .			
4월분	. . .				10월분	. . .			
5월분	. . .				11월분	. . .			
6월분	. . .				12월분	. . .			
					계				

㉕ 종교인소득(=⑰+㉒)	소득금액의 계산 ㉖ 종교인소득(=㉕)	㉗ 필요경비	㉘ 소득금액(㉖-㉗)

							소득세	지방소득세	농어촌특별세	계
㉙ 종교인소득 소득금액 (㉘)										
인적 공제	기본 공제	㉚ 본 인		㊵ 종합소득공제계		㉛결 정 세 액				
		㉛ 배 우 자		㊶ 개인연금저축소득공제						
		㉜ 부양가족		㊷ 투자조합출자등소득공제		㊾종(전)근무지에서 원천징수한 세액				
	추가 공제	㉝ 경로우대		㊸ 소득공제 등 종합한도초과액						
		㉞ 장 애 인		㊹ 종 합 소 득 과 세 표 준		㊿ 주(현)근무지에서 원천징수한 세액				
		㉟ 부 녀 자		㊺ 산 출 세 액						
		㊱ 한부모가족		㊻ 세액공제 ㊻ 자녀세액공제		㊿ 차감원천징수세액				
㊲ 연 금 보 험 료 공 제				㊼ 연금계좌 세액공제						
기부금 (이월분)	㊳ 지정기부금			㊽ 기부금세액공제		㊿ 차감환급세액				
				㊾ 표준세액공제						
	㊴ 지정기부금 외			㊿ 외국납부세액공제						

364㎜×257㎜ (백상지(1종) 70g/㎡)

종교인소득 연말정산

○ 순차별 연말정산 절차

구 분	절 차	일 정
종교단체	1. 연말정산하려는 종교단체가 연말정산 신청한다. ○ 「종교인소득세액 연말정산신청서」	해당연도 말일까지
종교관련 종사자	2. 종교단체에 연말정산서류를 제출한다. ○ 「소득·세액공제 신청서」 ○ 소득·세액공제 관련 증명서류	다음해 2월분 지급시
종교단체	3. 제출받은 소득·세액공제신청서 와 관련 증명서류를 검토, 연말정산 세액을 확정한다. ○ 「소득자별 종교인소득 원천징수부」 작성	
종교단체	4. 연말정산 후 종교관련종사자에게 정산결과를 통보한다. ○ 「종교인소득 원천징수영수증」 발급 ○ 연말정산에 따른 종교인에게 환급이나 추가 납부	
종교단체	5. 종교단체가 연말정산 후 세무서에 서류를 빠짐없이 제출한다. ○ 「종교인소득 지급명세서」 ○ 「원천징수이행상황신고서」(연말정산분)	다음해 3월 10일까지

○ **종교인소득세액의 '연말정산신청서' 제출** : 종교인소득의 원천징수의무자인 종교단체가 종교인소득에 대한 연말정산을 하려는 경우에는 최초로 연말정산을 하려는 해당 과세기간의 종료일까지 '종교인소득세액 연말정산신청서'를 사업장 관할세무서장에게 제출하여야 합니다. '종교인소득세액 연말정산신청서'를 제출한 원천징수의무자가 연말정산을 하지 아니하려는 경우에는 해당 과세기간의 종료일까지 '종교인소득세액 연말정산 포기서'를 제출하여야 합니다.

■ 소득세법 시행규칙 [별지 제25호의 3 서식] (2017. 3. 10. 신설)

종교인소득세액연말정산신청(포기)서

(앞쪽)

접수번호	접수일자	처리기간 즉시

원천징수의무자	① 종교단체명	② 사업자등록번호(고유번호)
	③ 대표자(성명)	④ 주민(법인)등록번호
	⑤ 주소 (전화번호:)	
	⑥ 종교단체 소재지 (전화번호:)	

신청(포기)내용							
⑨ 연말정산을 하고자 하는 종교인소득분	년도 소득분부터						
⑩ 연말정산을 하지 않고자 하는 종교인소득분	년도 소득분부터		최초로 연말정산한 과세기간		년도		
세무대리인	성명		전화번호				
	관리번호	−					

「소득세법 시행령」 제202조의 4 제2항에 따라 종교인소득세액 연말정산 신청(포기)서를 제출합니다.

년 월 일

신청인 (서명 또는 인)

세무대리인 (서명 또는 인)

세 무 서 장귀하

유의사항
※ 이 신청(포기)서는 최초로 종교인소득세액 연말정산을 하려는(연말정산을 하지 아니하려는) 해당 과세기간의 종료일까지 제출 하여야 합니다.

210mm×297mm[일반용지 60g/㎡(재활용품)]

○ **종교인소득 연말정산 시기 및 방법** : 종교인소득을 지급하고 소득세를 원천징수하는 자는 해당 과세기간의 다음 연도 2월분의 종교인소득을 지급할 때(2월분의 종교인소득을 2월 말일까지 지급하지 아니하거나 2월분의 종교인소득이 없는 경우에는 2월 말일로 합니다)나 해당 종교관련종사자와의 소속관계가 종료되는 달의 종교인소득을 지급할 때에는 해당 연도의 종교인소득에 대하여 아래와 같이 계산한 금액을 원천징수합니다(소득세법 §145의 3).

{[(과세기간에 받은 종교인소득 금액 − 종교인소득 필요경비) − 종합소득공제] × 종합소득세율} − (세액공제 + 이미 원천징수세액)

○ **종교인소득자의 소득·세액공제 신청서 제출** : 종교단체가 연말정산을 할 때 종교관련종사자가 종합소득공제, 자녀세액공제, 연금계좌세액공제 및 특별세액공제를 적용받으려는 경우 해당 과세기간의 다음 연도 2월분의 종교인소득을 받기 전(해당 원천징수의무자와의 소속관계를 종료한 경우에는 종료한 달의 종교인소득을 받기 전)에 종교단체에 '연말정산 종교인소득자 소득·세액 공제신고서'를 제출하여야 합니다. 만약 이 신고를 하지 아니한 경우에는 기본공제 중 그 사업자 본인에 대한 분과 표준세액공제만을 적용합니다.

■ 소득세법 시행규칙[별지 제37호서식(2)] (2018. 3. 21 개정) (5쪽 중 제1쪽)

소득 · 세액 공제신고서(　　년 종교인소득에 대한 연말정산용)

※ 2018년 1월 1일 이후 종교단체로부터 받은 종교인소득(기타소득)에 대하여 연말정산을 하려는 종교관련종사자는 소득 · 세액 공제신고서에 소득 · 세액 공제 증명서류를 첨부하여 원천징수의무자(종교단체)에게 제출하며, 원천징수의무자는 신고서 및 첨부서류를 확인하여 종교인소득(기타소득)에 대한 세액계산을 하고 종교관련종사자에게 즉시 종교인소득원천징수영수증을 발급해야 합니다. 연말정산 시 해당 종교관련종사자에게 환급이 발생하는 경우 원천징수의무자는 종교관련종사자에게 환급세액을 지급해야 합니다.

소득자 성명		주민등록번호	-
종교단체명		사업자등록번호 (고유번호)	- -
세대주 여부	[ ]세대주 [ ]세대원	국 적	(국적 코드:)
근무기간	~	거주구분	[ ]거주자 [ ]비거주자
거주지국	(거주지국 코드:)	인적공제 항목 변동 여부	[ ]전년과 동일 [ ]변동

I. 인적공제 및 소득 · 세액 공제 명세	인적공제 항목						각종 소득 · 세액 공제 항목	
	관계코드	성 명	기본공제		경로우대	출산 · 입양	자료 구분	기부금
	내 · 외국인	주민등록번호	부녀자	한부모	장애인	6세 이하		
	인적공제 항목에 해당하는 인원수를 적습니다.(자녀: 명)						국세청	
							기타	
	0		○				국세청	
		(근로자 본인)					기타	
							국세청	
		-					기타	
							국세청	
		-					기타	
							국세청	
		-					기타	
							국세청	
		-					기타	

유 의 사 항

1. "인적공제 항목 변동 여부"란에는 해당 항목에 "√"표시합니다(인적공제 항목이 전년과 동일한 경우에는 주민등록표등본을 제출하지 않습니다).

2. 관계코드

구 분	관계코드	구 분	관계코드	구 분	관계코드
소득자 본인 (「소득세법」 §50①1)	0	소득자의 직계존속 (「소득세법」 §50①3가)	1	배우자의 직계존속 (「소득세법」 §50①3가)	2
배우자 (「소득세법」 §50①2)	3	직계비속(자녀 · 입양자) (「소득세법」 §50①3나)	4	직계비속(코드 4 제외) (「소득세법」 §50①3나)	5*
형제자매 (「소득세법」 §50①3다)	6	수급자(코드1~6제외) (「소득세법」 §50①3라)	7	위탁아동 (「소득세법」 §50①3마)	8

* 관계코드 5: 해당 직계비속과 그 배우자가 장애인인 경우 그 배우자를 말합니다.

※ 관계코드 4~6은 소득자와 배우자의 각각의 관계를 포함합니다.

3. 연령기준

- 경로우대: (　 .　 .　 .) 이전 출생(만 70세 이상: 연 100만원 공제)
- 6세 이하: (　 .　 .　 .) 이후 출생(만 6세 이하의 공제대상자가 2명 이상인 경우 1명을 초과하는 1명당 연 15만원 세액공제)

4. "부녀자 공제"란에는 소득자 본인이 여성인 경우로서 다음의 요건을 모두 충족하는 경우에 표시합니다.

가. 해당 과세기간의 종합소득과세표준을 계산할 때 합산하는 종합소득금액이 3천만원 이하일 것

나. 배우자가 없는 여성으로서 「소득세법」 제50조제1항제3호에 따른 부양가족이 있는 세대주이거나 배우자가 있는 여성일 것

5. "장애인 공제"란에는 다음의 해당 코드를 적습니다.

구분	「장애인복지법」에 따른 장애인	「국가유공자 등 예우 및 지원에 관한 법률」에 따른 상이자 및 이와 유사한 자로서 근로능력이 없는 자	그 밖에 항시 치료를 요하는 중증환자
해당코드	1	2	3

6. 내 · 외국인: 내국인=1, 외국인=9로 구분하여 적습니다. 종교관련종사자가 외국인에 해당하는 경우 국적을 적으며, 국적코드는 거주지국코드를 참조하여 적습니다.

210mm×297mm[백상지 80g/㎡(재활용품)]

구분		지출명세		지출구분	금 액	한도액	공제액
Ⅱ.연금보험료 공제	연금보험료(국민연금)	국민연금보험료		보험료		전액	
		연금보험료 계					
Ⅲ. 소득공제	기부금(이월분)	법정기부금		기부금이월액		작성방법 참조	
		지정기부금(종교단체 외)		기부금이월액			
		지정기부금(종교단체)		기부금이월액			
		기부금이월분(합계)					
	개인연금저축(2000년 이전 가입)			납입금액		납입액 40%와 72만원	
	투자조합 출자 등(2017년 이전에 출자 또는 투자한 경우)		조합 등	출자·투자금액		작성방법 참조	
			벤처 등				
			투자조합 출자 등 계				

구분		세액감면·공제명세				세액감면·공제 명세					
Ⅳ. 세액감면 및 공제	세액공제	공 제 종 류				명세		한도액	공제대상금액	공제율	공제세액
		연금계좌	과학기술인공제			납입금액		작성방법 참조		12% 또는 15%	
			「근로자퇴직급여 보장법」에 따른 퇴직연금			납입금액					
			연금저축			납입금액					
			연금계좌 계								
		특별세액공제	기부금	정치자금 기부금	10만원 이하	기부금액		작성방법 참조		100/110	
					10만원 초과	기부금액				15% (25%)	
				법정기부금		기부금액					
				우리사주조합기부금		기부금액					
				지정기부금(종교단체외)		기부금액					
				지정기부금(종교단체)		기부금액					
				기부금 계							
		외국납부세액				국외원천소득					
						납세액(외화)					
						납세액(원화)		-			
						납세국명		납부일			
						신청서제출일		국외 종교단체명 등			
						종사기간		직책			

신고인은 「소득세법」 제145조의3 제2항에 따라 위의 내용을 신고하며, **위 내용을 충분히 검토하였고 신고인이 알고 있는 사실 그대로를 정확하게 적었음을 확인합니다.**

년 월 일

신고인 (서명 또는 인)

Ⅵ. 추가 제출 서류

1.종(전) 근무지 명세	종(전)종교단체명		종(전) 종교인소득 총액		종(전)근무지 종교인소득 원천징수영수증 제출 ( )
	사업자등록번호 (고유번호)		종(전) 결정세액		

2. 연금·저축 세액 공제명세서 제출 여부 (○ 또는 × 로 적습니다)	제출 ( ) ※ 연금계좌 세액공제를 신청한 경우 해당 명세서를 제출해야 합니다.
3. 그 밖의 추가 제출 서류	① 기부금명세서 ( ), ② 소득·세액공제 증명서류

유 의 사 항

1. 종교관련종사자가 종(전)근무지의 종교인소득을 원천징수의무자에게 신고하지 않은 경우에는 종교관련종사자 본인이 종합소득세 신고를 해야 합니다.
2. "공제액", "공제대상금액", "공제세액"란은 종교관련종사자 본인이 적지 아니하고 공란으로 원천징수의무자에게 제출할 수 있습니다.

210mm×297mm[백상지 80g/㎡(재활용품)]

○ 종교인소득에 적용되는 소득공제

<table>
<tr><th>항목</th><th colspan="2">구 분</th><th>공제금액
· 한도</th><th colspan="3">공 제 요 건</th><th>종교인
소득</th><th>근로
소득</th></tr>
<tr><td rowspan="14">인적공제</td><td colspan="2" rowspan="9">기본공제</td><td rowspan="9">1명당
150만원</td><td>구분</td><td>소득요건*</td><td>나이요건**</td><td></td><td></td></tr>
<tr><td>본인</td><td>×</td><td>×</td><td rowspan="8">○</td><td rowspan="8">○</td></tr>
<tr><td>배우자</td><td>○</td><td>×</td></tr>
<tr><td>직계존속</td><td>○</td><td>만 60세 이상</td></tr>
<tr><td>형제자매</td><td>○</td><td>만 20세 이하
만 60세 이상</td></tr>
<tr><td>직계비속</td><td>○</td><td>만 20세 이하</td></tr>
<tr><td>위탁아동</td><td>○</td><td>만 18세 미만</td></tr>
<tr><td>수급자 등</td><td>○</td><td>×</td></tr>
<tr><td colspan="3">* 연간소득금액 합계액 100만원(근로소득만 있는 경우 총급여 500만원) 이하
** 장애인의 경우 나이요건 비적용</td></tr>
<tr><td rowspan="5">추가공제</td><td>경로우대</td><td>1명당
100만원</td><td colspan="3">기본공제대상자 중 만 70세 이상</td><td>○</td><td>○</td></tr>
<tr><td>장애인</td><td>1명당
200만원</td><td colspan="3">기본공제대상자 중 장애인</td><td>○</td><td>○</td></tr>
<tr><td>부녀자</td><td>50만원</td><td colspan="3">종합소득금액이 3천만원 이하자인 근로자가 다음 어느 하나에 해당하는 경우
• 배우자가 있는 여성 근로자
• 기본공제대상자가 있는 여성 근로자로서 세대주</td><td>○</td><td>○</td></tr>
<tr><td>한부모</td><td>100만원</td><td colspan="3">배우자가 없는 자로서 기본공제대상인 직계비속나 입양자가 있는 경우 (부녀자 공제와 중복적용 배제)</td><td>○</td><td>○</td></tr>
<tr><td colspan="3">연금보험료 공제</td><td>전액</td><td colspan="3">근로자 본인의 국민연금보험료 · 공무원연금법 등(공적연금관련법)에 따</td><td>○</td><td>○</td></tr>
</table>

항목	구 분		공제금액·한도	공 제 요 건	종교인 소득	근로 소득
				라 부담한 부담금·기여금		
특별소득공제 특별소득공제	보험료	건강 보험료	전액	근로자 본인 명의의 건강보험료·장기요양보험료(본인부담분)	×	○
		고용 보험료	전액	근로자 본인 명의의 고용보험료(본인부담분)	×	○
	주택자금	① 주택임차 차입금원리금 상환액 등	원리금 상환액의 40% (연 300만원 한도)	무주택세대주인 근로자가 국민주택규모의 주택(오피스텔 포함)을 임차위해 금융회사 등의 차입금 원리금상환액 무주택세대주로서 총급여 5천만원 이하인 근로소득자가 국민주택규모 주택(오피스텔 포함)을 임차시 대부업자 아닌 개인 아닌 차입금의 원리금 상환액	×	○
		②장기주택저당차입금이자상환액공제	이자상환액	무주택 세대주가 취득당시 기준시가 4억원 이하 주택을 취득할 때 장기주택저당 차입금의 이자상환액 * 공제한도 300~1800만원	×	○
그 밖의 소득공제	개인연금저축 소득공제		연 72만원 한도	개인연금저축 납입액의 40% 공제	○	○
	소기업·소상공인공제부금 소득공제		연 300만원 한도	소기업·소상공인의 노란우산공제 납입액 공제 총급여 7천만원 이하 법인 대표자도 공제 가능	-	-
	주택마련 저축공제		연 300만원 한도	주택마련저축 납입액의 40% 공제 -총급여 7천만원 이하인 무주택 세대의 세대주 -국민주택규모의 주택(가입당시 기준시가 3억원 이하)을 한 채만 소유한	×	○

항목	구 분	공제금액 · 한도	공 제 요 건	종교인 소득	근로 소득
			세대의 세대주		
	투자조합출자 등 소득공제	출자나 투자금액의 10%	중소기업창업투자조합, 벤처기업 등에 투자 시 출자나 투자 후 2년이 되는 날이 속하는 과세연도까지 선택하여 1과세연도에 공제	○	○
그밖의 소득공제	신용카드 등 소득공제	(신용카드 등사용금액 − 총급여액 25%)× 15~40%	−15% 공제대상 : 신용카드 사용액 −30% 공제대상 : 현금영수증, 도서구입 · 공연관람 −40% 공제대상 : 직불카드, 전통시장사용분 −본인, 배우자 및 생계를 같이 하는 직계존비속(소득 제한, 나이제한 없음)의 신용카드 등 사용액 −300만원과 총급여 20% 중 적은 금액 한도 다만, 전통시장 · 대중교통 · 도서구입 · 공연관람 이용분은 각 100만원까지 추가 한도(최대 500만원)	×	○
	우리사주조합 출연금 소득공제	연 400만원 한도	우리사주조합원이 우리사주를 취득하기 위하여 우리사주조합에 출연한 금액	−	−
	고용유지중소기업 근로자 소득공제	임금삭감액의 50% (1천만원 한도)	고용유지 중소기업의 상시 근로자에 대해 2018년까지 근로소득에서 공제	−	−
	장기집합투자증권저축 소득공제	저축납입액의 40% (연 240만원 한도)	2015년말까지 가입한 근로자(해당 과세기간 8천만원 이하)가 장기집합투자증권저축에 납입한 금액	×	○

○ 종교인소득에 적용되는 세액공제 · 감면

<table>
<tr><th colspan="3">구 분</th><th>공제금액 · 한도</th><th>공 제 요 건</th><th>종교인 소득</th><th>근로 소득</th></tr>
<tr><td colspan="3">중소기업 취업자 소득세 감면</td><td>취업일부터
5년간 근로 소득세
90%
(연 150만원 한도)</td><td>15~34세 이하(병역근무기간 제외 : 한도 6년), 60세 이상인 사람, 장애인이 중소기업에 취업시 근로소득세를 5년간 50~100% 세액감면</td><td>–</td><td>–</td></tr>
<tr><td colspan="3">근로소득 세액공제</td><td>50만~74만원 한도</td><td><table><tr><th>산출세액</th><th>공제금액</th></tr><tr><td>130만원 이하</td><td>55%</td></tr><tr><td>130만원 초과</td><td>71만5천원 + 130만원 초과금액의 30%</td></tr></table></td><td>×</td><td>○</td></tr>
<tr><td rowspan="2">자녀세액공제</td><td colspan="2">공제대상 자녀</td><td>–</td><td>1명 : 연 15만원, 2명 : 연 30만원
3명 이상 : 연 30만원 + 2명 초과 1명당 30만원</td><td rowspan="2">○</td><td rowspan="2">○</td></tr>
<tr><td colspan="2">출산 · 입양</td><td>–</td><td>1명당 : 연 30만원</td></tr>
<tr><td rowspan="3">연금계좌</td><td colspan="2">연금저축</td><td rowspan="3">납입액× 12%
(연 700만원 한도, 단, 연금저축은 400만원 한도)</td><td>연금저축계좌 근로자 납입액</td><td rowspan="3">○</td><td rowspan="3">○</td></tr>
<tr><td colspan="2">퇴직연금</td><td>근로자퇴직급여보장법에 따른 DC형 퇴직연금 · 개인형퇴직연금(IRP) 근로자 납입액</td></tr>
<tr><td colspan="2">과학기술인 공제</td><td>「과학기술인공제회법」에 따른 퇴직연금 근로자 납입액</td></tr>
<tr><td rowspan="3">특별세액공제</td><td colspan="2">보장성보험료</td><td>보험료 납입액× 12%
(연 100만원 한도)</td><td>근로자가 기본공제대상자를 피보험자로 지출한 보장성보험의 보험료</td><td rowspan="2">×</td><td rowspan="2">○</td></tr>
<tr><td colspan="2">장애인 보장성보험료</td><td>보험료 납입액× 15%
(연 100만원 한도)</td><td>근로자가 기본공제대상자 중 장애인을 피보험자나 수익자로 지출하는 장애인 전용보험에 지출한 보험료</td></tr>
<tr><td>의료비</td><td>㉮ 본인
㉯ 65세 이상</td><td></td><td>총급여 3%를 초과하는 경우 공제 가능
-시력교정용안경(콘택트렌즈) 구입비용 : 1인당 연 50만원 한도</td><td>×</td><td>○</td></tr>
</table>

<table>
<tr><th colspan="3">구 분</th><th colspan="2">공제금액 · 한도</th><th>공 제 요 건</th><th>종교인 소득</th><th>근로 소득</th></tr>
<tr><td rowspan="7">특별세액공제</td><td>의료비</td><td>㉰ 장애인
㉱ 난임시술비
㉲ 건강 보험 산정 특례 대상 부양가족
㉳ 그 외 부양가족</td><td colspan="2">의료비
공제대상금액*× 15%
*의료비공제 대상금액:
• 본인, 65세 이상, 장애인, 난임시술비, 건강보험 산정 특례대상 부양가족: 한도 없음
• 그 외 부양가족: 연 700만원</td><td>–미용 · 성형수술비용은 공제 제외
–건강증진 위한 의약품 등 공제 제외
–의료비 공제대상금액 계산<table><tr><th>구 분</th><th>의료비 공제금액</th></tr><tr><td>㉳ <총급여액 3%</td><td>(㉮+㉯+㉰+㉱+㉲)-(총급여액 3%-㉳)</td></tr><tr><td>㉳ >=총급여액 3%</td><td>(㉮+㉯+㉰+㉱+㉲)+작은금액[(㉳-총급여액 3%), 700만원]</td></tr></table>※ ㉯, ㉰, ㉱, ㉲, ㉳ : 나이 · 소득금액 제한 없으나 생계를 같이하는 부양가족에 해당되어야 함.</td><td></td><td></td></tr>
<tr><td rowspan="5">교육비</td><td>취학전 아동</td><td colspan="2" rowspan="5">교육비 공제대상금액* × 15%
* 공제한도 : 취학전 아동, 초중고생 : 1명당 300만원, 대학생 : 1명당 900만원, 본인 · 장애인 : 한도없음</td><td>보육료, 학원비 · 체육시설 수강료, 유치원비, 방과후수업료, 급식비 등(특별활동비 · 도서구입비 포함, 재료비 제외)</td><td rowspan="5">×</td><td rowspan="5">○</td></tr>
<tr><td>초등학생
중 · 고등학생</td><td>교육비, 학교급식비, 교과서대, 방과후학교 수강료(도서구입비 포함, 재료비 제외), 국외교육비(고등학생 국외유학요건 폐지), 교복구입비(중 · 고생 50만원이내)</td></tr>
<tr><td>대학생</td><td>교육비, 국외교육비(국외유학요건 폐지)</td></tr>
<tr><td>근로자 본인</td><td>교육기관 교육비, 대학 · 대학원 1학기 이상의 교육과정과 시간제 과정 교육비, 직업능력개발훈련 수강료</td></tr>
<tr><td>장애인 특수교육비</td><td>사회복지시설 등에 기본공제대상자인 장애인*의 재활교육을 위해 지급한 비용</td></tr>
<tr><td>기부금</td><td>정치자금</td><td>10만원 이하</td><td>기부금의 100/110</td><td>정당, 후원회, 선거관리위원회에 기부한 금액</td><td>○</td><td>○</td></tr>
</table>

<table>
<tr><th colspan="3">구 분</th><th colspan="2">공제금액 · 한도</th><th>공 제 요 건</th><th>종교인 소득</th><th>근로 소득</th></tr>
<tr><td rowspan="6">특별세액공제</td><td rowspan="5">기부금</td><td>기부금</td><td>10만원 초과</td><td>3천만원 이하 15%, 초과 25%</td><td>-근로자 본인의 정치자금기부금만 공제 가능</td><td rowspan="5"></td><td rowspan="5"></td></tr>
<tr><td>법정 기부금</td><td colspan="2" rowspan="4">• 2천만원 이하 :15%
• 2천만원 초과 :30%
* 공제대상한도(소득금액 기준)
• 정치자금기부금 :100%,
• 법정기부금 :100%,
• 지정(종교단체외) : 30%,
• 지정(종교단체) : 10%</td><td>국가 등에 지출한 기부금</td></tr>
<tr><td>우리사주 조합 기부금</td><td>우리사주조합원이 아닌 근로자가 우리사주조합에 기부하는 기부금</td></tr>
<tr><td>지정 기부금 (종교단체 외)</td><td>사회복지 · 문화 등 공익성을 고려한 지정기부금 단체 중 비 종교단체에 지출</td></tr>
<tr><td>지정 기부금 (종교 단체)</td><td>종교의 보급, 그 밖의 교화를 목적으로 「민법」 제32조에 따라 문화체육부장관이나 지방자치단체의 장의 허가를 받아 설립한 비영리법인(그 소속단체를 포함한다)에 기부한 기부금</td></tr>
<tr><td colspan="2">표준세액공제</td><td colspan="2">연 7~13만원</td><td>특별소득공제, 특별세액공제, 월세액 세액공제를 신청하지 아니한 경우 적용
* 정치자금기부금, 우리사주조합기부금은 중복적용 가능</td><td>○</td><td>○</td></tr>
<tr><td colspan="3">납세조합 세액공제</td><td colspan="2">납세조합 원천징수 세액의 10%</td><td>원천징수 제외대상 근로소득자가 납세조합에 가입하여 매월분의 급여를 원천징수하는 경우 원천징수세액의 10% 공제</td><td>×</td><td>○</td></tr>
<tr><td colspan="3">주택차입금 이자상환액 세액공제</td><td colspan="2">이자 상환액의 30%</td><td>'95.11.1.~'97.12.31. 기간 중 미분양주택의 취득시 '95.11.1. 이후 국민주택기금 등으로부터 차입한 대출금 이자상환액을 세액공제</td><td>×</td><td>○</td></tr>
</table>

구 분	공제금액 · 한도	공 제 요 건	종교인 소득	근로 소득
외국납부 세액공제	외국납부 세액	소득금액에 포함된 국외원천소득에 외국납부세액이 있는 경우 공제 ※ 공제한도 $= 산출세액 \times \frac{국외근로소득금액}{근로소득금액}$ • 한도 초과시 이월하여 세액공제 가능	○	○
월세 세액공제	월세액 (750만원 한도)의 12%	무주택 세대의 세대주(세대주가 주택관련 공제를 받지 않은 경우 세대원도 가능)로서 총급여 5500만원 이하인 근로소득자가 국민주택규모의 주택(오피스텔 포함)을 임차하기 위하여 지급하는 월세액	×	○

○ **종교인소득의 연말정산 결과 추가납부 · 환급** : 만약 징수하여야 할 소득세가 지급할 종교인소득의 금액을 초과할 때(그 다음 달에 지급할 종교인소득이 없는 경우는 제외합니다)에는 그 초과하는 세액은 그 다음 달의 종교인소득을 지급할 때에 징수합니다.
만약 해당 과세기간에 이미 원천징수하여 납부한 소득세가 해당 종합소득 산출세액에서 세액공제를 한 금액을 초과할 때에는 그 초과액은 해당 사업자에게 환급됩니다.

○ **2명 이상으로부터 종교인소득을 받는 사람의 연말정산** : 2명 이상으로부터 연말정산 종교인소득을 지급받는 사람은 주(主)된 근무지와 종(從)된 근무지를 정하고 종된 근무지의 원천징수의무자로부터 '종교인소득 원천징수영수증'을 발급받아 해당 과세기간의 다음 연도 2월분의 종교인소득을 받기 전에 주된 근무지의 원천징수의무자에게 제출한 경우에는 주된 근무지의 원천징수의무자는 주된 근무

지의 종교인소득과 종된 근무지의 종교인소득을 더한 금액에 대하여 소득세를 원천징수합니다.

이 경우 '종교인소득 원천징수영수증'을 발급하는 종된 근무지의 원천징수의무자는 해당 근무지에서 지급하는 해당 과세기간의 종교인소득금액에 기본세율을 적용하여 계산한 종합소득산출세액에서 원천징수한 세액을 공제한 금액을 원천징수합니다.

○ **재취직자에 대한 근로소득세액의 연말정산** : 해당 과세기간 중도에 퇴직하고 새로운 소속관계에 따라 연말정산 종교인소득을 지급받는 자가 종전 근무지에서 해당 과세기간의 1월부터 퇴직한 날이 속하는 달까지 받은 종교인소득을 포함하여 종교인소득자 소득·세액 공제신고서를 제출하는 경우, 종교인소득자가 종전 근무지에서 받은 종교인소득과 새로운 근무지에서 받은 종교인소득을 더한 금액에 대하여 소득세를 원천징수합니다. 이 경우 해당 과세기간 중도에 퇴직한 종교인소득자로서 소득세를 납부한 후 다시 취직하고 그 과세기간의 중도에 또다시 퇴직한 자에 대한 소득세의 원천징수를 포함합니다.

○ **연말정산 종교인소득에 대한 원천징수영수증의 발급** : 연말정산 종교인소득을 지급하는 원천징수의무자는 연말정산일이 속하는 달의 다음 달 말일까지 그 종교인소득의 금액과 그 밖에 필요한 사항을 적은 '원천징수영수증'을 해당 종교관련종사자에게 발급해 주어야 합니다.

종교단체의 '지급명세서' 제출의무

○ **종교단체의 '지급명세서' 제출의무** : 종교단체는 직전연도의 종교인소득에 대한 연말정산을 완료하고 3월 10일까지 '종교인소득 관련 지급명세서'를 작성하여 관할 세무서에 제출하여야 합니다. 이는 종교단체가 기타소득이나 근로소득 등 어떤 소득으로 원천징수나 연말정

산을 했는지 여부와 관계없이 반드시 이행해야 하는 협력의무입니다.

○ **지급명세서상 종교인 비과세항목인 종교활동비 표시** : 종교단체가 제출하는 종교인소득 관련 지급명세서에는, 소속 종교관련종사자에 대하여 종교단체의 규약이나 의결기구의 의결·승인 등을 통하여 결정된 지급 기준에 따라 종교 활동을 위하여 통상적으로 사용할 목적으로 지급한 금액이나 물품(소득세령 §19③(3)의 종교활동비) 등 비과세 종교인소득으로 표시하여야 합니다.

관련법령

❒ 종교활동비의 지급명세서 제출대상 포함

○「소득세법 시행령」 제214조 [지급명세서 제출의 면제 등]

① 다음 각 호의 어느 하나에 해당하는 소득에 대하여는 법 제164조 제1항을 적용하지 아니한다.

1. 법 제12조 제5호의 규정에 따라 비과세되는 기타소득. **다만, 제19조 제3항 제3호에 따른 금액 및 물품을 제외한다.**

○「소득세법 시행령」 제19조 제3항 제3호

③ 법 제12조 제5호 아목 3)에서 "대통령령으로 정하는 실비변상적 성질의 지급액"이란 다음 각 호의 것을 말한다.

3. 제12조 제18호에 따른 금액 및 물품

○「소득세법 시행령」 제12조 제18호

법 제12조 제3호 자목에서 "대통령령으로 정하는 실비변상적(實費辨償的) 성질의 급여"란 다음 각 호의 것을 말한다.

18. 종교관련종사자가 소속 종교단체의 규약 또는 소속 종교단체의 의결기구의 의결·승인 등을 통하여 결정된 지급 기준에 따라 종교활동을 위하여 통상적으로 사용할 목적으로 지급받은 금액 및 물품

○ **연말정산 여부에 따라 달라지는 지급명세서 서식** : 종교인소득에 대한 지급명세서는 연말정산 여부에 따라 그 서식이 크게 달라집니다. 기타소득으로 원천징수하고 연말정산을 한 경우에는 「종교인소득 지급명세서(연말정산용)」[별지 제23호 서식(6)], 기타소득으로 원천징수하고 연말정산을 하지 않은 경우에는 「기타소득 지급명세서(연간집계표)」[별지 제23호 서식(4)], 근로소득으로 원천징수하고 연말정산을 한 경우에는 「근로소득 지급명세서」[별지 제24호 서식]으로 각각 제출합니다.

구 분	기타소득		근로소득 (연말정산)
	연말정산을 한 경우	연말정산을 하지 아니하는 경우	
지급명세서 서식	종교인소득 지급명세서(연말정산용) [별지 제23호 서식(6)]	기타소득 지급명세서 (연간집계표) [별지 제23호 서식(4)]	근로소득 지급명세서 [별지 제24호 서식(1)]

○ **지급명세서 미제출시 가산세 부담** : 종교단체는 종교인소득(비과세되는 종교활동비 포함)에 대해 원천징수 여부와 관계없이 다음 해 3월 10일까지 '종교인소득 관련 지급명세서'를 제출하여야 하며, 이를 제출하지 않은 경우 지급금액의 1%인 지급명세서 미제출가산세를 부담하게 됩니다.

종교인소득 원천징수의무와 관련한 가산세

○ **종교인소득 원천징수 불성실 가산세**(국기법 §47의 5)

종교단체가 원천징수 납부하여야 할 세액을 납부하지 않거나 과소납부한 경우에는 그 세액에 대한 가산세를 결정세액에 더합니다.

가산세 = 미납세액 × 3% + (과소·무납부세액 × 25/100,000 × 경과일수) ≤ 10%

○ **지급명세서 제출불성실 가산세**(소득세법 §81①)

지급명세서를 제출하여야 할 자가 ① 해당 지급명세서를 그 기한까지 제출하지 아니한 경우 ② 제출된 지급명세서가 불분명한 경우에 해당하거나 제출된 지급명세서에 기재된 지급금액이 사실과 다른 경우, 각각 해당 가산세를 결정세액에 더합니다(세금우대자료 제출불성실가산세 부과분 제외).

① 해당 지급명세서를 기한까지 제출하지 아니한 경우 : 미제출 지급금액의 1%(제출기한이 지난 후 3개월 내에 제출한 경우 지급금액의 0.5%)

② 제출된 지급명세서가 불분명하거나 기재된 지급금액이 사실과 다른 경우 : 불분명하거나 사실과 다른 분의 지급금액의 1%

* 종교인소득 지급명세서 미제출가산세는 2020년 귀속 분부터 적용(2018. 12. 개정)

적용사례 종교인소득의 원천징수와 연말정산

[사례 30] 종교인소득으로 신고할 때 신용카드등 사용액 소득공제, 의료비 · 교육비 세액공제, 기부금세액공제가 가능한가요?

➡ 종교단체가 종교인소득으로 종교인소득 간이세액표에 따라 원천징수하고 사업소득에 준해 연말정산한 경우에는 근로소득이 아니므로 근로소득에서 받을 수 있는 의료비 · 교육비 등 특별공제, 신용카드등 사용금액 소득공제를 받을 수 없습니다.

[사례 31] 종교인소득을 지급할 때 원천징수하지 아니한 경우 종교인소득 신고는 어떻게 해야 하나요?

➡ 종교단체는 종교인에게 지급하는 종교인소득에 대하여 원천징수와 연말정산을 할 수 있지만, 만약 종교단체가 원천징수와 연말정산을 하지 않은 경우에는 소득자인 종교인은 다음 해 5월말까지 종합소득 과세표준 확정신고를 해야 합니다.

[사례 32] 종교단체가 원천징수를 하지 않은 경우에도 종교인소득 지급명세서를 제출하여야 하나요?

➡ 종교인소득에 대해 근로소득이나 기타소득으로 원천징수를 했든지 하지 않았든지 간에 종교인소득을 지급하는 종교단체는 종교인소득 지급명세서를 다음 해 3월 10일까지 제출합니다. 만약 제출하지 않으면 2020년 귀속 분부터 미제출가산세(지급금액의 1%)를 부담하여야 합니다.

[사례 33] 종교인소득이 있는 종교관련종사자가 연말정산으로 종교인소득을 계산하였으나, 임대수입이 있는 경우 종합소득세 확정신고의무가 있나요?

➡ 종교인소득에 대하여 종교인소득으로 연말정산을 하였다 해도 임대, 사업소득 등 다른 소득이 있는 경우에는 합산하여 세액을 산출하는 종합소득 과세표준 확정신고를 하여야 합니다.

[사례 34] "을"종교단체는 2020년 귀속분 "B"종교인에게 지급한 소득 1억원에 대하여 종교인소득 원천징수를 하고 연말정산 후 지급명세서를 제출하였습니다. 하지만 비과세 항목인 종교활동비 5천만원은 지급명세서

에 기재하지 못했습니다. 지급명세서 가산세 부과액은?

➡ 기타소득 비과세항목은 본래 지급명세서 제출대상은 아니지만, 종교인소득에서 비과세항목인 종교활동비는 제출대상입니다. 지급명세서가산세는 2020년 이후 미제출한 경우 5천만원의 1%인 50만원이 지급명세서 불성실가산세로 부과됩니다.

[사례 35] 종교단체가 소속 종교관련종사자에게 지급한 종교인소득의 소득금액이 300만원 미만입니다. 300만원 이하의 기타소득은 분리과세대상으로 알고있는데 연말정산이나 종합소득세신고를 꼭 해야 하나요?

➡ 종교인소득을 포함한 기타소득은 비과세와 필요경비를 공제한 소득금액이 300만원 이하로 원천징수한 경우에는 분리과세하고 종합소득세신고를 하지 않아도 됩니다. 하지만 다른 소득과 합산하지 않을 뿐 종교단체는 종교인소득 지급명세서 제출을 꼭 해야 합니다.

■ 소득세법 시행규칙 [별지 제23호서식(6)] (2018.03.21 개정)

관리번호	
①귀속연도	년

[ ]종교인소득 원천징수영수증(연말정산용)
[ ]종교인소득 지 급 명 세 서(연말정산용)

([ ]소득자 보관용 [ ]발행자 보관용 [ ]발행자 보고용)

소득자 구분			
거주구분	거주자1 / 비거주자2		
내 · 외국인	내국인1 / 외국인9		
거주지국		거주지국코드	

징 수 의무자	② 종교단체명	③ 대표자(성명)	④ 사업자등록(고유)번호
	⑤ 주민(법인)등록번호	⑥ 소재지(주소)	
소득자	⑦ 성 명	⑧ 주민등록번호	
	⑨ 주 소		

종교인 소득	⑩ 발생처 구 분	⑪ 종교단체명	⑫ 사업자등록(고유)번호	⑬ 발생기간 (연 · 월 · 일)	⑭ 지급액(비과세소득 제외)	⑮ 비과세소득
	주(현)		- -	. . ~ . .		
	종(전)		- -	. . ~ . .		

소득금액	⑯ 종교인소득(⑭)	⑰ 필요경비	⑱ 소득금액(⑯-⑰)

⑲종교인소득 소득금액 (⑱)					구 분		소득세	지방소득세	농어촌특별세	계
인공	기본공제	⑳ 본 인		㉜소득공제 등 종합한도 초과액	㊵ 결정세액					
		㉑ 배우자		㉝종합소득과세표준	기납부 세액	㊶종(전) 근무지				
		㉒ 부양가족(명)		㉞ 산출세액		㊷주(현) 근무지				
	추가공제	㉓ 경로우대(명)		㉟ 자녀세액공제 공제대상자녀 명	㊸ 차 감 납 부 할 세액					
		㉔ 장애인(명)		6세 이하 명						
				출산·입양자 명						
		㉕ 부녀자		㊱연금계좌세액공제						
		㉖ 한부모가족		㊲ 기부금세액공제 정치자금						
㉗ 연금보험료공제				법정						
㉘ 기부금(이월분)				우리사주조합						
㉙ 종합소득공제 계				지정						
㉚ 개인연금 저축소득공제				㊳ 표준세액공제						
㉛ 투자조합출자등 소득공제				㊴ 외국납부세액공제						

위 원천징수세액(수입금액)을 영수(지급)합니다.

년 월 일

징수(보고)의무자 (서명 또는 인)

세무서장 귀하

㊹ 인적공제자 명세(해당 소득자의 기본공제와 추가공제 및 부양 등으로 공제금액 계산명세가 있는 자만 적습니다. 다만, 본인은 표기하지 않습니다)

관계	성 명	주민등록번호	관계	성 명	주민등록번호	관계	성 명	주민등록번호
		-			-			-
		-			-			-
		-			-			-

※ 관계코드: 소득자의 직계존속=1, 배우자의 직계존속=2, 배우자=3, 직계비속(자녀, 입양자)=4, 직계비속(직계비속과 그 배우자가 장애인인 경우 그 배우자)=5, 형제자매=6, 수급자=7(코드1~6제외), 위탁아동=8 * 4~6은 소득자와 배우자의 각각의 관계를 포함합니다.

작 성 방 법

1. 거주지국과 거주지국코드는 비거주자에 해당하는 경우에 한정하여 적으며, 국제표준화기구(ISO)가 정한 ISO코드 중 국명약어 및 국가코드를 적습니다(※ ISO국가코드: 국세청홈페이지→국세정보→국제조세정보→국세조세자료실에서 조회할 수 있습니다).
2. "징수의무자"란의 "⑤주민(법인)등록번호"는 소득자 보관용에는 적지 않습니다.
3. 원천징수의무자는 지급일이 속하는 과세기간의 다음 연도 3월 10일(휴업 · 폐업한 경우에는 휴업일 · 폐업일이 속하는 달의 다음다음 달 말일)까지 지급명세서를 제출해야 합니다.
4. "⑭ 지급액"란은 「소득세법」 제12조제5호아목에 따른 비과세 종교인소득을 제외하고 적습니다.
5. "⑮ 비과세소득"란에는 「소득세법 시행령」 제19조제3항제3호의 금액(종교관련종사자가 소속 종교단체의 규약 또는 소속 종교단체의 의결기구의 의결·승인 등을 통하여 결정된 지급 기준에 따라 종교 활동을 위하여 통상적으로 사용할 목적으로 지급받은 금액 및 물품)을 적습니다.
6. "㉛ 소득공제 등 종합한도 초과액"란은 종교인소득 소득 · 세액공제신고서(별지 제37호서식(2)) 제2쪽의 투자조합 출자 등 소득공제 항목의 "조합 등"란의 공제액이 2천5백만원을 초과하는 경우에 그 초과하는 금액을 적습니다.
7. "㊷ 차감 납부할 세액"란이 소액 부징수(1천원 미만을 말합니다)에 해당하는 경우 "0"으로 적습니다.
8. 이 서식에 적는 금액 중 소수점 이하 값은 버립니다.

210mm×297mm(백상지 80g/㎡)

관리번호	-

(년 귀속) 종합소득세 · 지방소득세 과세표준확정신고 및 납부계산서 (단일소득-종교인소득자용)

거주구분	거주자1 /비거주자2
내·외국인	내국인1 /외국인9
거주지국	거주지국코드

❶ 기본사항	① 성 명	② 주민등록번호
	③ 주 소	④ 전자우편주소
	⑤ 주소지 전화번호	⑥ 휴대전화번호
⑦ 신고구분	⑩ 정기신고, ⑳ 수정신고, ㊵ 기한 후 신고	
❷ 환급금 계좌신고	⑧ 금융기관/체신관서명	⑨ 계좌번호

❸ 종합소득세액의 계산

구 분	금 액
㉛ 총수입금액: 종교관련종사자가 종교단체로부터 받은 종교인소득 중 과세대상 소득의 합계액을 적습니다.	
㉜ 필요경비: 3쪽의 작성방법을 참고하여 필요경비 금액을 적습니다.	
㉝ 종합소득금액: ㉛－㉜	
㉞ 소득공제: ㉟~㊺의 공제금액 합계에서 ㊻의 금액을 차감한 금액을 적습니다.	

소득공제명세

관계코드	성 명	내외국인 코드	주민등록번호	인적공제 구분		인원	금 액
				기본공제	㉟ 본인		
					㊱ 배우자		
					㊲ 부양가족		
				추가공제	㊳ 경로우대자		
					㊴ 장애인		
					㊵ 부녀자		
					㊶ 한부모가족		

구 분	금 액
㊷ 기부금(이월분) 소득공제: 3쪽의 작성방법을 참고하여 기부금 지출액 중 공제액을 적습니다.	
㊸ 연금보험료공제: 국민연금보험료를 납부한 금액을 적습니다.	
㊹ 개인연금저축공제: 3쪽의 작성방법을 참고하여 공제액을 적습니다.	
㊺ 중소기업 창업투자조합 출자 등 공제: 3쪽의 작성방법을 참고하여 공제액을 적습니다.	
㊻ 소득공제 등 종합한도 초과액: 4쪽의 작성방법을 참고하여 초과액을 적습니다.	
㊼ 과세표준: ㉝－㉞ ("0"보다 적은 경우에는 "0"으로 합니다)	
㊽ 세율: 4쪽의 작성방법을 참고하여 세율을 적습니다.	
㊾ 산출세액: ㊼ × ㊽ － 누진공제액(5쪽 작성방법 참고)	
㊿ 세액공제: 세액공제명세(51~57)의 합계금액을 적습니다.	

세액공제명세

51 자녀세액공제	기본공제 자녀(입양자, 위탁아동 포함) ※ 2명 이하: 1명당 15만원, 자녀 2명 초과: 30만원 + 2명 초과 1명당 30만원	명	
	6세 이하 자녀(6세 이하 자녀가 2명 이상인 경우) ※ 2명: 15만원, 2명초과: 15만원 + 2명 초과 1명당 15만원	명	
	출산·입양 자녀 ※ 출산·입양 자녀가 첫째인 경우 30만원, 둘째인 경우 50만원, 셋째 이상인 경우 70만원	명	
52 연금계좌세액공제: 4쪽의 작성방법을 참고하여 공제 대상금액과 공제액을 적습니다.	공제 대상금액		

210mm×297mm[백상지 80g/㎡(재활용품)]

구분				금액
세액공제명세	㊸ 기부금세액공제: 4쪽의 작성방법을 참고하여 대상금액과 공제액을 적습니다.	법정기부금공제 대상금액		
		지정기부금공제 대상금액		
		우리사주조합기부금공제 대상금액		
	㊹ 표준세액공제: 7만원(㊷·㊸의 세액공제를 신청하지 아니한 경우에 적용됩니다)			
	㊺ 전자신고세액공제: 납세자가 전자신고 방법에 의하여 직접 신고하는 경우 2만원을 공제합니다.			
	㊻ 정치자금기부금 세액공제: 4쪽의 작성방법을 참고하여 공제액을 적습니다.		10만원 이하	
			10만원 초과	
	㊼ 외국납부세액공제: 4쪽의 작성방법을 참고하여 공제액을 적습니다.			
㊽ 결정세액: ㊾－㊿("0"보다 적은 경우에는 "0"으로 합니다)				
㊾ 가산세액: 무신고 등에 해당하는 경우 가산세액명세(⑽~⑿)의 합계금액을 적습니다				

	구분		계산기준	기준금액	가산세율	가산세액
가산세액계산명세	⑥⓪ 무신고	부정무신고	무신고납부세액		40/100	
		일반무신고	무신고납부세액		20/100	
	⑥① 과소신고	부정과소신고	과소신고납부세액		40/100	
		일반과소신고	과소신고납부세액		10/100	
	⑥② 납부(환급)불성실	미납일수		( )	3/10,000	
		미납부(환급)세액				

구분		금액
⑥③ 총결정세액: ⑤⑧+⑤⑨		
기납부세액	⑥④ 원천징수세액[지급처 사업자등록번호(고유번호):]	
⑥⑤ 납부할 세액 또는 환급받을 세액: ⑥③－⑥④		

❹ 지방소득세액의 계산

구분	금액
⑥⑥ 과세표준: 종합소득세의 ④⑦ 과세표준란의 금액을 옮겨 적습니다.	
⑥⑦ 세율: 4쪽의 작성방법을 참고하여 세율을 적습니다.	
⑥⑧ 산출세액: ⑥⑥×⑥⑦－누진공제액(4쪽 작성방법 참고)	
⑥⑨ 세액공제·감면: ⑤⓪ ×10%	
⑦⓪ 가산세액: 4쪽의 작성방법을 참고하여 가산세액을 적습니다.	
⑦① 기 납부한 특별징수세액: ⑥④×10%	
⑦② 납부할 세액 또는 환급받을 세액: ⑥⑧－⑥⑨+⑦⓪－⑦①	

신고인은 「소득세법」 제70조 및 「지방세법」 제95조와 「국세기본법」 제45조의3에 따라 위의 내용을 신고하며, **위 내용을 충분히 검토하였고 신고인이 알고 있는 사실 그대로를 정확하게 적었음을 확인합니다.** 위 내용 중 과세표준 또는 납부세액을 신고하여야 할 금액보다 적게 신고하거나 환급세액을 신고하여야 할 금액보다 많이 신고한 경우에는 **「국세기본법」 제47조의3에 따른 가산세 부과 등의 대상이 됨을 알고 있습니다.**

년 월 일

신고인 (서명 또는 인)

세무서장 귀하

첨부서류	1. 장애인증명서 1부(해당자에 한정하며, 종전에 제출한 경우에는 제외합니다) 2. 기부금명세서(별지 제45호서식) 및 기부금납입영수증 각 1부(기부금공제가 있는 경우에 한정합니다) 3. 가족관계등록부 1부(주민등록표등본에 의하여 공제대상 배우자, 부양가족의 가족관계가 확인되지 않는 경우에만 제출하며, 종전에 제출한 후 변동이 없는 경우에는 제출하지 않습니다) ※ 이 신고서는 5월 31일까지 세무서로 우송해야 합니다.

종교인소득 관련 세무서식

번호	내 용	관련규정	서식명
①	매월 원천징수하는 세액을 반기별로 납부하기 위해 신청	소득규칙 21호의 2	원천징수세액 반기별 납부 승인신청서
②	원천징수하는 세액을 신고 납부하는 서식	소득규칙 21호	원천징수이행상황 신고서
③	종교인소득세액을 연말정산하려는(하지 아니하려는)경우 제출	소득규칙 25호의 3	종교인소득세액 연말정산신청(포기)서
④	종교인소득을 연말정산하려는 종교인이 종교단체에 제출	소득규칙 37호(2)	소득·세액 공제신고서(종교인소득에 대한 연말정산용)
⑤	원천징수의무자는 매월 원천징수 내역을 원천 징수부에 기록하고 보관	소득규칙25호(4)	소득자별 종교인소득 원천징수부
⑥	연말정산한 종교인소득에 대한 지급명세서	소득규칙 23호(6)	종교인소득 지급명세서(연말정산용)
⑦	연말정산하지 않은 종교인소득에 대한 지급명세서	소득규칙 23호(4)	기타소득 지급명세서(연간집계표)
⑧	근로소득으로 연말정산한 경우 지급명세서	소득규칙 24호(1)	근로소득 지급명세서
⑨	종교인소득만 있는 단일 소득자의 종합소득세 신고서	소득규칙 40호(5)	종합소득세 과세표준 확정신고서(단일소득 - 종교인소득자용)
⑩	근로(자녀)장려금을 신청할 수 있는 신청서	조특규칙 64호의 2	근로장려금·자녀장려금 신청서

4 종교인소득 구분기장과 세무조사

○ 종교인소득을 지급한 종교단체를 세무조사를 할 때 종교인소득 외에 종교단체의 활동을 구분기장한 경우 종교인소득과 관련된 부분 외에는 질문조사와 자료제출 요구를 할 수 없다.

○ 종교인소득에 대한 세무조사는 사전에 종교관련종사자나 종교단체에 종교인소득 탈루근거를 제시하여 수정신고 안내를 하여도 불응하거나 회피한 경우에 한해 가능하다.

종교단체의 구분기장

○ **종교단체의 지출 구분 기록·관리** : 종교활동에 대한 세무당국의 세무조사를 막기 위하여 종교인소득을 지급하는 종교단체로 하여금 소속 종교관련종사자에게 지급한 금품 등과 종교 활동과 관련하여 지출한 비용을 구분하여 기록·관리하도록 하는 '선언적 규정'을 두었습니다.

○ 이에 따라 종교단체는 단체 내부의 회계처리를 함에 있어서 소속 종교관련종사자에게 지급한 금품 등과 그 밖에 종교 활동과 관련하여 지출한 비용을 각각 구분하여 기록·관리하여야 합니다.

○ **고유목적사업회계와 수익사업회계** : 종교단체는 비영리법인으로서 원칙적으로 종교활동 등 고유목적사업을 위한 수입과 지출을 회계처리하는 [고유목적사업회계]만 있는 것이지만, 만약 수익사업이 있는 경우에는 [고유목적사업회계]와 고유목적사업 외에 수익사업에서 발생하는 수입과 지출을 회계처리한 [수익사업회계]로 구별하여 기장합니다.

○ **종교단체회계와 종교인회계** : 만약 종교단체가 수익사업이 없이 고유목적사업만 영위하는 경우라도 종교인소득 원천징수의무 등 세무상 의무와 관련하여 세무관서의 세무조사 등에 대비하여 종교인소득을 포함하여 모든 종교활동과 관련된 수입과 지출을 회계처리하는 [종교단체 회계]와 종교인소득 지급내용과 종교활동을 위해 지출한 금액을 기재한 [종교인 회계]로 구분기장할 수 있습니다.

○ **종교인소득과 금융계좌 관리** : 이를 효과적으로 이행하기 위해서는 [종교인 회계]에 기록할 종교인소득과 지출을 일목요연하게 알 수 있도록 금융회사의 금융계좌를 구별해서 개설하여 운영하는 것이 구분기장을 하는 데 편리합니다.

○ **회계구분과 계정분리** : 종교인소득의 구분기장 범위에는 [종교단체 회계] [종교인 회계] 등과 같이 장부를 따로 만드는 형식의 회계구분을 하지 않고 [종교인 계정]처럼 종교인 지급액과 종교활동 지출액을 각 계정을 만들어 운영하는 것도 허용됩니다.

종교인소득에 대한 질문 · 조사

○ **소득세에 관한 통상적인 세무조사(질문조사권)** : 소득세에 관한 사무에 종사하는 공무원은 그 직무 수행상 필요한 경우에는 세무조사 대상으로 정하는 자에 대하여 질문을 하거나 해당 장부 · 서류나 그 밖의 물건을 조사하거나 그 제출을 명할 수 있습니다.

○ 세무조사 대상

① 납세의무자나 납세의무가 있다고 인정되는 자

② 원천징수의무자

③ 납세조합

④ 지급명세서 제출의무자

⑤ 비거주자 국내원천소득 등에 대한 원천징수의무자
⑥ 「국세기본법」 제82조에 따른 납세관리인
⑦ 제1호에서 규정하는 자와 거래가 있다고 인정되는 자
⑧ 납세의무자가 조직한 동업조합과 이에 준하는 단체
⑨ 기부금영수증을 발급하는 자

○ **종교단체에 대한 종교인소득 세무조사기준** : 종교인소득에 대해서는 종교단체의 장부·서류나 그 밖의 물건 중에서 종교인소득과 관련된 부분에 한하여 조사하거나 그 제출을 명할 수 있습니다(소득세법 §170 단서).

○ **종교단체에 대한 세무조사 제한** : 세무에 종사하는 공무원이 종교단체가 종교 활동과 관련하여 지출한 비용을 구분하여 기록·관리한 장부 등에 대하여는 바로 조사하거나 그 제출을 명할 수 없습니다. 이에 따라 세무공무원이 질문·조사권을 행사하기 전에는 반드시 종교관련종사자나 종교단체에 대하여 우선 수정신고를 안내하도록 하여야 하며, 종교인소득에 대한 세무조사시에도 절차적으로 일정한 제한을 두고 있습니다.

○ **종교인소득 외 종교활동 관련 세무조사 금지** : 종교단체가 소속 종교관련종사자에게 지급한 금품 등과 종교 활동과 관련하여 지출한 비용을 구분하여 기록·관리하는 경우, 세무에 종사하는 공무원은 세무조사 등 질문·조사하는 때에 종교단체가 종교관련종사자에게 지급한 금품 등 외에 종교 활동과 관련하여 지출한 비용을 구분하여 기록·관리한 장부나 서류에 대하여 조사하거나 그 제출을 명할 수 없습니다.

○ **종교인소득 세무조사 전 수정신고 우선안내** : 종교인소득에 관한 신고내용에 탈루나 오류가 있어 세무에 종사하는 공무원이 세무조사 등 질문·조사권을 행사하고자 하는 경우 질문·조사권을 행사하기 전에 종교관련종사자나 종교단체에 탈루나 오류의 구체적인 근거를 제시하고 우선 수정신고를 안내하여야 합니다.

○ **종교인소득과 종교활동지출을 구분 기록·관리한 경우 종교인소득 세무조사** : 세무공무원은 종교단체에 대하여 종교인소득에 대한 세무조사 등 질문·조사하는 때에 종교단체가 소속 종교관련 종사자에게 지급한 금품 등과 종교 활동과 관련하여 지출한 비용을 구분하여 기록·관리하는 경우, 종교관련종사자에게 지급한 금품 등에 관한 사항과 구분하여 기록·관리하는 종교활동과 관련하여 지출한 비용에 관한 장부나 서류에 대하여는 조사하거나 그 제출을 요구할 수 없습니다.

○ **종교인소득과 종교활동지출을 구분 기록·관리하지 않은 경우 종교인소득 세무조사** : 만약 종교단체가 종교관련종사자에게 지급한 금품 등과 종교 활동과 관련하여 지출한 비용을 구분하여 기록·관리하지 않은 경우라도, 장부 등을 제시할 수는 있으나 원칙적으로 종교활동과 관련하여 지출한 비용에 대하여는 세무조사를 할 수 없습니다.

관련법령

❒ 종교인소득에 대한 세무조사

○ 「소득세법」 §170 [질문·조사]

소득세에 관한 사무에 종사하는 공무원은 그 직무 수행상 필요한 경우에는 다음 각 호의 어느 하나에 해당하는 자에 대하여 질문을 하거나 해당 장부·서류 또는 그 밖의 물건을 조사하거나 그 제출을 명할 수 있다. **다만, 제21조 제1항 제26호에 따른 종교인소득(제21조 제3항에 해당하는 경우를 포함한다)에 대해서는 종교단체의 장부 · 서류 또는 그 밖의 물건 중에서 종교인소득과 관련된 부분에 한하여 조사하거나 그 제출을 명할 수 있다.**

○ 「소득세법 시행령」 제222조 [질문 · 조사]

② 제41조 제15항에 따라 **종교단체가 소속 종교관련종사자에게 지급한 금액 및 물품과 그 밖에 종교 활동과 관련하여 지출한 비용을 정당하게 구분하여 기록 · 관리하는 경우** 세무에 종사하는 공무원은 법 제170조에 따라 질문 · 조사할 때 종교단체가 소속 종교관련종사자에게 지급한 금액 및 물품 외에 그 밖에 종교 활동과 관련하여 지출한 비용을 구분하여 기록 · 관리한 장부 또는 서류에 대해서는 조사하거나 그 제출을 명할 수 없다.

③ 세무에 종사하는 공무원은 종교인소득에 관한 신고내용에 누락 또는 오류가 있어 법 제170조에 따라 질문 · 조사권을 행사하려는 경우에는 미리 「국세기본법」 제45조에 따른 수정신고를 안내하여야 한다.

5 종교인 퇴직소득

○ 종교인 퇴직소득은 '종교관련종사자가 현실적인 퇴직을 원인으로 소속 종교단체로부터 지급받는 소득'으로, 세법상 '퇴직소득'으로 과세한다.

○ 종교인 퇴직소득의 경우 '종교인소득'과 달리 특별히 과세제외나 비과세 항목이 따로 없으므로 다른 근로소득자의 퇴직소득과 동일하게 과세된다.

세법상 퇴직소득

○ **세법상 퇴직소득** : 세법에서 '퇴직소득'이란 고용계약에 따라 근로를 제공하는 거주자 · 비거주자나 법인의 종업원 등 근로자가 '현실적인 퇴직'으로 인하여 지급받는 급여로서, 퇴직금이나 그밖에 이와 유사한 성질의 급여를 말합니다.

* 현실적인 퇴직 : 고용계약에 의한 근로관계가 실질적으로 종료됨으로써 퇴직하는 것을 말합니다.

○ 종교단체에서 소속 종교관련종사자가 현실적인 퇴직을 원인으로 종교단체로부터 받는 소득은 세법상 '퇴직소득'에 해당합니다.

* 종교단체에서 종교관련종사자가 명예직으로 은퇴하면서 퇴직을 이유로 종교단체가 정한 지급기준으로 산정한 금전을 일시나 분할해 지급하는 경우, 현실적인 퇴직으로 퇴직소득에 해당합니다.

○ **세법상 퇴직소득의 종류**(소득세법 §22 ; 소득세령 §42의 2④)

① 공적연금 관련법에 따라 받는 일시금

② 공적연금 관련법에 따라 일시금을 지급하는 자가 퇴직소득의 일부나 전부를 지연하여 지급하면서 지연지급에 대한 이자를 함께 지급하는 경우 해당 이자

③ 사용자 부담금을 기초로 '현실적인 퇴직'을 원인으로 지급받는 소득

④ 「과학기술인공제회법」 제16조 제1항 제3호에 따라 지급받는 과학기술발전장려금

⑤ 「건설근로자의 고용개선 등에 관한 법률」 제14조에 따라 지급받는 퇴직공제금

⑥ 종교관련종사자가 현실적인 퇴직을 원인으로 종교단체로부터 지급받는 소득

퇴직소득의 특징

○ **모든 근속기간 중의 누적소득** : 퇴직소득은 한 해에 발생한 소득이 아니라 퇴직으로 인해 전 근속기간에 걸쳐 발생한 소득의 누적액이 한번에 실현된 것으로 일시에 종합소득으로 과세하면 납세자의 부담이 과중하므로 퇴직소득만을 분류하여 별도로 과세합니다.

○ **퇴직 후 사용할 재원으로서 세제혜택** : 퇴직소득은 근본적으로 근로자가 퇴직한 후 생활자금으로 사용할 수 있도록 지급하는 성질을 가지고 있습니다. 그러므로 특별히 광범위한 퇴직소득공제를 허용하고 근속기간 등을 감안하여 세율을 적용하는 등 다른 소득보다 세제혜택을 주고 있습니다.

○ **종합소득 과세표준 확정신고 없이 원천징수로서 종결** : 퇴직소득은 퇴직소득을 지급하는 자가 퇴직소득을 원천징수함으로써 납세의무가 종결됩니다. 이에 따라 다른 퇴직소득과 합산하거나 종합소득세로 근로소득 등 다른 소득과도 합산하여 과세되지 않습니다.

비과세되는 퇴직소득과 근로소득

세법은 다음과 같은 근로소득과 퇴직소득에 대하여는 비과세하도록 하고 있습니다. 하지만 근로소득으로 신고한 경우가 아닌 종교인소득에 대하여는 따로 정한 비과세항목을 적용해야 합니다.

○ 법률에 따라 동원된 사람이 그 동원 직장에서 받는 급여

○ 「산업재해보상보험법」에 따라 수급권자가 받는 요양급여, 휴업급여, 장해급여, 간병급여, 유족급여, 유족특별급여, 장해특별급여, 장의비나 근로의 제공으로 인한 부상 · 질병 · 사망과 관련하여 근로자나 그 유족이 받는 배상 · 보상이나 위자(慰藉)의 성질이 있는 급여

○ 「근로기준법」이나 「선원법」에 따라 근로자 · 선원 및 그 유족이 받는 요양보상금, 휴업보상금, 상병보상금(傷病補償金), 일시보상금, 장해보상금, 유족보상금, 행방불명보상금, 소지품 유실보상금, 장의비나 장제비

○ 「고용보험법」에 따라 받는 실업급여, 육아휴직 급여, 육아기 근로시간 단축 급여, 출산전후휴가 급여 등 「제대군인 지원에 관한 법률」에 따라 받는 전직지원금, 「국가공무원법」 · 「지방공무원법」에 따른 공무원이나 「사립학교교직원 연금법」 · 「별정우체국법」을 적용받는 사람이 관련 법령에 따라 받는 육아휴직수당

○ 「국민연금법」에 따라 받는 반환일시금(사망으로 받는 것만 해당합니다)이나 사망일시금

○ 「공무원연금법」, 「군인연금법」, 「사립학교교직원 연금법」이나 「별정우체국법」에 따라 받는 요양비 · 요양일시금 · 장해보상금 · 사망조위금 · 사망보상금 · 유족보상금 · 유족일시금 · 유족연금일시금 · 유족연금부가금 · 유족연금특별부가금 · 재해부조금 · 재해보상금이나 신체 · 정신상의 장해 · 질병으로 인한 휴직기간에 받는 급여

○ 「초 · 중등교육법」이나 「고등교육법」에 따른 학교(외국에 있는 이와

유사한 교육기관을 포함합니다)와 「근로자직업능력 개발법」에 따른 직업능력개발훈련시설의 입학금·수업료·수강료, 그 밖의 공납금 중 ① 해당 근로자가 종사하는 사업체의 업무와 관련있는 교육·훈련을 위하여 받고, ② 해당 근로자가 종사하는 사업체의 규칙 등에 의하여 정하여진 지급기준에 따라 받으며, ③ 교육·훈련기간이 6월 이상인 경우 교육·훈련 후 당해 교육기간을 초과하여 근무하지 아니하는 때에는 지급받은 금액을 반납할 것을 조건을 갖춘 학자금(해당 연도에 납입할 금액을 한도로 합니다)

○ 「국민건강보험법」, 「고용보험법」 이나 「노인장기요양보험법」에 따라 국가, 지방자치단체나 사용자가 부담하는 보험료

○ 생산직이나 그 관련 직에 종사하는 근로자로서 급여 수준이나 직종 등을 고려하여 연장근로·야간근로나 휴일근로를 하여 받는 급여

○ 근로자가 사내급식이나 이와 유사한 방법으로 제공받는 식사 기타 음식물이나, 식사를 제공받지 아니하는 근로자가 받는 월 10만원 이하의 식사대

○ 근로자나 그 배우자의 출산이나 6세 이하(해당 과세기간 개시일을 기준으로 판단합니다) 자녀의 보육과 관련하여 사용자로부터 받는 월 10만원 이내의 급여

○ 「교육기본법」 제28조 제1항에 따라 받는 장학금 중 대학생이 근로를 대가로 지급받는 장학금(「고등교육법」 제2조 1호~4호에 따른 대학에 재학하는 대학생에 한정됩니다)

○ 「발명진흥법」 제2조 제2호에 따른 직무발명으로 받는 ① 「발명진흥법」 제2조 제2호에 따른 종업원 등이 사용자 등으로부터 받는 보상금, ② 대학의 교직원이 소속 대학에 설치된 산학협력단으로부터 보상금 중 연 300만원 이하의 금액

○ 실비변상적(實費辨償的) 성질의 급여

비과세되는 실비변상적 성질의 급여(「소득세법 시행령」§12)

① 일직료·숙직료나 여비로서 실비변상정도의 금액

* 자가운전수당 : 종업원의 소유차량을 종업원이 직접 운전하여 사용자의 업무수행에 이용하고 시내출장 등에 소요된 실제여비를 받는 대신에 그 소요경비를 해당 사업체의 규칙 등에 의하여 정하여진 지급기준에 따라 받는 월 20만원 이내의 금액

② 국가나 지방자치단체가 지급하는 「영유아보육법 시행령」에 따른 보육교사의 처우개선을 위하여 지급하는 근무환경개선비, 「유아교육법 시행령」에 따른 사립유치원 수석교사·교사의 인건비, 전문과목별 전문의의 수급 균형을 유도하기 위하여 전공의(專攻醫)에게 지급하는 수련보조수당

③ 「유아교육법」, 「초·중등교육법」 및 「고등교육법」에 따른 학교나 이에 준하는 학교(특별법에 따른 교육기관을 포함한다)의 교원, 중소기업이나 벤처기업의 기업부설연구소와 연구개발전담부서(중소기업이나 벤처기업에 설치하는 것으로 한정한다)에서 연구활동에 직접 종사하는 사람이 받는 월 20만원 이내 연구보조비나 연구활동비

④ 근로자가 벽지에 근무함으로 인하여 받는 월 20만원 이내의 벽지수당

⑤ 법령·조례에 의하여 제복을 착용하여야 하는 자가 받는 제복·제모와 제화

⑥ 병원·시험실·금융회사 등·공장·광산에서 근무하는 사람이나 특수한 작업·역무에 종사하는 사람이 받는 작업복이나 직장에서만 착용하는 피복(被服)

⑦ 근로자가 천재·지변 기타 재해로 인하여 받는 급여

⑧ 종교관련종사자가 소속 종교단체의 규약이나 소속 종교단체의 의결기구의 의결·승인 등을 통하여 결정된 지급 기준에 따라 종교 활동을 위하여 통상적으로 사용할 목적으로 지급받은 금액이나 물품

퇴직소득의 수입시기

○ 퇴직소득의 일반적인 수입시기 : 현실적인 퇴직으로 인해 고용관계가 종료(퇴직)된 날로 합니다. 「국민연금법」에 따른 일시금, 「건설근로자의 고용개선 등에 관한 법률」 제14조에 따라 지급받는 퇴직공제금은 소득을 지급받는 날(분할하여 지급받는 경우에는 최초로 지급받는 날)로 합니다.

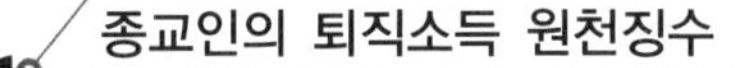

적용사례 종교인의 퇴직소득 원천징수

[사례 36] 종교인소득 과세제도 시행일(2018.1.1.) 이전 적립된 퇴직금을 과세 시행 후 지급받는 경우, 과세대상 퇴직소득은?

➡ 2018.1.1. 이후 종교관련 종사자가 현실적으로 퇴직을 원인으로 종교 단체로부터 소득을 지급받는 경우 그 지급받는 소득 전액(2018.1.1. 이전 적립분 포함)이 퇴직소득에 해당합니다.

퇴직소득세 산정

○ 퇴직소득세 산정흐름도

총 퇴직급여	해당 연도에 발생한 퇴직급여 합계액
(−)	
비과세소득	
=	
퇴직소득금액	비과세소득을 제외한 퇴직소득의 합계액(임원의 경우 3배수에 한정)
(−)	
퇴직소득공제	근속연수에 따른 공제액* (÷) 근속연수*** (×) 12 = 환산급여 (−) 환산급여에 따른 공제액**
=	
퇴직소득 과세표준	
(×)	
기본세율 (6~42%)	
(÷)	
12	
=	
산출세액 (연 평균)	
(×)	
근속연수***	1년 미만의 기간은 1년으로 간주
=	
산출세액	2016~2019년 퇴직시는 종전규정과 개정규정 적용비율에 따라 산정
(−)	
외국납부세액 기 납부세액	거주자의 퇴직소득에 국외원천소득이 포함되어 있는 경우 외국납부세액 공제
=	
결정세액 (납부할 세액)	

○ **퇴직소득공제** : 퇴직소득이 있는 거주자는 누구든지 퇴직소득공제가 가능합니다.

* 근속연수에 따른 공제액 :

근속연수	공제액
5년 이하	30만원 × 근속연수
5 ~ 10년	150만원 + 50만원 × (근속연수－5년)
10 ~ 20년	400만원 + 80만원 × (근속연수－10년)
20년 초과	1천200만원 + 120만원 × (근속연수－20년)
3억원 초과	1억5,170만원 + (3억 초과액 × 35%)

** 환산급여에 따른 공제액 :

환산급여	공제액
800만원 이하	환산급여 × 100%
800만원 ~ 7,000만원	800만원 + (800만원 초과액 × 60%)
7,000만 ~1억원	4,520만원 + (7,000만원 초과액 × 55%)
1억 ~ 3억원	6,170만원 + (1억원 초과액 × 45%)
3억원 초과	1억5,170만원 + (3억 초과액 × 35%)

*** 근속연수의 계산

① 원칙 : 근로를 제공하기 시작한 날이나 퇴직소득중간지급일의 다음 날부터 퇴직한 날까지로 합니다(1년 미만의 기간은 1년으로 봅니다). 다만, 퇴직급여를 산정할 때 근로기간에 포함되지 아니한 기간은 근속연수에서 제외합니다.

② 공적연금 관련법에 따라 받는 일시금

- 「국민연금법」에 의해 지급받는 일시금 : 납입연수= 연금보험료 총납입월수 ÷ 12
- 「공무원연금법」·「군인연금법」·「사립학교교직원연금법」 이나 「별정우체국법」에 의해 지급받는 일시금 : 각 해당법률의 퇴직급여산정에 적용되는 재직기간
- 「공무원연금법」·「군인연금법」·「사립학교교직원연금법」 이나 「별정우체국법」에 따른 일시금과 사용자 부담금을 기초로 하여 현실적인 퇴직을 원인으로 지급받는 소득(소득세법 §22①(2))을 함께 지급받는 경우 : 각 해당 법률의 퇴직급여 산정에 적용되는 재직기간과 실제 재직기간 중 긴 기간

• 일시금을 반납하고 재직기간, 복무기간이나 가입기간을 합산한 후 지급받는 일시금 : 재임용일이나 재가입일 이후의 재직기간

③ 「건설근로자의 고용개선 등에 관한 법률」 제14조에 따라 지급받는 퇴직공제금 : 납입연수 = 「건설근로자의 고용개선 등에 관한 법률」(§14④)에 따라 계산된 공제부금의 납부월수 ÷ 12

○ **산출세액** : 2016~2019년 중 퇴직자에 대하여는 아래 경과규정에 의한 산출세액을 계산하여 적용합니다.

- **소득세법 부칙**(2014.12.23. 법률 제12852호) **제25조 【퇴직소득공제 등에 관한 특례】** 2016.1.1.~2019.12.31.의 기간 동안 퇴직한 경우 퇴직소득 산출세액을 계산함에 있어 개정규정에 불구하고 퇴직소득 산출세액을 퇴직일이 속하는 과세기간에 해당하는 아래 계산식에 따른 금액으로 합니다.

퇴직일	산 출 세 액
2016.1.1. ~ 12.31.	(종전규정에 의한 퇴직소득세 산출세액 × 80%) + (개정규정에 의한 퇴직소득세 산출세액 × 20%)
2017.1.1. ~ 12.31.	(종전규정에 의한 퇴직소득세 산출세액 × 60%) + (개정규정에 의한 퇴직소득세 산출세액 × 40%)
2018.1.1. ~ 12.31.	(종전규정에 의한 퇴직소득세 산출세액 × 40%) + (개정규정에 의한 퇴직소득세 산출세액 × 60%)
2019.1.1. ~ 12.31.	(종전규정에 의한 퇴직소득세 산출세액 × 20%) + (개정규정에 의한 퇴직소득세 산출세액 × 80%)

* 종전규정에 의한 퇴직소득세 산출세액 : {[(퇴직소득 과세표준÷근속연수)×5]×세율} × 근속연수

* 개정규정에 의한 퇴직소득세 산출세액 : [(퇴직소득 과세표준×세율)÷12] × 근속연수

○ **외국납부세액공제** : 거주자의 퇴직소득에 국외원천소득이 포함되어 있는 경우 ①, ② 중 적은 금액을 공제합니다.

① 외국납부세액, ② 퇴직소득 산출세액 × 국외원천소득/ 퇴직소득금액

6 종교관련종사자의 근로장려금 · 자녀장려금

○ 종교인소득이 있는 종교인은 종교인소득(기타소득)으로 과세되든, 근로소득으로 과세되든 근로장려금과 자녀장려금을 지급받을 수 있는 대상이 되며, 다만 지원대상에 해당되어도 본인이 신청기간까지 신청하지 않으면 지급받을 수 없다.

○ 근로장려금 · 자녀장려금은 지급대상 가구요건을 갖춘 종교인소득이나 근로소득, 사업소득이 있는 자에게 ① 부부합산 총 소득기준과 ② 가구원 소유 부동산과 예금 등 재산기준으로 일정액 미만인 가구를 대상으로 근로장려금은 매년 최대 300만원까지, 자녀장려금은 자녀1인당 매년 70만원씩 지급한다.

요건구분	근로장려금	자녀장려금
가구	(2019.1.1.이후 신청분부터 가구요건 폐지)	부양자녀(18세 미만)가 있을 것
소득	부부합산 연소득 2,000만(단독), 3,000만(홑벌이), 3,600만(맞벌이) 이하	부부합산 연소득 4,000만원 미만
재산	가구원 소유 부동산 · 예금 등 2억 미만(1.4억 이상시 50%만 지급)	가구원 소유 부동산 · 예금 등 2억 미만(1.4억 이상시 50%만 지급)

근로장려금 제도

○ 근로장려금을 지급하는 '근로장려세제(EITC)'는 근로소득, 사업소득이나 종교인소득 등 일정한 노동이나 사업을 하면서 소득이 너무 적은 사람에게 가구원 구성과 총급여액 등에 따라 산정된 장려금을 지급하여 실질소득을 지원하는 '근로연계형 소득지원' 제도입니다.

| 사회안전망 체계 |

국민기초생활보장제	근로장려세제	사회보험
기초생활수급자	저소득계층 (기초생활수급자 포함)	일반국민
1차 안전망	2차 안전망	3차 안전망

○ **근로장려금 지급액** : 근로장려금은 거주자를 포함한 1세대의 가구원 구성에 따라 정한 부부합산 총급여액 등을 기준으로 현재 연간 가구별로 최대 300만원까지 지급됩니다.

* 근로장려금은 소득세를 환급해준다는 의미에서 '부(-)의 소득세'라고도 하며, 「조세특례제한법」 제10절의 2(§100의 2~§100의 13)에 따라 2009년부터 시작되어 지난 5년간 504만 가구에 4조 348억원이 지급되었습니다.

○ **가구원 구성에 따른 급여수준별 근로장려금 지급액**

가구원 구성	총급여액 등	근로장려금 지급액
단독 가구	400만원 미만	총급여액 등 × 150/400
	400만원 이상 900만원 미만	150만원
	900만원 이상 2천만원 미만	150만원-(총급여액 등-900만원) × 150/1,100
홑벌이 가구	700만원 미만	총급여액 등 × 260/700
	700만원 이상 1,400만원 미만	260만원
	1,400만원 이상 3,000만원 미만	260만원-(총급여액 등-1,400만원) × 260/1,600
맞벌이 가구	800만원 미만	총급여액 등 × 300/800
	800만원 이상 1,700만원 미만	300만원
	1,700만원 이상 2,500만원 미만	300만원-(총급여액 등-1,700만원) × 300/1,900

* 단독 가구 : 배우자와 부양자녀가 없는 가구(홑벌이가구의 부모요건에 해당하는 부모가 있는 경우는 제외)

* 홑벌이 가구 : 배우자의 총급여액 등이 3백만원 미만이거나, 배우자 없이 부양자녀가 있거나, 주민등록표상의 동거가족으로서 해당 거주자의 주소나 거소에서 현실적으로 생계를 같이 하는 70세 이상의 부 · 모가 연간 소득금액의 합계액이 100만원 이하인 가구

* 맞벌이 가구 : 거주자의 배우자가 소득세 과세기간 중에 사업소득 · 근로소득 · 종교인소득 등을 합계한 총급여액 등[근로소득 + 종교인소득 + 사업소득(총수입금액 × 업종별 조정률)]이 3백만원 이상인 가구

근로장려금 신청자격

근로소득 · 사업소득(전문직 제외) · 종교인소득이 있는 가구로서 아래 요건을 모두 충족하는 경우에 근로장려금을 신청할 수 있습니다.

○ **총소득요건** : 연간 부부합산 총소득이 가구원 구성에 따라 정한 아래 총소득 기준금액 미만이어야 합니다. 해당 총소득 기준금액을 산정할 때, 종교인소득은 종교인소득의 합계액, 근로소득은 근로소득의 합계액을 기준으로 합계하여 해당 여부를 판정합니다.

가구원 구성	적용시기 (신청기준)	단독가구	홑벌이 가구	맞벌이 가구
총소득 기준금액	2014~2017	1,300만원	2,100만원	2,500만원
	2019~	2,000만원	3,000만원	3,600만원

* 총소득 = 이자 · 배당 · 연금소득 + 기타소득 + 근로소득 + 사업소득 + 종교인소득

* 소득별 총소득 기준금액 산정방법 : [근로소득] 총급여(근로소득의 합계액), [사업소득] 총수입금액 × 업종별 조정률(도매 20%, 소매 · 기타 30%, 제조 · 음식 · 건설 45%, 운수 · 금융보험 60%, 서비스 75%, 임대 · 인적용 역 90%), [기타소득(종교인소득은 제외)] 기타소득금액(총수입금액 - 필요경비), [이자 · 배당 · 연금소득] 총수입금액, [종교인소득] 종교인소득의 합계액(2018.2.13.개정 전에는 종교인소득을 기타소득으로 분류하고 있고 별도의 규정이 없었으므로 종교인소득에서 필요경비를 공제한 금액으로 합니다)

○ **재산요건** : 소득세 과세기간의 6.1. 기준으로 가구원 모두가 소유하고 있는 재산합계액이 2억원 미만으로, 주택, 토지와 건축물, 승용

자동차, 전세금(임차보증금), 현금과 금융재산, 유가증권, 골프회원권, 부동산을 취득할 수 있는 권리 등이 포함됩니다.

* 재산합계액 1억 4천만원 이상인 경우에는 지급할 근로장려금의 50%만 지급합니다.

재산	평가방법
토지	공시지가
주택	국토교통부에서 공시하는 공동주택가격이나 개별단독주택가격
주택 외 건축물	「지방세법」 상 시가표준액으로 평가
전세금	• 임차한 주택은 '간주전세금'으로 평가하는 것이 원칙 • 전세금이 간주전세금보다 적은 경우 임대차 계약서 사본 제출 후 실제 전세금 적용. 단, 거주자와 그 배우자의 직계존비속(그 배우자 포함)으로부터 주택을 임차한 경우 간주전세금 평가 * 간주전세금 산정방법 : ① 아파트, 연립주택, 다세대주택은 「지방세법」 §100①에 따른 시가표준액 준용 평가액 × 55%, ② 다가구주택은 「지방세법」에 따른 시가표준액 준용 평가한 평방미터당 금액 × 국세청장고시 지역별 평균 임차면적 × 55% • 임차한 상가 : 임대차계약서상 실제 전세금
승용차	「지방세법」에 따른 시가표준액
금융재산	금융재산 잔액
주식	상장주식은 최종시세가액, 비상장주식은 액면가액

* 가구요건 폐지 : 소득세 과세기간 종료일 기준으로 ① 배우자가 있거나, 만 18세 미만 부양자녀가 있거나, 신청자가 만 30세 이상이어야 하는 '가구요건'이 폐지되어 2019년 신청시(2018년 귀속)부터는 이러한 '가구요건'을 갖추지 않아도 근로장려금을 신청할 수 있습니다.

○ **근로장려금을 신청할 수 없는 대상** : 세법에서 정한 총소득・재산요건을 모두 충족해도, ① 해당 연도 12.31. 기준 대한민국 국적을 보유하지 아니한 사람(대한민국 국적을 가진 사람과 혼인한 사람은 제외합니다), ② 해당 소득세 과세기간(1.1.~12.31.) 중 다른 거주자의 부양자녀는 근로장려금을 신청할 수 없습니다.

근로장려금 신청기간

○ **근로장려금 신청기간** : 지급 대상자는, 정기신청(근로소득자인 경우 반기신청 포함)이나 기한 후 신청을 할 수 있습니다. 거주자가 사망하였을 때에는 거주자의 상속인이 거주자의 근로장려금을 신청할 수 있습니다.

① **정기신청** : 매년 종합소득 과세표준 확정신고기간(5월 1일부터 5월 31일까지) 근로장려금신청서에 근로장려금 신청자격을 확인하기 위하여 필요한 증거자료를 첨부하여 납세지 관할세무서장에게 근로장려금을 신청합니다.

② **반기신청** : 반기(半期)동안 근로소득만 있는 거주자는 상반기 소득분에 대하여 8월 21일부터 9월 10일까지, 하반기 소득분에 대하여 다음 연도 2월 21일부터 3월 10일까지 근로장려금신청서에 근로장려금 신청자격을 확인하기 위하여 필요한 자료를 첨부하여 납세지 관할 세무서장에게 근로장려금을 신청할 수 있습니다(2019년부터 신청 가능).

③ **기한 후 신청** : 정기신청기간(다음해 5월) 종료일의 다음 날부터 6개월 이내(6.1~11.30) 기간 중에도 추가로 신청할 수 있습니다. 다만, 기한 후 신청기간에 신청한 경우에는 지급할 근로장려금의 10%가 감액되어 지급됩니다.

핵심 절세 팁 : 근로장려금 · 자녀장려금 잘 받는 방법

○ 근로장려금과 자녀장려금은 국가가 대상요건을 파악하여 직권으로 지급하는 것이 아니라 해당 요건에 해당하는 사람이 정부에 신청하여 지급하는 제도입니다. 그러므로 신청기간이 경과하면 아무리 대상에 해당된다 해도 지급받을 수 없으므로 반드시 기간 내 신청해야 받을 수 있습니다.

○ 종교인소득이 아무리 적다 해도(심지어 사례금을 받고 전액을 다 종교단체 운영비에 충당해서 실질적으로 받는 소득이 없다고 해도) 반드시 종교인소득을 신고(원천징수나 종합소득을 확정신고)하여야 합니다. 그래야 종교인 소득이 확인되어 근로장려금・자녀장려금을 신청할 수 있고, 혜택을 받을 수 있습니다.

근로장려금 반기신청시 지급액

○ 근로소득만 있는 거주자의 경우 근로장려금을 반기신청을 할 수 있는 바, 이 때 근로장려금은 다음 각 호의 금액을 총급여액 등으로 보아 지급할 금액의 35%를 지급합니다.

① 상반기 근로소득분(1월 1일부터 6월 30일까지 발생한 소득분) : (해당 기간 총급여액 등 ÷ 근무월수) × (근무월수 + 6)

② 하반기 근로소득분(7월 1일부터 12월 31일까지 발생한 소득분) : 상반기 총급여액 등 + 하반기 총급여액 등

* 근로장려금 반기별 신청은 2019년 이후 발생하는 소득분부터 적용하며, 2018년 이전 소득은 반기별신고가 허용되지 않습니다.
2019년의 경우, 2018년 소득분에 대해 5월 정기신청하면 2019년 9월에, 2019년 상반기 근로소득분을 9월 10일 반기별 신청하면 2019년 12월에 각각 근로장려금을 받을 수 있게 됩니다.

자녀장려금 제도

○ '자녀장려금'을 지급하는 자녀장려세제(CTC) : 국민의 출산을 장려하고 저소득 가구의 자녀양육비를 지원하기 위해 총소득 4,000만원 미만이면서 부양자녀(18세 미만)가 있는 경우 장려금을 지급하여 '소득연계형 출산장려' 제도입니다.

* 「조세특례제한법」 제10절의 4(§100의 27~§100의 31)에 따라 2015년부터 도입한 제도입니다.

○ **가구원 구성에 따른 총 급여액 등과 자녀장려금 지급액** : 자녀장려금은 총급여액 등을 기준으로 부양자녀수와 가구원 구성에 따라 계산하며, 총급여액 등을 구간별로 작성한 자녀장려금 산정표를 적용하여 결정합니다.

가구원 구성	총급여액 등	자녀장려금 지급액
홑벌이 가구	2,100만원 미만	부양자녀 수 × 70만원
	2,100만원 이상 4,000만원 미만	부양자녀 수 × [70만원 - (총급여액 등 - 2,100만원) × 20/1,900
맞벌이 가구	2,500만원 미만	부양자녀 수 × 70만원
	2,500만원 이상 4,000만원 미만	부양자녀 수 × [70만원 - (총급여액 등 - 2,500만원) × 20/1,500

* 홑벌이와 맞벌이 가구 대상기준은 근로장려금과 동일합니다.
* 총급여액 등 = 근로소득의 총급여액 + 종교인소득 + (사업소득 총수입금액 × 업종별 조정률)

자녀장려금 신청자격

근로소득 · 사업소득(전문직 제외) · 종교인소득이 있는 가구로 아래 요건을 모두 충족하는 경우에 신청할 수 있습니다.

○ **부양자녀 요건** : 소득세 과세기간 종료일(12월 31일) 기준으로 만 18세 미만 부양자녀*가 있어야 합니다.

* 부양자녀 : ① 입양자를 포함하며, 부모가 없거나 부모가 자녀를 부양할 수 없는 경우 손 · 자녀 · 형제자매도 포함되며, ② 중증장애인인 경우 연령제한을 받지 않고, ③ 부양자녀의 연간 소득금액 합계액이 100만원 이하여야 합니다.

○ **총 소득 요건** : 부부 합산 연간 총 소득*의 합계액이 4천만원 미만에 해당하여야 합니다.

* 총소득 = 이자 · 배당 · 연금소득 + 기타소득 + 근로소득 + 사업소득 + 종교인소득

* 소득별 총소득 기준금액 산정방법 : [근로소득] 총급여(근로소득의 합계액), [사업소득] 총수입금액 × 업종별 조정률(도매 20%, 소매 · 기타 30%, 제조 · 음식 · 건설 45%, 운수 · 금융보험 60%, 서비스 75%, 임대 · 인적용 역 90%), [기타소득(종교인소득은 제외)] 기타소득금액(총수입금액 - 필요경비), [이자 · 배당 · 연금소득] 총수입금액, [종교인소득] 종교인소득의 합계액(다만 2018.2.13. 개정 전에는 종교인소득을 기타소득으로 분류하고 별도의 규정이 없었으므로 종교인소득에서 필요경비를 공제한 금액으로 합니다)

○ **재산 요건** : 평가기준일 기준으로 가구원 모두가 소유하고 있는 재산합계액이 2억원 미만에 해당하여야 합니다. 재산에는 주택, 토지와 건축물, 승용자동차, 전세금(임차보증금), 현금과 금융재산, 유가증권, 골프회원권, 부동산을 취득할 수 있는 권리 등이 포함됩니다.

* 재산합계액 1억 4천만원 이상인 경우에는 지급할 자녀장려금의 50%만 지급합니다.

○ **자녀장려금을 신청할 수 없는 대상** : 자녀장려금 신청요건인 부양자녀요건과 재산요건을 모두 충족한 경우라도, ① 소득세 과세기간 종료일(12월 31일) 기준 대한민국 국적을 보유하지 아니한 사람(대한민국 국적을 가진 사람과 혼인한 사람은 제외합니다) ② 소득세 과세기간(1.1.~12.31) 중 다른 거주자의 부양자녀인 사람은 자녀장려금을 신청할 수 없습니다.

* 자녀장려금 신청일이 속하는 연도의 3월 1일부터 3월 31일까지의 기간 중 「국민기초생활 보장법」 제7조 제1항 제1호에 따른 급여의 전부나 일부를 받은 경우 자녀장려금을 신청할 수 없었으나, 2019년 이후 신청할 때부터는 기초생활급여를 받는 경우도 가능합니다.

자녀장려금 신청기간

○ **장려금 신청기간** : 지급 대상자는, ① **정기신청** : 매년 5월 ② **기한 후 신청** : 신청기간 종료일의 다음 날부터 6개월 이내(6.1~11.30) 기간 중 신청할 수 있습니다. 다만, 기한 후 신청기간에 신청한 경우에는 지급할 자녀장려금의 10%가 감액되어 지급됩니다.

○ **자녀장려금 신청서 제출** : 근로소득·사업소득 및 종교인소득이 있는 사람 중 자녀장려금 신청자격 있는 자로서 자녀장려금 신청을 할 수 있습니다.

근로장려금 ·자녀장려금 신청방법

신청방법 선택	신청방법	신청 확정	대상
전화(ARS) 신청 (안내문 수령+인증번호)	ARS 1544-9944에 통화	신청자격 확인으로 완료	안내문 받은 사람만 가능
모바일 앱 신청 (안내문 받은 사람만 가능)	국세청 모바일 통합 앱에서 근로(자녀) 장려금 아이콘 선택	신청자격확인으로 완료	
인터넷 신청 (아이디나 공인인증서 로그인 필요)	국세청 홈택스 www.hometax.go.kr	신청서 작성, 제출로 완료	안내문 받지 않은 사람도 가능
세무서 방문 신청	접수창구를 방문, 신청서 제출	접수증 수령으로 신청 완료	

○ **신청자격요건 증거서류의 제출** : 근로장려금(자녀장려금) 신청자의 소득이 국세청에 신고된 소득자료와 일치하는 경우 아래 근로소득, 사업소득이나 종교인소득 증거서류 제출을 생략할 수 있습니다. 다만, 필요한 경우 근로소득·사업소득·종교인소득이 있음을 입증하는 서류와 재산 증거서류를 제출할 수 있습니다.

- **총소득요건 증거서류** : 근로소득·사업소득·종교인소득 원천징수영수증, 급여 등 수령통장 사본(통장사본 제출시 지급자의 상호, 성명, 사업자번호가 확인되어야 합니다), 급여 등 지급대장 사본, 소득자별 근로소득·사업소득·종교인소득 원천징수부 사본, 직장가입자용 건강보험료 납부확인서, 국민연금보험료 납부증명, 피

보험자용 고용보험 일용근로내역서, 근로소득 · 사업소득 · 종교인소득 지급확인서

- **재산요건 증거서류** : 임대차계약서 사본(타인의 상가를 임차한 경우), 분양계약서 사본과 분양대금, 청산금 등 납입영수증, 토지상환채권 사본, 주택상환사채 사본(부동산을 취득할 수 있는 권리가 있는 경우가 해당합니다)

○ **신청자격요건 증거서류 제출방법** : ① 홈택스(www.hometax.go.kr) 홈페이지에서 제출 [신청/제출 〉 근로장려금 · 자녀장려금 〉 첨부서류제출하기] ② 전자팩스 [홈택스 〉 조회/발급 〉 근로장려금 · 자녀장려금 〉 현지접수창구조회 〉 담당자 FAX번호]

근로장려금 · 자녀장려금의 심사와 지급

○ **신청내용 심사** : 근로장려금과 자녀장려금 신청내용에 대해 국세청의 심사를 거쳐 신청기한* 후 3개월 이내 결정한 후 30일(정기신청인 경우에는 20일) 내에 지급되며, 자격에 대한 사실관계 확인이 어려운 경우 심사기간이 2개월의 범위에서 연장될 수 있습니다.

* 신청기한 : 정기신청(매년 5월 31일), 기한 후 신청(매년 11월 30일), 근로장려금 조기신청(상반기 근로소득분: 9월 10일, 하반기 근로소득분: 다음연도 3월 10일)

○ 신청한 장려금의 심사진행상황은 국세청 홈택스 [조회/발급 〉 근로장려금 · 자녀장려금 〉 심사진행상황조회]에서 할 수 있습니다.

○ **근로장려금 · 자녀장려금의 지급** : 심사과정을 거쳐 장려금 지급이 결정된 경우 장려금 결정통지 후 신청서에 기입한 계좌(신청자 본인 명의)로 입금됩니다. 장려금 수령계좌를 기재하지 않은 경우에는 장려금 환급통지서를 우편으로 주소지로 보내며, 환급통지서(신분증 포함)를 우체국에 제출하여 현금을 수령할 수 있습니다.

* 자녀장려금을 받은 경우 「소득세법」상 자녀세액공제와 중복 적용받을 수 없습니다.

기한	신청구분		근로장려금	자녀장려금
신청기한	정기 신청	정기	다음연도 5월 31일	다음연도 5월 31일
		기한 후 신청	다음연도 11월 30일	다음연도 11월 30일
	반기별 신청	상반기	해당연도 9월 10일	-
		하반기	다음연도 3월 10일	-
		기한 후 신청	기한 후 3개월(12.10./6.10.)	-
결정기한	반기별 신청		상반기(11월말), 하반기(5월말)	-
	정기 신청		신청기한 후 3개월(8월말)	신청기한 후 3개월
지급기한	정기신청		결정 후 20일 이내	결정 후 20일 이내
	기타 신청		결정 후 30일 이내	결정 후 30일 이내

○ **근로 · 자녀장려금의 정산** : 실제 근로장려금 금액과 반기별로 이미 지급한 금액과 차액을 비교하여 추가환급하거나 추가납부하여야 합니다.

○ **근로 · 자녀장려금의 체납액 충당** : 근로장려금 · 자녀장려금은 소득세 환급세액의 일종이므로, 「국세기본법」 제51조에 따라 장려금을 지급받는 자가 체납세액이 있는 경우 환급할 장려금의 30% 한도로 체납세액에 충당되고 충당 후 남은 금액을 지급합니다. 부부 중 총급여액 등이 많은 사람이 주 소득자로 장려금을 종 소득자가 신청한 경우 결정당시 확인된 주 소득자의 명의로 장려금이 지급됩니다.

○ **근로 · 자녀장려금의 압류금지** : 국세체납액 충당 후 환급하는 근로장려금 · 자녀장려금 중 일정 금액 이하의 경우에는 양도, 담보제공, 압류 등을 금지하도록 하고 있습니다.

근로장려금 · 자녀장려금 부적격수급자 제재

○ **부적격수급자 지급제한** : 「조세특례제한법」에 따른 근로장려금 · 자녀장려금 부적격 수급을 방지하기 위해 고의나 중대한 과실로 사실과 다르게 신청한 경우에는 2년, 사기 그 밖에 부정한 행위로써 사실과 다르게 신청한 경우에는 5년간 근로장려금 지급이 제한됩니다.

○ **부적격수급자 장려금 추징** : 부적격수급으로 확인된 장려금은 전액 추징됩니다. 이 경우 지급일부터 지급취소 결정일까지 1일 0.03%의 이자상당액도 함께 추가징수됩니다.

○ **부정수급자 조세범 처벌** : 사기나 기타 부정한 방법으로 장려금을 지급받거나 받도록 한 사람은 지급제한 뿐만 아니라 「조세범처벌법」에 따라 징역이나 벌금 등의 처벌을 받을 수 있습니다.

■ 조세특례제한법 시행규칙[별지 제64호의2서식] (2018.03.21 개정)

(4쪽 중 제1쪽)

관리번호		( )년 귀속 근로장려금·자녀장려금 정 기( ) 기한후( ) 신청서

※ 2쪽의 작성방법을 읽고 작성하시기 바라며, [ ]에는 해당되는 곳에 √표를 합니다.1쪽 ❷ 가구원, ❹ 전세금 명세, ❺ 총급여액 등 작성 란을 초과할 경우 3·4쪽 근로장려금·자녀장려금 신청서 부속 명세서(Ⅰ·Ⅱ)를 이용하여 작성합니다.

❶ 신청자	① 성 명		② 주민등록번호	–
	③ 주 소			
	④ 휴대전화	⑤ 유선전화	⑥ 전자우편	@

* 전년도 12월 31일 현재 배우자, 부양자녀 및 생계를 같이하는 부모 등 동거가족을 모두 적습니다.

❷ 가구원	⑦ 관계	⑧ 성명	⑨ 주민등록번호	⑦ 관계	⑧ 성명	⑨ 주민등록번호
			–			–
			–			–

❸ 신청자격			
	근로장려금	Q1. 신청자와 배우자의 전년도 총소득 합계액은 아래의 가구원 구성에 따른 총소득기준금액 미만이어야 합니다. 귀하는 이 조건을 충족합니까?	예[ ] 아니오[ ]
		Q2. 전년도 6월 1일 현재 신청자와 가구원(❷)이 소유한 토지·건물·주택·자동차·예금 등 재산의 합계액이 2억원 미만입니까?	예[ ] 아니오[ ]
	자녀장려금	Q가. 전년도 12월 31일 현재 18세 미만(. 1. 2.~ .12.31. 출생, 중증장애인은 연령제한 없음)의 부양자녀가 몇 명 있습니까?	[ ] 명
		Q나. 신청자와 배우자의 전년도 총소득 합계액은 4천만원 미만입니까?	예[ ] 아니오[ ]
		Q다. 신청자 또는 배우자가 자녀장려금 신청일이 속하는 연도의 3월 1일 ~ 3월 31일 기간 중 「국민기초생활보장법」에 따른 생계급여의 전부 또는 일부를 지급받은 사실이 없습니까?	예[ ] 아니오[ ]
		Q라. 전년도 6월 1일 현재 신청자와 가구원(❷)이 소유한 토지·건물·주택·자동차·예금 등 재산의 합계액이 2억원 미만입니까?	예[ ] 아니오[ ]
	공통	QA. [재산의 합계액이 2억원(자녀장려금은 2억 원) 미만인 경우] 그 재산의 합계액이 1.4억원 이상입니까?	예[ ] 아니오[ ]

가구원 구성	단독가구	홑벌이가구	맞벌이가구
총소득기준금액 (미만)	2천만원	3천만원	3천 600만원

❹ 전세금 명세

* 전년도 6월 1일 현재 신청자와 가구원(❷)이 임차한 주택·상가 등이 있는 경우에만 작성합니다.
* 주택의 전세금은「지방세법」 제4조의 시가표준액을 준용하여 평가한 금액의 60% 이내에서 국세청장이 정하여 고시하는 금액(이하 '간주 전세금과 실제전세금(임차보증금)을 비교하여 적은 금액을 기재합니다.

?

⑩ 임차인 성 명	⑪ 임대인 성 명	⑪ 임대인 주민(사업자)등록번호	⑫ 소 재 지	⑬ 종 류 상가 등	⑭ 전 세 금 (임차보증금)	⑮ 월세	⑯ 무상 임차
				[ ]	원	원	[ ]

❺ 총급여액 등

구분	⑰ 소득자		⑱ 상호·단체명	⑲ 사업자등록번호·고유번호	⑳ 총급여액 등
근로소득	신청자 [ ]	배우자 [ ]			원
종교인소득	신청자 [ ]	배우자 [ ]			원

구분	㉑ 소득자		㉒ 원천징수 여부		㉓ 상호	㉔ 사업자 등록번호	㉕ 총수입 금액	㉖ 업 종 / ㉗ 업종코드	㉘ 조정률	㉙ 총급여액 등
사업소득	신청자 [ ]	배우자 [ ]	여[ ]	부[ ]			원		%	원

㉚ 합 계 (부부 합산 연간 총급여액 등)	원

❻ 신청금액계산

구 분			근로장려금	자녀장려금
㉛ 산정금액		총급여액 등으로 산정표에 의해 산정한 금액	원	원
감액금액	㉜ 재산 1.4억원 이상	산정금액의 50% 금액	원	원
	㉝ 기 한 후 신 청	(재산합계 1.4억원 미만) ㉛ × 10% 금액	원	원
		(재산합계 1.4억원 이상) (㉛–㉜) × 10% 금액	원	원
	㉞ 자녀세액공제 차감	소득세 산출세액에서 공제받은 자녀세액공제금액		원
㉟ 신청금액(㉛–㉜–㉝–㉞)		산정금액에서 감액금액을 차감한 금액	원	원

❼ 수령계좌 신고	㊱ 금융회사등		㊲ 계좌번호	

◇ 금융거래정보 조회 안내: 국세청에서는 근로장려금 · 자녀장려금 신청자격 확인이 필요한 경우「조세특례제한법」 제100조의12 및 제100조의30에 따라 신청자 및 가구원의 금융거래 정보를 조회할 수 있음을 알려드립니다.

위와 같이 사실대로 작성하여「조세특례제한법」 제100조의6 및 제100조의30에 따라 근로장려금·자녀장려금을 신청합니다.

년 월 일

신청자 (서명 또는 인)

세 무 서 장 귀하

※ 첨부서류 (해당란에 √)	1. 소득 증거자료: 근로·사업소득 지급확인서 (국세청 고시 서식 참조) 등 [ ] 2. 재산 증거자료: 임대차계약서 사본, 임대차확인서[ ],분양계약서 사본과 분양대금·청산금 납입영수증 등 사본 [ ]	수수료 없 음

근로장려금 · 자녀장려금 신청서 부속 명세서(Ⅰ)

※ 1쪽 ❷ 가구원 란을 초과할 경우 아래 란에 적습니다.

❷	⑦ 관계	⑧ 성 명	⑨ 주민등록번호	⑦ 관계	⑧ 성 명	⑨ 주민등록번호
가			-			-
구			-			-
원			-			-

근로장려금 · 자녀장려금 신청서 부속 명세서(Ⅱ)

※ 1쪽 ❹ 전세금 명세 란을 초과할 경우 아래 란에 적고, [ ]에는 해당되는 곳에 √표를 합니다.

	⑩ 임차인 (세입자) 성 명	⑪ 임대인		⑫ 소 재 지	⑬ 종 류		⑭ 전 세 금 (임차보증금)	⑮ 월 세	⑯ 무상 임차
		성 명	주민(사업자) 등록번호		주택	상가등			
❹ 전세금 명세					[ ]	[ ]	원	원	[ ]
					[ ]	[ ]	원	원	[ ]
					[ ]	[ ]	원	원	[ ]
					[ ]	[ ]	원	원	[ ]
					[ ]	[ ]	원	원	[ ]

무상임차 사실 확인서 ※ 제1쪽 ⑯ 무상임차 사실이 있는 경우에 작성합니다.

임차인 (세입자) 성 명	관 계	임대인			종 류		소재지	무상사용기간	면적 (㎡)
		성 명	주민등록번호	전화번호	주택	상가등			
					[ ]	[ ]		~	
					[ ]	[ ]		~	

실제 계약에 따라 사실대로 작성하였음을 확인합니다.

년 월 일

임대인 성명 (서명 또는 인)

※ 1쪽 ❺ 총급여액 등 란을 초과할 경우 아래 란에 적고, [ ]에는 해당되는 곳에 √표를 합니다.

		⑰ 소득자		⑱ 상호·단체명	⑲ 사업자등록번호·고유번호	⑳ 총급여액 등
❺ 총급여액 등	근로소득	신청자 [ ]	배우자 [ ]			원
		신청자 [ ]	배우자 [ ]			원
		신청자 [ ]	배우자 [ ]			원
		신청자 [ ]	배우자 [ ]			원
		신청자 [ ]	배우자 [ ]			원
		신청자 [ ]	배우자 [ ]			원
		신청자 [ ]	배우자 [ ]			원
	종교인소득	신청자 [ ]	배우자 [ ]			원
		신청자 [ ]	배우자 [ ]			원
		신청자 [ ]	배우자 [ ]			원
		신청자 [ ]	배우자 [ ]			원
		신청자 [ ]	배우자 [ ]			원
		신청자 [ ]	배우자 [ ]			원
		신청자 [ ]	배우자 [ ]			원

	㉑ 소득자		㉒ 원천징수 여부		㉓ 상호	㉔ 사업자 등록번호	㉕ 수입금액	㉖ 업 종 / ㉗ 업종코드	㉘ 조정률	㉙ 총급여액 등
사업소득	신청자 [ ]	배우자 [ ]	여[ ]	부[ ]			원		%	원
	신청자 [ ]	배우자 [ ]	여[ ]	부[ ]			원		%	원
	신청자 [ ]	배우자 [ ]	여[ ]	부[ ]			원		%	원

7 종교인소득 핵심절세와 세무관리요령

[종교단체 핵심관리①] 종교인소득 업무프로세스를 숙지하라

○ 종교단체가 소속 종교인소득 등을 원천징수하는 경우 종교단체와 종교인이 해야 할 주요한 세무 업무에 대하여 숙지하고 일정별로 누락되지 않도록 세무전문가와 함께 사전 검토와 준비, 업무 후 점검을 하여야 합니다.

업무	일정	내용
① 급여지급명세 (급여대장) 작성	매월 급여지급 전	종교인소득 급여지급전 지급액 확정 및 원천징수세액 등 파악
② 원천징수	매월 급여지급시	종교인소득 간이세액표로 원천징수액(소득세 + 소득세의 10%인 지방소득세) 예수금 처리
③ 급여지급	매월 급여일	원천징수세액 등 제외 잔액 지급
④ 소득자별 원천징수부 작성/구분기장	매월 원천징수 후	(원천징수부) 급여액 및 원천징수세액 등 기록 (구분기장) 종교활동지출과 종교인소득 지급분을 구분해 기장
⑤ 원천징수이행상황신고 [세무신고]	(반기승인시)반기 다음달 10일, (그 외)매월 다음달 10일	• 해당기간 중 급여 인원 및 지급액, 원천징수세액 등 원천징수 이행상황 신고 • 원천징수세액 납부
⑥ 종교인소득 연말정산[세무신고]	다음해 2월 말일	종교인소득에 대하여 사업소득연말정산 방법 준해서 연말정산
⑦ 종교인소득 지급명세서 제출 [세무신고]	다음해 3월 10일	종교인소득(비과세소득 포함)에 대하여 지급명세서 제출
⑧ 종교인소득 외소득 합산신고 [세무신고]	다음해 5월말	종교인소득이 있는 자가 다른 소득이 있는 경우 합산신고

[종교단체 핵심관리②] 종교인소득 비과세근거를 유지하라

○ **종교단체를 위한 비용은 종교인소득 아닌 고유목적사업 경비** : 종교단체가 종교인에게 지급하는 대부분의 종교활동비는 그동안 종교단체 회계처리를 제대로 하지 않아 생긴 종교단체의 고유목적사업비인 경우가 많습니다. 종교활동을 위해 사용되는 활동비, 교통비, 경조사비 등은 세법상 종교활동비가 아닙니다. 우선 ① 종교단체를 위해 지출한 비용을 고유목적사업지출로 종교인소득에서 제외시킨 후 ② 종교인 개인에게 귀속되는 것 중 종교활동에 소요되는 것은 정관 등 규약에 포함해 개정하거나 당회 등 의결기구에서 의결한 근거를 유지하면 됩니다.

○ **종교인 종교활동비는 비과세되도록 의결기구 의결근거 확보** : 그동안 종교인소득에 대한 과세제도가 마련되지 않아 납세를 감안하지 않은 채 운용된 사례금과 활동비, 복리후생비 성질의 지출을 신설된 비과세 항목으로 중심으로 재편하고, 이를 정관 등 규약이나 의결기구에서 의결 승인받는 절차를 진행하여야 합니다.

○ **과세대상 종교인소득 중 비과세항목 적용 검토와 재설계** : 종교관련종사자의 순수한 소득에 대하여는 월 10만원까지의 식대(식사제공을 받지 않는 조건에 한합니다), 20만원까지의 자가운전보조금(자기명의 차량이 있는 경우에 한합니다), 10만원까지의 보육수당(출산이나 6세 이하 자녀 있는 경우에 한합니다) 등 비과세항목으로 재분류합니다.

구분	주요 비과세항목	비과세 적용 조건
학자금	종교단체가 소속된 종교관련종사자에게 종교활동과 관련 있는 교육·훈련을 위하여 ①「초·중등교육법」 제2조에 따른 학교(외국에 있는 이와 유사한 교육기관을 포함합니다) ②「고등교육법」 제2조에 따른 학교(외국에 있는 이와 유사한 교육기관을 포함합니다) ③「평생교육법」 제5장에 따른 평생교육시설의 입학금·수업료·수강료나 그 밖의 공납금	종교활동과 관련해 국내·외 신학교(대학원 포함), 평생교육시설에 지급하는 교육 훈련비(한도 없음) ※ 평생교육시설 아닌 사설 학원비 등은 비과세 안됩니다.
식사와 식사대	종교단체가 소속 종교관련종사자에게 제공하는 식사나 그 밖의 음식물이나 식사나 그 밖의 음식물을 제공받지 아니하는 대신 받는 월 10만원 이하의 식사대	종교인과 임직원 대상 음식물 제공받지 않는 조건으로 월 10만원 식사대 ※ 음식물 제공받고 10만원 식사대 제공받는 경우 비과세대상 제외됩니다.
일직료·숙직료	종교단체로부터 종교관련종사자가 받는 일직료·숙직료나 그 밖에 이와 유사한 성격의 급여	종교인과 임직원 대상 일·숙직료(한도액은 없습니다)
자가운전 보조금	여비로서 실비변상 정도의 금액(종교관련종사자가 본인 소유의 차량을 직접 운전하여 소속 종교단체의 종교관련종사자로서의 활동에 이용하고 소요된 실제 여비 대신에 해당 종교단체의 규칙 등에 정하여진 지급기준에 따라 받는 금액 중 월 20만원 이내의 금액을 포함합니다)	종교인과 임직원 대상 자기 차량을 종교활동에 사용하는 경우 월 20만원 자가운전보조금(수당) 편성 ※ 종교활동에 사용하는 종교인 및 임직원 차량 유류비 영수증 : 종교인 개인소득이 아닌 종교단체 결산상 직접 비용처리(고유목적사업경비)합니다.

구분	주요 비과세항목	비과세 적용 조건
종교 활동비	종교관련종사자가 소속 종교단체의 규약이나 소속 종교단체의 의결기구의 의결·승인 등을 통하여 결정된 지급 기준에 따라 종교 활동을 위하여 통상적으로 사용할 목적으로 지급받은 금액 및 물품	종교인에게 종교활동을 위해 사용할 지출액을 정하고 정관 등 규약이나 당회 등 의결기구에서 지급기준을 정한 경우 비과세 ※ 비과세를 위한 전제조건 : 규약, 의결기구 의결근거가 반드시 존재 ※ 개인에게 귀속되지 않고 종교활동에 사용항목만 비과세
재해비	종교관련종사자가 천재지변이나 그 밖의 재해로 인하여 받는 지급액	천재지변이나 재해를 입은 종교인과 임직원에게 지급액
보육수당	종교관련종사자나 그 배우자의 출산이나 6세 이하(해당 과세기간 개시일을 기준으로 판단합니다) 자녀의 보육과 관련하여 종교단체로부터 받는 금액으로서 월 10만원 이내의 금액	종교인과 임직원의 6세까지 자녀보육수당(월 10만원을 한도로 합니다)
사택제공 이익	종교단체가 소유한 것으로서 종교관련종사자에게 무상이나 저가로 제공하는 주택이나, 종교단체가 직접 임차한 것으로서 종교관련종사자에게 무상으로 제공하는 주택을 제공받아 얻는 이익	종교단체 자가 : 소유사택 무상이나 저가 제공분 비과세 종교단체 임차 : 임차해 무상제공(월세를 종교단체가 부담하는 경우 포함) 비과세 ※ 종교인 명의로 임차하지 않고 종교단체 명의로 임차해 종교단체가 월세를 부담하거나 종교인이 지급해야 합니다.

[종교단체 핵심관리③] 세금 없이도 붙는 가산세 조심하라

○ 종교단체에 대한 세무관리의 핵심은 예기치 않고 무거운 세금, 즉 가산세를 부과받지 않는 것입니다. 수익사업이 없어 법인세나 사업소득세 등 수입이 있어 내야 하는 세금도 없다고 해도 가산세는 반드시 내도록 하고 있습니다. 종교단체에 부과되는 가산세로서 중요한 것은, ① 기부금영수증 발급과 관련된 가산세, ② 지급명세서 관련된 가산세, ③ 원천징수 납부불성실가산세 등이 있으므로 의무사항을 특별히 유의합니다.

○ 종교단체가 부담할 수 있는 가산세

가산세	부과대상	가산세율
기부금영수증 허위발급 가산세	기부금영수증에 기부금액을 사실과 다르게 적어 발급한 경우	영수증에 실제 적힌 금액(영수증에 금액이 적혀 있지 아니한 경우 기부금영수증을 발급받은 자가 공제신청한 금액)과 건별로 발급하여야 할 금액과의 차액의 2%
기부금영수증 기재불성실가산세	기부자의 인적 사항 등을 사실과 다르게 적어 발급하는 등 기타의 경우	영수증에 적힌 금액의 2%
「기부자별발급명세」 미작성·미보관 가산세	「기부자별 발급명세」를 작성·보관하지 아니한 경우	미작성·미보관 명세금액의 0.2%

가산세	부과대상	가산세율
지급명세서 미제출가산세 (2020년 분부터 적용)	「소득세법」 제164조에 따라 지급명세서를 제출할 종교단체가 종교인소득 등 지급명세서를 다음해 3.10.까지 제출하지 아니한 경우 ※ 종교인소득 등으로 원천징수하지 않은 경우도 제출 의무	제출하지 아니한 분의 지급금액의 1%(제출기한이 지난 후 3개월 이내에 제출하는 경우 지급금액의 0.5%)
지급명세서불성실 제출 가산세 (2020년분부터 적용)	제출된 지급명세서가 불분명한 경우에 해당하거나 제출된 지급명세서에 기재된 지급금액이 사실과 다른 경우	불분명하거나 사실과 다른 분의 지급금액의 1%
원천징수납부 불성실가산세	원천징수 납부하여야 할 세액을 납부하지 않거나 과소납부한 경우	미납세액 × 3% + (과소·무납부세액 × 25/100,000 × 경과일수) ≤ 10%

[종교단체 핵심관리④] 수익사업과 종교인소득을 구분하라

○ 종교단체가 결산상 지출하는 비용은 회계 및 세무상 ① 종교단체 고유목적사업을 위한 지출(종교단체의 경비지출로 종결되며, 법인세나 원천세 과세되지 않습니다) ② 종교인에게 지출하는 비용(종교단체의 경비지출로 종교인소득으로 과세됩니다) ③ 종교단체의 종교인 외 임직원에게 인건비로 지출하는 비용(종교단체의 경비지출로 근로소득으로 과세됩니다) 등으로 각각 구별할 수 있습니다.

○ 종교단체는 비영리법인으로서 원칙적으로 종교활동 등 고유목적사업을 위한 수입과 지출을 회계처리하는 [목적사업회계]만 있는 것입니다. 만약 종교단체가 수익사업을 하는 경우에는 [목적사업회계]외에 수익사업에서 발생하는 수입과 지출을 회계처리하는 [수익사업회계]를 별도로 구분해서 기장하면 됩니다.

○ 종교단체가 고유목적사업만 영위하는 경우 종교인소득 원천징수의무 등 세무상 의무와 관련하여 세무관서의 세무조사 등에 대비하여 종교인소득을 포함하여 모든 종교활동과 관련된 수입과 지출을 회계처리하는 [종교단체회계]와 종교인소득 지급내용과 종교활동을 위해 지출한 금액을 기재한 [종교인회계]로 구분하거나 각각의 회계로 구분하기 힘들면 한 장부에 [종교인 계정]을 만들어 구분기장하면 됩니다.

<table>
<tr><th>구분</th><th>항목</th><th>세부 항목(계정)</th><th>비고</th></tr>
<tr><td rowspan="2">종교단체
회계
(결산서류)</td><td>수입</td><td>• 현금 등 기부금 수입
• 기타 잡수입(고유사업 부수수입)</td><td rowspan="2">세무조사
대상 제외</td></tr>
<tr><td>지출</td><td>• 종교인 · 임직원 인건비
• 복리후생비
• 세금과공과금
• 일반관리비
• 사업비(종교활동경비 외) 외</td></tr>
<tr><td rowspan="2">종교인 회계
(종교인 계정)</td><td>수입</td><td>• 종교인 사례비 외(종교인소득)</td><td rowspan="2">세무조사
대상</td></tr>
<tr><td>지출</td><td>• 종교인소득으로 지출한 종교활동비 외</td></tr>
</table>

○ [종교인 회계]나 [종교인 계정]의 구분기장을 효과적으로 하기 위해서는 종교인소득과 지출을 구별하여 일목요연하게 기재할 수 있도록 가급적 은행 등 금융회사에 별도의 [종교인소득] 관련 월정액의 송금 등의 거래만 할 수 있는 전용계좌를 개설, 운영하면 편리합니다.

[종교단체 핵심관리⑤] 종교단체 세무조사, 깨끗하면 없다

○ 종교의 보급, 기타 교화를 목적으로 하는 종교단체는 종교단체의 고유목적과 관계되어 있다면 세법에 따라 거의 모든 세금을 비과세해 왔습니다. 헌금 등 종교 활동과 관련한 이익부분에 대한 법인세, 소득세는 물론 종교 활동에 사용되는 부동산 취득과 보유에 대한 취득세와 재산세 등 세금, 양도하는 경우 매우 광범위하게 양도차익 비과세 등 종교단체에 대한 조세지원을 해주고 있습니다.

○ 일반적으로 세무관서는 선교 등 고유한 종교활동만을 영위하는 종교단체에 대하여는 거의 세무간섭을 하지 않는 대신, 고유목적사업이 아닌 상품 판매 등 일반 기업과 경쟁이 되는 수익사업을 영위하거나 기부금영수증을 허위로 발급하여 일반인의 탈세를 돕는 등 부정한 방법에 동원된 경우에는 해당 내용에 대하여는 엄정하게 관리하고 있습니다.

○ 그러므로 종교단체가 세무관서에서 싫어하는 일에만 개입되지 않는다면 세무관서가 종교단체에 대하여 세무간섭을 하거나 세무조사를 받지 않습니다. 수익사업 없어 법인세대상도 안되고 기부금영수증을 허위로도 발급한 사실이 없고 종교인소득 지급명세서 제출만 제대로 해도 세무조사의 대상이 될 수 없습니다.

○ 하지만 종교단체가 음식점업 · 부동산 임대 · 잡화 도 · 소매업 · 서비스 등 영리기업과 경쟁관계일 수 있는 수익사업을 직접 경영하는 경우에는 수익사업에 대한 부가가치세, 부동산 양도시 양도차익 과세, 고유목적사업용 부동산의 취득세 · 재산세 등 감면사항 등을 검토하여 세무조사 대상으로 삼고, 종교인이나 강사 등에 대한 원천징수의 적정성도 검토할 수 있습니다.

VI 종교단체의 노무관리

1 종교단체의 노무 일반

○ 종교단체에서 종교활동을 집행하는 법인으로 보는 단체의 대표인 종교인은 노동법에서 '근로자'로 볼 수 없지만, 종속적 위치에서 근로를 제공한 소속 종교인은 '근로자'의 지위가 인정된다.
○ 공익목적을 추구하는 비영리법인인 종교단체도 사업장이나 종교단체에도 근로기준법상 퇴직금 규정이 적용된다.

종교인은 '근로자'인가?

○ 종교단체의 종교인 · 임직원의 「근로기준법」 적용 : 종교단체에서 고용관계 없이 승려 · 목사 · 신부 등 종교관련종사자로서 종교활동을 집행하는 종교인의 경우 원칙적으로 「근로기준법」이나 「고용보험법」의 적용에 있어서 엄격하게 '근로자'로 분류하지는 않습니다.

○ 하지만 종교단체와 근로계약을 통해 종속적 지위에서 근로를 제공한 종교관련종사자의 경우에는 「근로기준법」상 '근로자'의 지위가 인정됩니다. 즉 「민법」상 고용계약이든 도급계약이든 형식과 관계없이 실질이 종속적인 관계에서 사용자에게 근로를 제공하였다면 '근로자'로 보게 됩니다.

○ 더구나 종교단체의 규약, 의결기구의 의결사항에 소속 종교인의 선임 · 휴직 · 휴가 · 해임 · 정년 등에 관한 규정을 갖추고 퇴직금 지급에 관한 지급방법 등을 구체적으로 정하고 있는 경우에는 종교단체에서 일하는 소속 직원은 물론 종교인이라고 해도 고용관계가 인정되는 경우 근로자로 보는 것입니다.

* 개별교회에서 종교인이 종교활동을 함에 있어서 담임목사의 지휘를 받아 그를 보좌하는 직위에 있고 종교활동 이외에도 담임목사의 지시에 따라 교회와 관련된 각종 업무를 망라하여 수행하고 매월 정기적·고정적으로 보수를 받는 경우 종속적인 관계에서 근로를 제공한 것으로 보아 「근로기준법」을 적용해야 합니다.

○ 종교적 관점에서 종교적 신념에 따라 종교단체에서 종교활동을 하는 종교인에 대하여 '근로자'로 인식·취급하는 것에 거부감이 있을 수 있지만, 「근로기준법」이나 「산재보험법」 등에 있어서 보호를 두텁게 하기 위해 '근로자'의 지위를 인정하는 것으로 이해됩니다.

관련판례

❐ 종교단체에서의 '근로자' 지위와 범위

【대법원 1992.2.14. 선고 91누8098 판결】 종교사업이 「근로기준법」 제10조, 제14조 소정의 '사업'이나 '사업장'에 해당하는지, 교회 산하 유치원 교사가 임금을 수령하는 '근로자'에 해당하는지 여부

「근로기준법」의 적용범위를 규정한 「근로기준법」 제10조 소정의 사업 또는 사업장이나 근로자를 정의한 같은 법 제14조 소정의 직업은 그 종류를 한정하고 있지 아니하므로 종교사업도 위 각 조문의 사업이나 사업장 또는 직업에 해당된다. 임금은 명칭을 불문하고 근로의 대상으로 사용자로부터 받는 일체의 금품을 말하는 것이므로, 교회 산하의 유치원 교사는 교회에 근로를 제공하고 그 대가로 교회로부터 임금을 수령하는 근로자이다.

【대법원 1978.7.11. 선고 78다591 판결】 비영리법인의 사업이나 사업장도 「근로기준법」상 사업이나 사업장으로 볼 것인지 여부

비영리적 공익목적을 추구하는 공법인의 사업이나 사업장도 「근로기준법」 제10조 소정의 사업이나 사업장으로 보아야 할 것이고, 따라서 「근로기준법」 제28조의 퇴직금에 관한 규정이 적용된다.

2 종교단체의 노무관리

○ 종교단체도 「근로기준법」 등 노동법이 적용되는 영역으로 소속 직원에 대한 원천징수 등으로 노동문제가 불거질 개연성이 높아져 핵심사항별로 노동법을 준수한 노무관리가 필요하다.

○ 근로자로 보는 종교인 · 임직원이 있는 경우 '근로계약서' 작성 · 비치 의무, '취업규칙' 게시의무, 최저임금 준수 등 핵심적인 노무관리사항에 대한 철저한 준비와 보완이 필요하다.

종교단체 노무관리의 필요성

○ 종교단체는 그동안 노동법 적용대상이 아닌 것으로 판단하여 왔으나, 최근 법원판결은 종교단체에도 「근로기준법」 등 노동관계법이 적용될 수 있다고 인정하고 있습니다. 종교인소득 과세와 함께 소속 직원에 대한 원천징수의무가 강화될 수밖에 없어 앞으로 노동문제가 불거질 개연성이 있으므로 관련법령에 준거한 노무관리가 필요합니다.

○ 하지만 아무리 종교단체에 노동법규가 적용된다고 해도, 대부분의 종교단체는 영세한 규모를 유지하고 있고 대부분 노무지원을 받지 못하고 있습니다. 앞으로 고용노동부의 지도점검을 하거나 노사 간 갈등이 발생하는 경우 종교단체가 제대로 대처를 못하는 경우가 다수 발생할 것으로 예상됩니다.

○ 특히, 고용주가 기본적으로 구비하여야 하는 '근로계약서', '취업규칙' 등 필수서류를 구비하지 못하거나 주휴수당, 연장근로 수당 등을 급여, 수당에 명시하지 않고 별도로 지급하는 경우 등에는 노무문제가 발생하므로 필수적으로 사전에 확인해야 합니다.

종교단체 주요 노무관리사항

○ 사업장 핵심 노무관리사항(고용노동부 지도점검항목)

구분	주요 점검항목	주요내용 요약
1	'근로계약서' 작성·교부	① 근로자에게 근로계약서를 필수 서면 교부 ② 위반 시 500만원 이하의 벌금 적용
2	'취업규칙' 게시 및 신고	10인 이상 사업장 필수 의무
3	임금대장과 근로자 명부 확인	① 임금대장 없을 시 급여이체통장 확인 ② 실급여와 신고금액, 근로계약서 금액 대조
4	4대보험 가입 여부 확인	단기간 근로자 4대보험 가입 여부 확인
5	연차사용과 연차수당 지급 확인	연차사용과 미사용 연차수당 지급 여부 확인
6	주휴, 휴일근로, 야간근로수당 지급 확인	① 1주 만근 시 1일치 주휴수당 추가 확인 ② 야간(22~06시), 휴일 근로 50% 가산수당 지급 확인
7	'최저임금' 준수 확인	2019년 8,350원(매월기준 174만 5,150원, 기본 174시간+주휴 35시간=209시간), 2018년 7,530원, 2017년 6,470원
8	근로·휴게시간 확인	① 연장근로 동의와 50% 가산 수당 지급 여부 확인 ② 휴게시간 확인
9	'근로자의 날' 휴무 확인	근로자의 날 휴무 여부 확인
10	프리랜서 계약서 확인	계약서 확인을 통한 근로자로의 전환 가능

* 고용노동부의 사업장 지도점검 : 매년 상·하반기에 걸쳐 실시하며, 기초 고용질서 확립과 사업주와 근로자간 분쟁을 예방하기 위한 것으로 주로 영세 사업자들이 놓치기 쉬운 항목을 중심으로 실시됩니다.

종교단체 노무관리 필수점검사항

○ '근로계약서' 작성 비치와 서면 교부의무 : 소속 종교인과 임직원 등 근로자를 고용하는 종교단체의 경우도 「근로기준법」상 '근로계약서'를 작성하여 비치하여야 하고, 근로자의 요구가 없다 해도 의무적으로 교부해야 합니다. 이를 위반한 경우 500만원 이하의 벌금이 부과됩니다.(다만 위반했다 해도 근로계약 자체는 유효합니다.)

※ '근로계약서'에 명시해야 하는 사항

• 임금의 구성항목, 계산방법, 지급방법(필수기재사항) • 소정근로시간(필수기재사항) • 유급주휴일(필수기재사항) • 연차유급휴가(필수기재사항) • 취업의 장소와 종사하여야 할 업무에 관한 사항 • 취업규칙의 필요적 기재사항 • 기숙하게 하는 경우 기숙사 규칙에서 정한 사항

○ '취업규칙' 게시 · 신고 의무 : 10인 이상 근로자를 사용하는 사업장은 근로자에게 적용되는 근로조건이나 복무규율에 관해 일방적으로 정한 규칙인 '취업규칙'을 고용노동부장관에게 신고 후 반드시 사업장에 게시하고 비치해야 합니다. 만약 게시나 비치를 하지 않는 경우에는 500만원 이하의 과태료가 부과됩니다.

○ 임금대장, 근로자 명부확인하여 4대보험 성실납부할 의무 : 매월의 급여대장을 비치하거나 계좌이체를 통한 통장을 비치할 것이 요구됩니다. 이 때 실제 급여와 4대보험 신고금액, 근로계약서 금액을 대조하여 차이가 없어야 합니다. 만약 계좌이체 내역 등 확인하여 실제 급여보다 낮은 급여(통상급여로 포함되어야 하는 데 포함되지 않은

경우 포함)로 과소신고된 경우 추징될 수 있습니다.

* 4대 보험 가입대상 : 정규직 근로자나, 일용직으로 월 60시간이나 8일 이상 근무하는 경우 가입대상이지만, 현행 법령상 종교인소득으로 신고시에도 국민연금 · 건강보험에 있어 직장가입하는 것이 허용됩니다.

* 일반 사업장의 경우 4대보험 가입대상에 해당하는 것을 피하기 위해 일용직으로 신고하는 경우, 고용 · 산재보험만 가입함으로써 근로시간 등을 조사해 추징대상이 되는 경우가 발생합니다.

○ **연차휴가와 미사용 연차에 대한 수당 지급** : 사용자는 1년간 80% 이상 출근한 근로자에게 15일 유급휴가를 주어야 합니다(3년 이상 근로자에게는 2년마다 1일씩 최장 25일간의 연차휴가가 가능합니다). 계속 근로연수가 1년 미만이거나 1년간 80% 미만 출근한 자는 1개월 개근의 경우에 대상이 됩니다(1년 미만 근로자는 최대 11일간 가능하며, 다음해부터는 15일간 가능합니다).

* 미사용 연차수당을 지급하지 않아도 되는 경우 : ① 소멸시효 기간이 끝나기 6개월 전을 기준으로 10일 이내에 사용자가 미사용 휴가일수를 알려주고, 근로자가 사용시기를 정하여 통보하도록 서면으로 촉구한 경우, ② 근로자가 통보하지 않으면 소멸시효 2개월 전까지 사용자가 시기를 정하여 서면통보한 경우에는 미사용 연차수당을 지급하지 않아도 됩니다.

○ **주휴수당, 휴일근로수당, 야간근로수당의 지급** : 주휴수당은 1인 이상 모든 사업장에서, 일용근로자 1주 15시간 이상 만근(滿勤)한 경우 1일치 주휴수당을 지급하는 법정수당입니다. 이외에도 야근근로(밤 10시~새벽 6시) · 휴일근로수당 등을 지급할 때는 통상급여의 50%를 가산해 지급해야 합니다.

○ **근로시간 · 휴게시간의 보장과 준수 의무** : 근로계약서에는 1일 8시간(주 40시간) 이상 근무한 경우 정해진 휴게시간(1시간)을 보장하고 연장근로에 대한 동의한다는 규정이 필요합니다.

○ **최저임금 이상 급여 지급 의무** : 최저임금 위반 여부는 월 지급액 기준으로 시간당 소정급여 외에 주휴수당, 상여금 매월 지급액(최저임금 월 환산액의 25% 초과액)과 복리후생비 매월 지급액(최저임금 월 환산액의 7% 초과액)까지 포함하여 해당 월별로 판단합니다(2019년부터).

○ **근로자의 날 휴무** : 근로자 5인 이상 사업장은 법정 휴일인 '근로자의 날'에 휴무로 하고 근무 시 수당을 지급해야 합니다.

○ **유사근로자에 대한 프리랜서 계약서 확인** : 소속 프리랜서의 경우 '근로자'에 해당되지 않아야 합니다. 독립된 지위가 아닌 종속적인 지위에서 근무시에는 근로자로 간주될 수 있으며, 근로자로 간주되는 경우 독립적 지위에서 업무를 수행하고 있음을 명시하는 '계약서'를 구비해야 합니다.

표준근로계약서

_____________ (이하 "사업주"라 함)과(와) ________(이하 "근로자"라 함)은 다음과 같이 근로계약을 체결한다.

1. 근로개시일 :   년   월   일부터
2. 근 무 장 소 :
3. 업무의 내용 :
4. 소정근로시간 : 시 분부터 시 분까지(휴게시간 : 시 분~ 시 분)
5. 근무일/휴일 : 매주 일(또는 매일단위)근무, 주휴일 매주 요일
6. 임 금
   - 월(일, 시간)급 :   원
   - 상여금 : 있음 (   )   원, 없음 (   )
   - 기타급여(제수당 등) : 있음 (   ),   없음 (   )·
                원,   원,
   - 임금지급일 : 매월(매주 또는 매일)   일(휴일의 경우는 전일 지급)
   - 지급방법 : 근로자에게 직접지급(   ), 근로자 명의 예금통장에 입금(   )
7. 연차유급휴가
   - 연차유급휴가는 근로기준법에서 정하는 바에 따라 부여함
8. 사회보험 적용여부(해당란에 체크)
   ☐ 고용보험 ☐ 산재보험 ☐ 국민연금 ☐ 건강보험
9. 근로계약서 교부
   - 사업주는 근로계약을 체결함과 동시에 본 계약서를 사본하여 근로자의 교부요구와 관계없이 근로자에게 교부함(근로기준법 제17조 이행)
10. 기 타 : 이 계약에 정함이 없는 사항은 근로기준법령에 의함

년   월   일

(사업주) 사업체명 :   (전화 :   )
주   소 :
대 표 자 :   (서명)
(근로자) 주   소 :
연 락 처 :
성   명 :   (서명)

단시간근로자 표준근로계약서

__________(이하 "사업주"라 함)과(와) ________(이하 "근로자"라 함)은 다음과 같이 근로계약을 체결한다.

1. 근로계약기간 :　　년　월　일부터　　년　월　일까지
   ※ 근로계약기간을 정하지 않는 경우에는 "근로개시일"만 기재
2. 근 무 장 소 :
3. 업무의 내용 :
4. 근로일 및 근로일별 근로시간

구분	( )요일	( )요일	( )요일	( )요일	( )요일	( )요일
근로시간	0시간	0시간	0시간	0시간	0시간	0시간
시업	00시 00분	00시 00분	00시 00분	00시 00분	00시 00분	00시 00분
종업	00시 00분	00시 00분	00시 00분	00시 00분	00시 00분	00시 00분
휴게시간	00시 00분 ~00시00분	00시 00분 ~00시00분	00시 00분 ~00시00분	00시 00분 ~00시00분	00시 00분 ~00시00분	00시 00분 ~00시00분

– 주휴일 매주 ___요일

(작성 · 검토요령) 단시간근로자의 경우 "근로일 및 근로일별 근로시간"을 반드시 기재하여야 합니다. 다양한 사례가 있을 수 있어, 몇 가지 유형을 예시하니 참고하시기 바랍니다.
(※ 기간제 · 단시간근로자 주요 근로조건 서면 명시 의무 위반 적발 시 인당 500만원 이하 과태료가 부과될 수 있습니다).

○ **(예시①) 주5일, 일 6시간(근로일별 근로시간 같음)**
- 근로일 : 주 5일, 근로시간 : 매일 6시간
- 시업 시각 : 09시 00분, 종업 시각: 16시 00분
- 휴게 시간 : 12시 00분부터 13시 00분까지
- 주휴일 : 일요일

○ **(예시②) 주 2일, 일 4시간(근로일별 근로시간 같음)**
- 근로일 : 주 2일(토, 일요일), 근로시간 : 매일 4시간
- 시업 시각 : 20시 00분, 종업 시각: 24시 00분
- 휴게 시간 : 별도 없음
- 주휴일 : 해당 없음

○ **(예시③) 주 5일, 근로일별 근로시간이 다름**

	월요일	화요일	수요일	목요일	금요일
근로시간	6시간	3시간	6시간	3시간	6시간
시업	09시 00분	09시 00분	09시 00분	09시 00분	09시 00분
종업	16시 00분	12시 00분	16시 00분	12시 00분	16시 00분
휴게 시간	12시 00분 ~ 13시00분	-	12시 00분 ~ 13시00분	-	12시 00분 ~ 13시00분

- 주휴일 : 일요일

○ (예시④) 주 3일, 근로일별 근로시간이 다름

	월요일	화요일	수요일	목요일	금요일
근로시간	4시간	-	6시간	-	5시간
시업	14시00분	-	10시00분	-	14시00분
종업	18시00분	-	17시00분	-	20시00분
휴게 시간	-	-	13시00분 ~14시00분	-	18시00분 ~ 19시00분

- 주휴일 : 일요일

5. 임 금
   - 시간(일, 월)급 : ________________원(해당사항에 ○표)
   - 상여금 : 있음 (　　) ________________원, 없음 (　　)
   - 기타급여(제 수당 등) : 있음: ________원(내역별 기재), 없음 (　　)
   - 초과근로에 대한 가산임금률: 150 %
   - 임금지급일 : 매월(매주 또는 매일) _____일(휴일의 경우는 전일 지급)
   - 지급방법 : 근로자에게 직접지급(　　), 근로자 명의 예금통장에 입금(　　)
6. 연차유급휴가 : 통상근로자의 근로시간에 비례하여 연차유급휴가 부여
7. 사회보험 적용여부(해당란에 체크)
   □ 고용보험 □ 산재보험 □ 국민연금 □ 건강보험
8. 근로계약서 교부
   "사업주"는 근로계약 체결과 동시에 본 계약서를 "근로자"의 교부요구와 관계없이 "근로자"에게 교부함(근로기준법 제17조 이행)
9. 기 타 : 이 계약에 정함이 없는 사항은 근로기준법령에 의함

년　　월　　일

(사업주) 사업체명 :　　　　(전화 :　　　　)
주　　소 :
대 표 자 :　　　　(서명)

(근로자) 주　　소 :
연 락 처 :
성　　명 :　　　　(서명)

표준근로계약서
Standard Labor Contract

아래 당사자는 다음과 같이 근로계약을 체결하고 이를 성실히 이행할 것을 약정한다.
The following parties to the contract agree to fully comply with the terms of the contract stated hereinafter :

사업주 Employer	업체명 Name of the enterprise	전화번호 Phone number
	소재지 Location of the enterprise	
	성명 Name of the employer	사업자등록번호 (주민등록번호) Identification number
근로자 Worker	성명 Name of the worker	생년월일 Birthdate
	본국주소 Address(Home Country)	

1. 근로계약기간	신규 또는 재입국자: ( )개월, 사업장변경자: 년 월 일~ 년 월 일 - 수습기간 : [ ]활용(입국일부터 [ ]1개월 [ ]2개월 [ ]3개월) [ ]미활용 ※ 신규 또는 재입국자의 근로계약기간은 입국일부터 기산함(다만, 법 제18조의4에 따라 출국한 날부터 3개월이 지난 후 재입국한 경우는 입국하여 근로를 시작한 날부터 근로계약의 효력발생)	
1. Term of Labor contract	New or Re-entering employee: ( ) month(s) Employee who changed workplace: from (YY/MM/DD) to (YY/MM/DD) - Probation period: [ ] Included (for [ ] 1 month [ ] 2 months [ ] 3 months from entry date), [ ] Not included. * For new and re-entering employees, the labor contract will enter into effect from the entry date(but, the contract of employees who re-enter three months after departing from Korea in accordance with Article 18-4 will take effect from the first day of work). from (YY/MM/DD) to (YY/MM/DD)	
2. 근로 장소	※ 근로자를 이 계약서에서 정한 장소 외에서 근로하게 해서는 아니됨	
2. Place of employment	※ The undersigned employee is signed employee is not allowerd to work apart from the contract farm or enterprise.	
3. 업무내용	- 업종: - 사업내용: - 직무내용:	
3. Description of work	- Industry: - Business description: - Job description:	
4. 근무시간	〈제조업, 건설업, 서비스업〉 시 분 ~ 시 분 - 1일 평균 시간외 근로시간: 시간(사업장 사정에 따라 변동 가능) - 교대제([ ]2조2교대, [ ]3조3교대, [ ]4조3교대, [ ]기타) 〈농업, 축산업, 어업〉 월 ( )시간	※ 가사사용인, 개인간병인의 경우에는 기재를 생략할 수 있음. ※ An employer of workers in domestic help, nursing can omit the working hours. ※ 「근로기준법」 제63조에 따른 농림, 축산, 양잠, 수산 사업의 경우 같은 법에 따른 근로시간, 휴게, 휴일에 관한 규정은 적용받지 않음.
4. Working hours	〈Manufacturing, construction and service sectors〉 from ( ) to ( ) - average daily over time: hours (changeable depending on the condition of a company) - shift system ([ ]2groups 2shifts, [ ]3groups 3shifts, [ ]4groups 3shifts, [ ]etc.) 〈Agriculture & livestock and fishery sectors〉 - ( ) hours per month	

210mm×297mm[일반용지 70g/㎡(재활용품)]

<table>
<tr><td>5. 휴게시간</td><td>1일 분</td><td rowspan="4">※ In pursuant to the Article 63 of the Labor Standards Act, working hours, recess hours, off-days are not applied to agriculture, forestry, live-stock breeding, silk-raising farming and marine product businesses.</td></tr>
<tr><td>5. Recess hours</td><td>( )minutes per day</td></tr>
<tr><td>6. 휴일</td><td>[ ]일요일 [ ]공휴일 [ ]매주 토요일
[ ]격주토요일 [ ] 기타( )</td></tr>
<tr><td>6. Holidays</td><td>[ ]Sunday [ ]legal holiday
[ ]every Saturday [ ]every other Saturday
[ ]etc.( )</td></tr>
<tr><td>7. 임금</td><td colspan="2">1) 월 통상임금 ( )원
- 기본급[월(시간, 일, 주)급] ( )원
- 고정적 수당: (수당: 원), (수당: 원)
※ 수습기간 중 임금 ( )원
2) 연장, 야간, 휴일근로에 대해서는 수당 지급</td></tr>
<tr><td>7. Payment</td><td colspan="2">1) Monthly Normal wages
- Monthly (hourly, daily, or weekly) wage ( )won
- Fixed Allowances: ( )allowances: ( )won, ( )allowances: ( )won
※ Probation period - Monthly wage ( )won
2) Additional pay rate applied to overtime, night shift or holiday work.</td></tr>
<tr><td>8. 임금지급일</td><td colspan="2">매월/매주 ( )일/요일. 다만, 임금 지급일이 공휴일인 경우에는 전날에 지급한다.</td></tr>
<tr><td>8. Payment date</td><td colspan="2">( ) of every month/every week. If the payment date falls on a holiday, payment will be made on the day before the holiday.</td></tr>
<tr><td>9. 지급방법</td><td colspan="2">임금 및 수당은 "근로자"에게 직접 지불하거나 "근로자"의 명의로 된 예금통장에 입금한다. "사업주"는 근로자의 명의로 된 예금통장, 도장을 관리해서는 안 된다.</td></tr>
<tr><td>9. Payment methods</td><td colspan="2">Wages and benefits will be paid to the worker or deposited to the bank account of the worker. The employer will not retain the bank book and the seal of the worker.</td></tr>
<tr><td>10. 숙식제공</td><td colspan="2">1) 숙박시설
- 숙박시설 제공 여부: [ ]제공 [ ]미제공
(제공시 숙박시설의 유형([ ]단독주택, [ ]연립·다세대주택, [ ]아파트 또는 주택에 준하는 시설, [ ] 그 밖의 임시주거시설)
- 숙박비용 근로자 부담 여부: [ ]부담(부담금액 :) [ ]미부담
2) 식사 제공
- 식사 제공 여부: 제공([ ]조식, [ ]중식, [ ]석식) [ ]미제공
- 식사비용 근로자 부담 여부: [ ]부담 [ ]미부담
※ 숙식 제공의 범위와 근로자 부담 비용의 수준은 입국 후 사업주와 근로자 간 협의에 따라 별도로 결정</td></tr>
<tr><td>10.Room and Board</td><td colspan="2">1) Room
- Provided by the employer: [ ]Yes, [ ]No
- Cost will be shared by the worker: [ ]Yes, [ ]No
2) Board
- Provided by the employer: Yes([ ]breakfast, [ ]lunch, [ ]dinner), [ ]No
- Cost will be shared by the worker: [ ]Yes, [ ]No
※ The scope of the room and board and the amount of the cost to be borne by the worker will be decided by mutual consultation between the employer and the worker after worker's arrival.</td></tr>
<tr><td colspan="3">11. 이 계약에서 정하지 않은 사항은 「근로기준법」에서 정하는 바에 따른다.
※ 가사서비스업 및 개인간병인에 종사하는 외국인근로자의 경우 근로시간, 휴일·휴가, 그 밖에 모든 근로조건에 대해 사용자와 자유롭게 계약을 체결하는 것이 가능합니다.</td></tr>
<tr><td colspan="3">11. Other matters not regulated in this contract will follow provisions of the Labor Standard Act.
※ The terms and conditions of the labor contract for workers in domestic help and nursing can be freely decided through the agreement between an employer and a worker.</td></tr>
<tr><td colspan="3">년 월 일
(YY/MM/DD)
사업주: (서명 또는 인)
Employer: (signature)
근로자: (서명 또는 인)
Worker: (signature)</td></tr>
</table>

연 봉 근 로 계 약 서

사용자(甲)	성 명		사업의 종류	
	사업체명			
	소 재 지			
근로자(乙)	성 명		주민등록번호	
	주 소			

제1조(고용계약) 근로자 (乙)은 사용자(甲)의 ○○ 업무에 관하여 노무를 제공할 것을 약속하고 사용자(甲)는 이에 보수를 지급할 것을 약속한다.

제2조(근로자의 성실의무) 근로자는 사용자의 명령・지시에 따라 성실히 ○○업무에 종사한다.

제3조(임 금)

총 계약 연봉금액 : 원(이하에서 단위는 생략한다)

1) 기 본 급(연간):

2) 제 수 당(연간):

(제 수당에는 기본급 외 연간 452시간분의 연장, 휴일, 야간 근로수당〈기준연봉의 15% 금액〉이 포함되어 있다)

> (검토 및 작성요령)
> ○ 기타 수당포함 연봉액 : 기본급에 후에 발생하게 될 각종 수당을 미리 고정적으로 결정하여 임금에 포함시키고 사후에 구체적으로 발생하게 되는 제반 수당을 따로 지불하지 않는 임금산정방식도 유효하다.

제4조(제 수당 및 통상임금)

1) 연차수당과 퇴직금 중간정산은 1년 이상 근무한 자에 한하여 지급한다.

2) 제 수당에는 법정수당(연장, 휴일, 야간근무수당 등)과 기타 회사 임의 수당으로써 모든 항목을 포함한 것으로 간주하여 지급한다.

3) 통상임금은 제3조의 1) 연간 기본금액을 12등분하여 12분의 1에 해당하는 금액으로 한다. 단, 매달 지급되는 기본 월 연봉을 통상임금의 산정기초로 되는 임금으로 하고 기본 월연봉, 각종 상여금 및 법정수당을 합산한 금액을 평균임금 산정기초가 되는 임금으로 한다.

(작성 · 검토요령)

○ 통상임금 : 통상임금은 정기적, 일률적으로 지급하는 고정금액의 임금이므로, 실제 근무나 근무실적에 따라 지급여부와 지급액이 변동되는 임금은 통상임금의 산정에서 제외된다.

○ 연차수당 : 연차 유급휴가근로수당(연차수당)은 연차 유급휴가일에 휴가를 사용하지 않고 근로한 것에 대한 임금으로, 발생요건이 불확정적이기 때문에 원칙적으로는 연차휴가일수나 수당을 미리 예상하여 정할 수도 없고 연차유급휴가의 기회를 주고 휴가 미사용분에 수당을 지급하는 순서이다. 휴가청구권이 소멸되지 않은 상태에서 연차휴가수당을 미리 지급하는 것은 근로자가 이에 동의했다 하더라도 무효가 될 수 있으므로 연봉액과 별도로 연차휴가나 수당은 개별적으로 산정해 지급하도록 하는 것이 바람직하다.

○ 퇴직금 중간정산 : 「근로기준법」 제34조 3항은 근로자요구에 의한 퇴직금 중간정산을 인정하고 있다. 연봉액에 퇴직금을 포함하여 계약기간 1년이 경과된 후 지급이 가능하다.

제5조(지급방법 및 시기) 총 계약연봉 금액을 12등분하여 매월 취업규칙상 정하여진 날에 지급한다.

제6조(기밀유지) 급여명세서는 절대 기밀을 유지하며 이를 위반 시는 이로 인한 모든 불이익을 감수한다.

제7조(근로시간)

1) 평일 근무시간은 : 부터 : 까지로 하고 토요일은 : 부터 : 까지로 한다.

2) 전 1)항의 근로시간을 초과하는 452시간 범위 내의 연장근로 및 휴일근로에 대한 수당은 제3조의 2) "제 수당"에 포함된 것으로 본다.

제8조(휴게시간 및 유급휴일)

1) 휴게시간의 경우 1일 60분으로 한다.

2) 유급휴일과 관련된 사항은 별도의 제 규정에서 정한 바에 의한다.

(작성 · 검토요령) 사용자는 근로시간 4시간에 대하여 30분 이상, 8시간에 대하여 1시간 이상의 휴게시간을 근로자에게 주어야 하며(「근로기준법」 제53조 제1항 제2항, 벌칙 제113조), 1월에 대해 1일의 유급휴가를 주어야 한다(「근로기준법」벌칙 제113조)고 규정하고, 1년간 개근한 근로자에 대하여는 10일 9할 이상 출근한 자에게 8일의 유급휴가를 주어야 한다. 휴게시간, 유급휴가 등을 어떻게 제공할 것인가는 취업규칙이나 단체협약을 따른다.

제9조(근태사항) 다음 각 호의 사유가 있는 경우에는 취업규칙 상 관련 규정을 적용하여 연봉을 지급한다.

1. 휴직　　　　2. 결근　　　　3. 감급, 정직

> (작성 · 검토요령) 연봉계약서, 취업규칙 및 단체협약 등 연봉제에 대한 근거규정에 「근로기준법」 제98조의 범위에서 감급에 관한 사유와 감액정도를 명확히 규정하였다면 이에 따르게 되는 것이다. 사용자와의 협의를 통해 미리 취업규칙 등에 근태관리에 대한 사항을 명기하고, 임금삭감 등에 관한 제재의 규정을 정할 필요가 있다.

제10조(계약기간)

1) 20 년 월 일 - 20 년 월 일(개월 간)

2) "갑"과 "을"은 계약만료 1개월 전에 재계약을 하는 것으로 한다.
단, 1개월 전에 상대방에게 통지가 없을 때에는 본 근로계약은 1년간 자동 연장된 것으로 간주한다. 이때 차기 연봉계약은 평정한 인사고과에 의하여 계약을 갱신하는 것으로 한다.

제11조(관련법령 준용) 본 계약서에 명시되지 않은 사항은 취업규칙 및 근로기준법의 관련조항을 준용하도록 한다.

위와 같이 연봉 근로계약을 체결한다.

20 년 월 일

사 용 자 (갑) :

근 로 자 (을) :

종교단체의 퇴직연금 가입

○ 종교단체는 종교인을 포함한 임직원이 있는 경우 규약 등에 퇴직금 산정기준을 정하여 지급근거를 유지하고 그 기준에 따라 지급하여야 합니다.

○ 퇴직연금은 퇴직금 추계액 범위에서 「퇴직급여보장법」에 따라 퇴직급여를 충실하게 보장받을 수 있도록 회사 외부에 연금형태로 적립하도록 한 것으로, 영리기업의 경우 세법상으로도 손금인정을 받을 수 있습니다.

○ 퇴직연금의 운용방식으로, 확정급여(DB)형은 종교단체가 직접 외부운용하는 것으로 현실적인 퇴직시까지 종교단체의 자산으로 표시 관리되며, 확정기여(DC)형은 퇴직금상당액을 퇴직연금에 불입하여 외부 적립되면 근로자에게 퇴직금을 지급한 것으로 처리됩니다.

구 분	내 용
확정급여형 (DB형)	• 근로자가 퇴직 시 받을 퇴직급여가 사전에 확정 • 사용자가 매년 부담금을 금융회사에 적립하여 책임지고 운용하며, 운용결과와 관계없이 근로자는 사전에 정해진 수준의 퇴직급여 수령
확정기여형 (DC형)	• 사용자가 납입할 부담금이 사전에 확정 • 근로자가 직접 적립금을 운용하며, 근로자 본인이 추가 납입도 가능. 사용자가 납입한 부담금과 운용손익을 최종 급여로 수령

3 종교단체의 사회보험

종교관련 종사자의 사회보험 적용

○ **종교인소득의 사회보험 가입대상** : 종교관련 종사자가 근로소득이 아닌 기타소득으로 종교인소득을 원천징수나 종합소득으로 신고한 경우 현행법령상 가입조건인 '근로대가'나 「소득세법」 제20조에 따른 근로소득이 아니어서 고용·산재보험은 물론 원칙적으로 건강보험·국민연금 가입대상에서 제외됩니다.

구분	건강보험	국민연금	고용보험·산재보험
보수 개념	근로의 대가로 받은 봉급, 급료, 보수, 세비(歲費), 임금, 상여, 수당, 그 밖에 이와 유사한 성질의 금품으로서 다음 각 호의 것을 제외한 것을 말한다. 1. 퇴직금 2. 현상금, 번역료 및 원고료 3. 「소득세법」에 따른 비과세 근로소득. 다만, 「소득세법」 제12조 제3호 차목·파목 및 거목에 따라 비과세되는 소득은 제외한다.	「소득세법」 제20조 제1항에 따른 근로소득에서 같은 법 제12조 제3호에 따른 비과세 근로소득(「조세특례제한법」 제18조의2에 따라 과세하지 아니하는 금액을 포함)을 뺀 소득	「소득세법」 제20조에 따른 근로소득에서 대통령령으로 정하는 금품을 뺀 금액을 말한다.
근거 조항	「국민건강보험법 시행령」 제33조(보수에 포함되는 금품 등)	「국민연금법 시행령」 제3조(소득의 범위)	「고용보험 및 산업재해보상보험의 보험료징수 등에 관한 법률」 제2조(정의)

○ **종교인소득(기타소득)으로 신고한 경우 직장가입자 자격** : 종교단체의 종교인이 '근로자'인 경우 국민연금 사업장가입자와 건강보험 직장가입대상자가 되지만 종교인소득으로 원천징수한 경우 근로소득

이 아닌 '기타소득'이므로, 근로소득만 직장가입대상 소득으로 정하고 있는 현행 법령상 원칙적으로는 직장가입을 할 수 없게 됩니다.

* 종교단체의 종교인이 기타소득으로 신고하면 현행법령상 가입대상과 직장가입대상에서 제외되는 문제가 발생합니다. 이에 따라 「국민연금법」이나 「건강보험법」상 종교인소득도 별도의 '소득'으로 정하는 등 종교인도 가입대상과 직장가입이 가능하도 관련 규정을 보다 명확하게 개정할 필요가 있습니다.

○ **종교관련종사자의 국민연금 · 건강보험 지역가입** : 만약 종교단체가 종교관련종사자의 종교인소득을 기타소득으로 원천징수하는 경우 종교관련종사자가 다른 가입자의 피부양가족이 아니라면 원칙적으로 지역가입 대상자가 됩니다(국민연금법 §9, 국민건강보험법 §6). 이 경우 종교인소득(기타소득) 신고내용으로 매년 11월에 기준소득을 재조정하게 됩니다.

○ **종교인소득의 국민연금 · 건강보험 대상 의제** : 하지만 현재 공단에서는 건강보험의 경우 종교인소득도 근로의 대가로 보아 가입대상과 직장가입자로 보고 있으며, 국민연금의 경우도 가입대상으로 보고 원칙적으로 지역가입자지만 종교단체와 종교인이 합의하여 사업장가입을 희망하는 경우 사업장가입이 가능하다고 해석하고 있습니다.

○ 종교단체의 종교관련종사자나 임직원이 근로자 지위로 국민연금이나 건강보험 직장가입자로 가입하면, 소득자인 종교관련종사자가 아닌 종교단체가 총 보험료 등의 50%를 부담하고 보험료도 통상적으로 저렴하여 지역가입자로 유지하는 경우보다 부담을 줄일 수 있습니다.

○ 종교단체의 사회보험 의무(소관부처의 현행 해석 기준)

종교인소득	구분	국민연금	건강보험	고용보험	산재보험
(기타소득) 원천징수/연말정산, 종합소득확정신고	종교단체	△	○	×	×
	종교인	○	○	×	×
(근로소득) 원천징수/연말정산, 종합소득 확정신고	종교단체	○	○	×	×
	종교인	○	○	×	×

* ○ : 경우 종교단체나 종교인이 사회보험을 부담하는 경우
△ : 종교단체와 종교인이 합의하여 사업장가입을 희망하는 경우 사업장가입 가능
× : 근로자로 보지 않아 적용대상 제외

4대 사회보험 보험요율

4대 보험		부과 기준	보험요율(2019)		
			보험요율	근로자	사업자
국민연금		기준소득월액	9.00%	4.5%	4.5%
건강보험	건강보험료	보수월액	6.46%	3.23%	3.23%
	장기요양보험료	건강보험료	8.51%		
고용보험	실업급여		1.30%	0.65%	0.65%
	고용안정 직업능력 개발사업	150명 미만 기업			0.25%
		150명 이상 기업 (우선지원대상기업)			0.45%
		150~1,000명 기업			0.65%
		1,000명 이상 기업, 국가, 지자체			0.85%
산재보험	농축산업		2.0%		
	제조업		0.6~2.4%		
	건설업		3.6%		

4대 보험		부과 기준	보험요율(2019)		
			보험요율	근로자	사업자
	운수 창고업		0.8~1.8%		
	사업서비스업		0.8%		
	기타 업종		0.6~1.3%		

보험료 산정기준

○ **국민연금** : 기준소득월액 = 전년도 소득총액 ÷ 해당 사업장 종사 기간 총 일수 × 30배

① **기준소득월액 결정방법** : 자격취득(납부재개)시 기준소득월액은, 사용자가 근로자에게 지급하기로 약정했던 금액으로 결정하며, 입사(복직)당시 급여가 예상가능한 모든 근로소득을 포함해 사용자가 국민연금공단에 신고한 금액으로 결정됩니다. 가입기간 중에는 전년도 중 해당사업장에서 얻은 보수총액을 근무일수의 30배로 나눈 금액으로 정합니다.

② **기준소득월액 한도액** : 최저 30만원~최고 468만원*

③ **기준소득월액 적용방법** : 전년도 소득총액기준으로 해당연도 7월~다음해 6월까지 적용(* ② 한도액 적용시기는 2018.7.~2019.6)

○ 건강보험

① **보험료 기준** : '보수월액보험료'는 직장가입자의 소득 능력에 따라 보험료를 부과합니다. 전년도 신고한 보수월액으로 보험료를 부과한 후 해당연도 보수총액을 신고 받아 정산하는 방식을 채택합니다. '소득월액보험료'는 보수월액에 포함된 보수를 제외한 소득(보수외 이자 · 배당 · 사업 · 연금 · 기타소득)이 연간 3,400만원(2018. 7.1. 이후 기준, 2002. 9.1.~ 2018.6.30. 기간은 7,200만원)을 초과하는 직장가입자에게 보수 외 소득을 기준으로 추가로 부과합니다.

② 보수월액보험료: 근로소득 기준

건강보험료 = 보수월액* × 보험료율(6.46%=근로자 3.23% + 사용자 3.23%)
장기요양보험료 = 건강보험료 × 장기요양보험료율(8.51%)

* 보수월액 : 직장가입자가 해당 연도에 받은 보수총액을 근무월수로 나눈 금액. 2018. 7월부터 '보수월액' 상한선은 폐지하고 '보수월액보험료' 상한선(=전전년도 직장평균 보수월액 보험료의 30배)을 신설하였습니다.

③ 소득월액보험료: 근로소득 외 추가소득 기준

건강보험료 = [소득월액* × 보험료율(6.46%)] × 50 / 100
장기요양보험료 = 건강보험료 × 장기요양보험료율(8.51%)

* 소득월액 : 보수월액에 포함된 보수를 제외한 직장가입자의 소득으로 이자, 배당, 사업, 근로, 연금, 기타소득을 12로 나눈 금액을 말합니다. 여기에는 양도소득, 퇴직소득은 제외됩니다.
근로소득, 연금소득 : 30% 적용하며, 소득월액보험료 상한선은 전전년도 직장 평균 보수월액 보험료의 15배가 적용됩니다.

사회보험 가입대상(직장가입자)

구분	국민연금	건강보험	고용보험	산재보험
적용대상	국민연금 적용 사업장에 종사하는 18세 이상 60세 미만의 근로자와 사용자	• 상시 1인 이상의 근로자를 사용하는 사업장에 고용된 근로자(연령제한 없음) • 사용자 • 공무원, 교직원 • 시간제근로자	「근로기준법」에 따른 근로자	
제외대상	• 타 공적연금 가입자 • 노령연금수급권을 취득한 자 중 60세 미만의 특수직종근로자 • 조기노령연금 수급권을 취득하고 지급정지되지 않은 자 • 퇴직연금 등 수급권자 • 「국민기초생활보장법」 수급자	• 「의료급여법」에 따라 의료급여 받는 자 • 「독립유공자예우에 관한법률」나 「국가유공자등 예우 및 지원에 관한 법률」에 의하여 의료보호를 받는 사람 • 1월 미만 동안 고용되는 일용근로자 • 하사(단기복무자에 한함) · 병이나 무관후보생 • 선거로 취임공무원으로 매월 보수급료를 받지아니하는 자 • 비상근 근로자나 1월간의 소정 근로시간이 60시간 미만 단시간근로자(교직원 · 공무원 포함)	• 65세 이상인 자(다만 고용안정, 직업능력개발사업은 적용) • 1월간 소정근로시간 60시간 미만 근로자(1주간 15시간 미만자 포함) 다만, 생업목적근로자 제공하는 자 중 3개월 이상 계속근로를 제공자와 1개월 미만 고용 일용근로자는 적용대상	「공무원연금법」, 「군인연금법」, 「선원법」 · 「어선원 및 어선재해보상보험법」나 「사립학교 교직원 연금법」에 의하여 재해보상이 행하여지는 사람

구분	국민연금	건강보험	고용보험	산재보험
제외 대상	• 일용근로자나 1개월 이내 신고 기한부근로자(1개월이상 계속사용시 제외) (일용근로자, 시간 제근로자는 근로계약여부나 내용 관계없이 고용기간이 1개월 이상, 시간이 월 60시간이나 월 8일 이상이면 가입대상) • 법인이사 중 근로소득이 없는 사람	• 소재지가 일정하지 아니한 사업장의 근로자 및 사용자 • 근로자가 없거나 비상근 근로자나 1월간의 소정 근로시간이 60시간 미만인 단시간근로자만 고용사업장의 사업주	• 공무원(별정직, 계약직공무원은 임의가입 가능) 다만, 임용일부터 3개월 이내에 신청 • 사립학교교직원 연금법 적용자 • 별정우체국 직원 • 외국인근로자. 다만 거주(F-2), 영주(F-5)자격은 당연적용, 주재(D-7)·기업투자(D-8) 및 무역경영(D-9)은 상호주의 적용	

○ 사업장가입자 취득신고

구분	국민연금	건강보험	고용보험	산재보험
취득 시기	① 사업장이 1인 이상의 근로자를 사용하게 된 때 ② 적용사업장에 근로자나 사용자로 종사하게 된 때 ③ 적용사업장에 종사근로자가 18세 이상된 때 ④ 일용근로자 • 1월 미만 신고기한부 근로자가 1개월 이상 사용된 때 ⑤ 적용사업장에 종사근로자나 사용자가 기초수급자에서 해지된 때	① 근로자 : 적용사업장에 사용된 날 ② 사용자 : 적용사업장의 사용자가 된 날 ③ 공무원 : 공무원으로 임용된 날 ④ 교직원 : 교원은 해당학교에 교원으로 임명된 날, 직원은 해당 학교나 그 학교경영기관에 채용된 날 ⑤ 일용근무자 • 1월 초과 사역결의되는 자 : 최초 사역일 • 1월 이내 정해 계속 사역결의되는 자 : 최초 사	① 고용보험 적용 사업장에 고용일 ② 고용보험 적용제외 근로자였던 자가 고용보험 적용받게 된 경우 그 적용을 받게 된 날 ③ 보험관계성립일 전에 고용된 근로자의 경우 보험관계가 성립한 날 ④ 둘 이상 사업장 동시 근로자가 나중에 신고사업장에서 피보험자격취득하는 경우 이미 피	① 산재보험 적용사업장 고용일 ② 산재보험 적용제외 근로자였던 자가 산재보험 적용받게 된 날 ③ 보험관계성립일 전에 고용된 근로자는 보험관계 성립일 ④ 사업종류 변경으로 자진신고대상사업에서 부과고지대상사업장으로 변경된 경우 변경일 ⑤ 해외파견자가 국내성립된 부과고지사업장으로 복귀시 복귀일 ⑥ 특수형태근로종사자가 고용관계가 변동되어 일반근로자된 경우 일반근로자가 된 날 ⑦ 산재보험고용정보신고제외자가

구분	국민연금	건강보험	고용보험	산재보험
취득 시기	⑥ 가입사업장 18세 미만 근로자 가입신청이 수리된 때	역일부터 1월을 초과하는 날	보험자격을 취득사업장에서의 피보험자격 상실일	고용관계가 변동되어 신고대상된 경우 신고대상된 날 ⑧ 산재보험적용제외사업장이 적용사업장으로 변경된 경우 보험관계가 성립한 날
신고 기한	사유발생일이 속하는 달의 다음달 15일까지	자격취득일로부터 14일 이내	사유 발생일이 속하는 달의 다음달 15일까지	사유 발생일이 속하는 달의 다음달 15일까지
처리 기관	국민연금공단 관할지사	국민건강보험공단 관할지사	근로복지공단 관할지사	
신고 서류	사업장가입자자격취득신고서	직장가입자자격취득신고서	피보험자격취득신고서	근로자 고용신고서
첨부 서류	특수직종근로자에 한하여 임금대장	해당없음	해당없음	해당없음
유의 사항	일용직 등 1월 이상 근무자는 최초고용일이나 근로자된 날 자격취득일	피부양자 있는 경우 : 주민등록등본으로 가입자와의 관계입증 불가시 가족관계증명서 등 제출	일용근로자는 다음달 15일까지 근로내용 확인 신고서를 제출	• 부과고지대상 사업장만 신고(건설업 사업장은 대상 아님) • 일용근로자는 다음달 15일까지 근로내용확인신고
문의	국번없이 1355 국민연금공단 사이트	1577-1000 국민건강보험공단 사이트	1588-0075 고용·산재보험 토탈서비스 사이트	

국민연금 · 건강보험 지역가입

○ 가입대상

구분	국민연금	건강보험
적용대상	국내에 거주하는 18세 이상 60세 미만의 국민으로서 사업장가입자가 아닌 사람	• 국내에 거주하는 국민 • 취득요건을 갖춘 외국인 및 국내거소신고를 필한 재외국민 중 공단에 건강보험의 적용을 신청한 사람
제외대상	• 다른 공적연금가입자 • 노령연금수급권을 취득한 자 중 60세 미만의 특수직종근로자 • 조기노령연금 수급권을 취득하고 그 지급이 정지되지 아니한 자 • 퇴직연금 등 수급권자 • 18세 이상 27세 미만인 자로서 학생이거나 군복무 등으로 소득이 없는 사람(연금보험료를 납부한 사실이 있는 사람은 제외) • 기초수급자 • 사업장 가입자, 지역 가입자 및 임의계속가입자, 별정우체국직원, 다른 공적연금 가입자, 노령연금수급권자나 퇴직연금 등 수급권자의 배우자로서 별도 소득이 없는 사람	• 「의료급여법」에 따라 의료급여를 받는 수급자 • 직장가입자와 그 피부양자 • 유공자 등 의료급여대상자 (본인의사에 따라 가입이나 탈퇴 가능)
관리단위	개인별	세대별
관리번호	주민등록번호	건강보험증번호

○ 지역가입자 취득신고

구분	국민연금	건강보험
처리 기관	국민연금공단 관할지사	국민건강보험공단 관할지사
신고 의무자	가입자 본인(배우자나 가족이 대리 신고 가능) * 18세 미만 근로자의 경우 가입신청서를 제출한 때	세대주
취득 시기	① 18세 이상 27세 미만으로서 소득이 있게 된 날 ② 27세 미만인 자가 27세 이상이 되는 날(생일) ③ 다른 공적연금가입자나 사업장가입자의 자격상실일 ④ 소득 있는 자가 18세 이상 되는 날(생일) ⑤ 18세 이상 60세 미만자로서 다른 공적연금가입자, 사업장가입자, 지역가입자, 임의계속가입자, 별정 우체국직원, 노령연금수급권자, 퇴직연금 등 수급권자의 무소득 배우자로서 별도소득이 있게 된 날 ⑥ 60세 미만의 조기노령연금수급권자가 지급이 정지된 날 ⑦ 기초수급자에서 해지된 날 ⑧ 적용제외 처리되었던 해외거주자가 국내거주하게 된 날	① 출생 : 출생일 ② 국적취득 : 주민등록이 완성된 날 ③ 직장가입자에서 지역가입자로 자격변동 : 직장자격상실일로 지역자격취득 ④ 수급권자 : 의료급여법에 의한 수급권자가 그 대상에서 제외된 날 ⑤ 유공자 등 의료보호대상자 : 건강보험 적용을 신청한 날 ⑥ 주민등록 거주불명 등록자 : 거주불명등록 이후 공단에 신청한 날
신고 기한	취득 사유발생일이 속하는 달의 다음달 15일까지	자격취득일부터 14일 이내

구분	국민연금	건강보험
신고서류	지역가입자 자격취득신고서	지역가입자 자격취득 · 변동신고서
첨부서류	① 특수직종근로자의 경우에는 임금대장이나 선원수첩 사본 등의 입증서류 ② 진단서나 휴직발령서 사본 등의 입증서류(납부예외 신청시) ③ 농어업인인 경우 농어업인 확인서	
신고처리	사회보험 각 기관 지사나 인터넷(www.4insure.or.kr) [전자민원] 신고	
전자민원신고	전자민원 〉자격취득 〉국민연금/건강보험 지역가입자 자격취득신고에서 신고	
유의사항	① 적용제외자에 해당하는지 여부 ② 자동이체시 금융기관, 계좌번호, 예금주성명, 주민등록번호 등 확인 ③ 납부예외 신청대상인지 확인 ④ 3년 이상 소급하여 취득하는 경우 국민연금공단에 직접 신고	직장가입자가 상실할 경우 상실일자로 지역자격 취득(자격변동처리)
상세내역문의	국번 없이 1355 국민연금공단 고객센터	1577-1000 건강보험공단 고객센터

종교인소득의 사회보험 적용

[사례 37] 종교인소득은 근로소득이나 기타소득 등 소득의 종류나 원천징수 여부와 무관하게 무조건 건강보험이나 국민연금 가입대상인가요?

➡ 종교인소득이 '근로의 대가'인지에 대한 논란이 있으나, 근로의 대가로 보는 경우 소득의 종류나 원천징수 여부와 무관하게 건강보험과 국민연금의 취득신고 대상이 되는 것으로 소관 부처는 해석하고 있습니다.

[사례 38] 종교인 1인만 있는 종교단체도 건강보험과 국민연금 적용대상인지요?

➡ 건강보험 적용사업장인지 여부는 근로자가 1인 이상인지 여부에 따라 달라지므로 근로자가 없는 경우에는 적용대상 사업장이 아닙니다. 다만 법인(법인으로 보는 단체를 포함)인 경우에는 대표자를 근로자로 보아 판단합니다. 이에 비해 국민연금 적용사업장은 근로자가 없고 사용주 1인인 경우도 가입대상이 됩니다.

[사례 39] 종교인소득을 기타소득으로 원천징수하거나 기타소득으로 종합소득 신고(소득금액 300만원 이하인 경우 제외)를 하는 경우도 국민연금과 건강보험 직장(사업장)가입대상인가요?

➡ 종교인소득을 기타소득으로 보더라도 사용자가 근로의 대가로 근로자에게 지급한 것이라면 해당 보수월액을 기준으로 직장가입자 취득신고를 할 대상으로 봅니다. 다만 국민연금의 경우 보험료 원천공제가 가능하고 종교단체와 종교인이 사업장 가입을 희망하여 신청하는 경우에 한하도록 하고 있습니다.

[사례 40] 종교단체가 기타소득으로 원천징수하고 반기별신고를 하는 경우나 종교단체가 원천징수 없이 종교인이 직접 종합소득 신고를 하는 경우도 국민연금과 건강보험 직장(사업장)가입자로 매월 신고할 수 있는지요?

➡ 세법에 따라 원천징수를 하지 않는다 해도 근로자로서 직장(사업장)가입자 적용요건을 충족하면 근로관계가 성립한 날부터 직장(사업장)가입자 자격취득신고를 할 수 있습니다.

[사례 41] 종교인소득을 기타소득으로 원천징수하거나 종합소득 신고하는 경우 국민연금 부과대상이 아닌가요?

➡ 종교인소득을 기타소득으로 신고납부하는 경우에는 원칙적으로 소득세법상 근로소득이 아니므로 부과대상이 아닙니다. 하지만 종교단체가 해당 종교인에 대하여 직장가입신청을 한 경우에는 직장가입도 가능하지만, 그렇지 않은 경우에는 지역가입자가 될 것입니다.

부록

부록 1 공익법인 회계기준

부록 2 종교인소득 간이세액표

부록 1 공입법인 회계기준

공익법인 회계기준(기획재정부 고시 제2017-35호)

제 1 장 총칙

제1조(목적) 공익법인회계기준(이하 '이 기준'이라 한다)은 「상속세 및 증여세법」 제50조의 4 및 같은 법 시행령 제43조의 4에 따라 같은 법 제16조 제1항에 따른 공익법인등(이하 '공익법인'이라 한다)의 회계처리 및 재무제표를 작성하는 데 적용되는 기준을 제시하는 것을 목적으로 한다.

제2조(적용) 이 기준은 공익법인이 「상속세 및 증여세법」 제50조 제3항에 따라 회계감사를 받는 경우 및 같은 법 제50조의 3에 따라 결산서류 등을 공시하는 경우 등에 적용한다.

제3조(보고실체) 이 기준에 따라 재무제표를 작성할 때에는 공익법인 전체를 하나의 보고실체로 하여 작성한다.

제4조(복식부기와 발생주의) ① 이 기준에 따라 회계처리 및 재무제표를 작성할 때는 발생주의 회계원칙에 따라 복식부기 방식으로 하여야 한다.

② '복식부기'란 공익법인의 자산, 부채, 순자산의 증감 및 변화과정과 그 결과를 계정과목을 통하여 대변과 차변으로 구분하여 이중기록 · 계산이 되도록 하는 부기형식을 말한다.

③ '발생주의'란 현금의 수수와는 관계없이 수익은 실현되었을 때 인식하고 비용은 발생되었을 때 인식하는 개념으로서 기간손익을 계산할 때 경제가치량의 증가나 감소의 사실이 발생한 때를 기준으로 수익과 비용을 인식하는 것을 말한다.

제5조(재무제표) 이 기준에서 재무제표는 다음 각 호의 서류로 구성된다.

1. 재무상태표

2. 운영성과표

3. 위 제1호 및 제2호의 서류에 대한 주석

제6조(다른 법령과의 관계 등) ① 공익법인의 회계처리 및 재무제표 작성에 관하여 이 기준에서 정하지 아니한 사항은 일반기업회계기준에 따른다.

② 제4조 제2항 및 제3항에 따른 공익법인의 회계처리 및 재무제표 작성에 관하여 다른 법령에서 특별한 규정이 있는 경우 외에는 이 기준에 따른다.

제7조(회계정책, 회계추정의 변경 및 오류수정) ① 재무제표를 작성할 때 채택한 회계정책이나 회계추정은 비슷한 종류의 사건 또는 거래의 회계처리에도 동일하게 적용한다.

② '회계정책의 변경'이란 재무제표의 작성에 적용하던 회계정책을 다른 회계정책으로 바꾸는 것을 말한다.

③ 이 기준에서 변경을 요구하거나, 회계정책의 변경을 반영한 재무제표가 신뢰성 있고 더 목적적합한 정보를 제공하는 경우에만 회계정책을 변경할 수 있다.

④ '회계추정의 변경'이란 환경의 변화, 새로운 정보의 입수 또는 경험의 축적에 따라 회계적 추정치의 근거와 방법 등을 바꾸는 것을 말한다. 이 경우 회계추정에는 대손의 추정, 감가상각자산에 내재된 미래 경제적 효익의 예상되는 소비형태의 유의적인 변동, 감가상각자산의 내용연수 또는 잔존가치의 추정 등이 포함된다.

⑤ 변경된 회계정책은 소급하여 적용하며 소급적용에 따른 수정사항을 반영하여 비교재무제표를 재작성한다.

⑥ 회계추정의 변경은 전진적으로 회계처리하여 그 효과를 당기와 그 이후의 회계연도에 반영한다.

⑦ '오류수정'이란 전기 또는 그 이전 회계연도의 재무제표에 포함된 회계적 오류를 당기에 발견하여 수정하는 것을 말한다.

⑧ 당기에 발견한 전기 또는 그 이전 회계연도의 오류는 당기 운영성과표에 사업외손익 중 전기오류수정손익으로 보고한다. 다만, 전기 또는 그 이전 회계연도에 발생한 중대한 오류의 수정은 비교재무제표를 재작성하여 반영한다. 중대한 오류는 재무제표의 신뢰성을 심각하게 손상할 수 있는 매우 중요한 오류를 말한다.

제8조(재무제표의 구분·통합 표시) 중요한 항목은 재무제표의 본문 또는 주석에 그 내용을 가장 잘 나타낼 수 있도록 구분하여 표시한다.

제9조(비교재무제표의 작성) ① 재무제표의 기간별 비교가능성을 제고하기 위하여 전기 재무제표상의 모든 계량정보를 당기와 비교하는 형식으로 표시한다.

② 전기 재무제표상의 비계량정보가 당기 재무제표를 이해하는 데 관련된 경우에는 이를 당기의 정보와 비교하여 주석으로 기재한다.

제 2 장 재무상태표

제10조(재무상태표의 목적과 작성단위) ① 재무상태표는 회계연도 말 현재 공익법인의 자산, 부채 및 순자산을 표시함으로써 다음 각 호의 정보를 제공하는 것을 목적으로 한다.

1. 공익법인이 정관상 목적사업을 지속적으로 수행할 수 있는 능력
2. 공익법인의 유동성 및 재무건전성

② 재무상태표의 작성은 공익법인을 하나의 작성단위로 보아 통합하여 작성하되, 공익목적사업부문과 기타사업부문으로 각각 구분하여 표시한다.

제11조(재무상태표 작성기준) ① 재무상태표에는 회계연도 말 현재 공익법인의 모든 자산, 부채 및 순자산을 적정하게 표시한다. [별지 제

1호 서식 참조]

② 재무상태표 구성요소의 정의는 다음 각 호와 같다.

1. '자산'이란 과거의 거래나 사건의 결과로 현재 공익법인에 의해 지배되고 미래에 경제적 효익을 창출할 것으로 예상되는 자원을 말한다.
2. '부채'란 과거의 거래나 사건의 결과로 현재 공익법인이 부담하고 있고 미래에 자원이 유출되거나 사용될 것으로 예상되는 의무를 말한다.
3. '순자산'이란 공익법인의 자산 총액에서 부채 총액을 차감한 잔여 금액을 말한다.

③ 자산과 부채는 각각 다음 각 호의 조건을 충족하는 경우에 재무상태표에 인식한다.

1. 자산 : 해당 항목에서 발생하는 미래경제적 효익이 공익법인에 유입될 가능성이 매우 높고, 그 원가를 신뢰성 있게 측정할 수 있다.
2. 부채 : 해당 의무를 이행하기 위하여 경제적 자원이 유출될 가능성이 매우 높고, 의무의 이행에 소요되는 금액을 신뢰성 있게 측정할 수 있다.

④ 자산, 부채 및 순자산은 다음 각 호에 따라 구분한다.

1. 자산은 유동자산 및 비유동자산으로 구분하고, 비유동자산은 투자자산, 유형자산, 무형자산 및 기타비유동자산으로 구분한다.
2. 부채는 유동부채, 비유동부채로 구분하며 고유목적사업준비금을 부채로 인식할 수 있다.
3. 순자산은 기본순자산, 보통순자산, 순자산조정으로 구분한다.

⑤ 자산과 부채는 유동성이 높은 항목부터 배열한다.

⑥ 자산과 부채는 상계하여 표시하지 않는다.

제12조(유동자산) ① '유동자산'은 회계연도 말부터 1년 이내에 현금화되거나 실현될 것으로 예상되는 자산을 말한다.

② 유동자산에는 현금및현금성자산, 단기투자자산, 매출채권, 선급비용, 미수수익, 미수금, 선급금 및 재고자산 등이 포함된다.

③ 매출채권, 미수금 등에 대한 대손충당금은 해당 자산의 차감계정으로, 재고자산평가충당금은 재고자산 각 항목의 차감계정으로 재무상태표에 표시한다.

제13조(투자자산) ① '투자자산'이란 장기적인 투자 등과 같은 활동의 결과로 보유하는 자산을 말한다.

② 투자자산에는 장기성예적금, 장기투자증권과 장기대여금 등이 포함된다.

제14조(유형자산) ① '유형자산'이란 재화를 생산하거나 용역을 제공하기 위하여, 또는 타인에게 임대하거나 직접 사용하기 위하여 보유한 물리적 형체가 있는 자산으로 1년을 초과하여 사용할 것으로 예상되는 자산을 말한다.

② 유형자산에는 토지, 건물, 구축물, 기계장치, 차량운반구와 건설중인자산 등이 포함된다.

③ 유형자산의 감가상각누계액과 손상차손누계액은 유형자산 각 항목의 차감계정으로 재무상태표에 표시한다.

④ 유형자산을 폐기하거나 처분하는 경우 그 자산을 재무상태표에서 제거하고 처분금액과 장부금액의 차액을 유형자산처분손익으로 인식한다.

제15조(무형자산) ① '무형자산'이란 재화를 생산하거나 용역을 제공하기 위하여, 또는 타인에게 임대하거나 직접 사용하기 위하여 보유한 물리적 형체가 없는 비화폐성자산을 말한다.

② 무형자산에는 지식재산권, 개발비, 컴퓨터소프트웨어, 광업권, 임차권리금 등이 포함된다.

③ 무형자산은 상각누계액과 손상차손누계액을 취득원가에서 직접 차감한 잔액으로 재무상태표에 표시한다.

④ 무형자산을 처분하는 경우 그 자산을 재무상태표에서 제거하고 처분금액과 장부금액의 차액을 무형자산처분손익으로 인식한다.

제16조(기타비유동자산) ① '기타비유동자산'이란 투자자산, 유형자산 및 무형자산에 속하지 않는 비유동자산을 말한다.

② 기타비유동자산에는 임차보증금, 장기선급비용과 장기미수금 등이 포함된다.

제17조(유동부채) ① '유동부채'는 회계연도 말부터 1년 이내에 상환 등을 통하여 소멸할 것으로 예상되는 부채를 말한다.

② 유동부채에는 단기차입금, 매입채무, 미지급비용, 미지급금, 선수금, 선수수익, 예수금과 유동성장기부채 등이 포함된다.

제18조(비유동부채) ① '비유동부채'란 유동부채를 제외한 모든 부채를 말하며, 고유목적사업준비금을 부채로 인식하는 경우에는 유동부채와 고유목적사업준비금을 제외한 모든 부채를 말한다.

② 비유동부채에는 장기차입금, 임대보증금과 퇴직급여충당부채 등이 포함된다.

제19조(고유목적사업준비금) ① 고유목적사업준비금이란 법인세법 제29조에 따라 고유목적사업이나 지정기부금에 사용하기 위해 미리 비용으로 계상하면서 동일한 금액으로 인식한 부채계정으로, 유동부채와 비유동부채로 구분하지 않고 별도로 표시한다.

② 제1항은 고유목적사업준비금을 부채로 인식하는 경우에 한하여 적용한다.

제20조(기본순자산) ① '기본순자산'이란 사용이나 처분에 '영구적 제약'이 있는 순자산을 말한다.

② '영구적 제약'이란 법령, 정관 등에 의해 사용이나 처분시 주무관청 등의 허가가 필요한 경우를 말한다.

제21조(보통순자산) ① '보통순자산'이란 '기본순자산'이나 '순자산조정'이 아닌 순자산을 말한다.

② '보통순자산'은 잉여금과 적립금으로 구분하고, 적립금은 미래 특정 용도로 사용하기 위하여 적립해두는 준비금이나 임의적립금 등이 해당한다.

제22조(순자산조정) '순자산조정'이란 순자산 가감성격의 항목으로서 매도가능증권평가손익, 유형자산재평가이익 등이 포함된다.

제 3 장 운영성과표

제23조(운영성과표의 목적과 작성단위) ① 운영성과표는 해당 회계연도의 모든 수익과 비용을 표시함으로써 다음 각 호의 정보를 제공하는 것을 목적으로 한다.

1. 공익법인의 사업 수행 성과
2. 관리자의 책임 수행 정도

② 운영성과표의 작성은 공익법인을 하나의 작성단위로 보아 통합하여 작성하되, 공익목적사업부문과 기타사업부문으로 각각 구분하여 표시한다.

제24조(운영성과표 작성기준) ① 운영성과표에는 그 회계연도에 속하는 모든 수익 및 이에 대응하는 모든 비용을 적정하게 표시한다. [별지 제2호 서식 참조]

② 운영성과표는 다음 각 호에 따라 작성한다.

1. 모든 수익과 비용은 그것이 발생한 회계연도에 배분되도록 회계처리한다. 이 경우 발생한 원가가 자산으로 인식되는 경우를 제외하고는 비용으로 인식한다.
2. 수익과 비용은 그 발생 원천에 따라 명확하게 분류하고, 수익항목과 이에 관련되는 비용항목은 대응하여 표시한다.
3. 수익과 비용은 총액으로 표시한다.
4. 운영성과표는 다음 각 목과 같이 구분하여 표시한다.

가. 사업수익

나. 사업비용

다. 사업이익(손실)

라. 사업외수익

마. 사업외비용

바. 고유목적사업준비금을 부채로 인식하는 경우 고유목적사업준비금전입액

사. 고유목적사업준비금을 부채로 인식하는 경우 고유목적사업준비금환입액

아. 법인세비용차감전 당기운영이익(손실)

자. 법인세비용

차. 당기운영이익(손실)

제25조(사업수익) ① '사업수익'은 공익목적사업과 기타사업의 결과 경상적으로 발생하는 자산의 증가 또는 부채의 감소를 말한다.

② 사업수익은 공익목적사업수익과 기타사업수익으로 구분하여 표시한다.

③ 공익목적사업수익은 공익법인의 특성을 반영하여 기부금수익, 보조금수익, 회비수익 등으로 구분하여 표시한다.

④ 기타사업수익은 공익법인이 필요하다고 판단하는 경우에는 그 구분정보를 운영성과표 본문에 표시하거나 주석으로 기재할 수 있다.

⑤ 이자수익 또는 배당수익과 처분손익 등이 공익목적사업활동의 주된 원천이 되는 경우에는 사업수익에 포함한다.

제26조(기부금 등의 수익인식과 측정) ① 현금이나 현물을 기부 받을 때에는 실제 기부를 받는 시점에 수익으로 인식한다.

② 현물을 기부 받을 때에는 수익금액을 공정가치(합리적인 판단력과 거래 의사가 있는 독립된 당사자 사이의 거래에서 자산이 교환되거나 부채가 결제될 수 있는 금액을 말한다. 이하 같다)로 측정한다.

③ 납부가 강제되는 회비 등에 대해서는 발생주의에 따라 회수가 확실해지는 시점에 수익을 인식할 수 있다.

④ 기부금 등이 기본순자산에 해당하는 경우 사업수익으로 인식하지 않고 기본순자산의 증가로 인식한다.

제27조(사업비용) ① '사업비용'은 공익목적사업과 기타사업의 결과 경상적으로 발생하는 자산의 감소 또는 부채의 증가를 말한다.

② 사업비용은 공익목적사업비용과 기타사업비용으로 구분하여 표시한다.

③ 공익목적사업비용은 활동의 성격에 따라 다음 각 호와 같이 사업수행비용, 일반관리비용, 모금비용으로 구분하여 표시한다.

1. '사업수행비용'은 공익법인이 추구하는 본연의 임무나 목적을 달성하기 위해 수혜자, 고객, 회원 등에게 재화나 용역을 제공하는 활동에서 발생하는 비용을 말한다.
2. '일반관리비용'은 기획, 인사, 재무, 감독 등 제반 관리활동에서 발생하는 비용을 말한다.
3. '모금비용'은 모금 홍보, 모금 행사, 기부자 리스트 관리, 모금 고지서 발송 등의 모금활동에서 발생하는 비용을 말한다.

④ 사업수행비용은 세부사업별로 추가 구분한 정보를 운영성과표 본문에 표시하거나 주석으로 기재할 수 있다.

⑤ 사업수행비용, 일반관리비용, 모금비용에 대해서는 각각 다음 각 호와 같이 분배비용, 인력비용, 시설비용, 기타비용으로 구분하여 분석한 정보를 운영성과표 본문에 표시하거나 주석으로 기재한다. 다만, 공익법인이 필요하다고 판단하는 경우에는 더 세분화된 정보를 운영성과표 본문에 표시하거나 주석으로 기재할 수 있다.

1. '분배비용'은 공익법인이 수혜자 또는 수혜단체에 직접 지급하는 비용으로 장학금, 지원금 등을 포함한다.
2. '인력비용'은 공익법인에 고용된 인력과 관련된 비용으로서 급여,

상여금, 퇴직급여, 복리후생비, 교육훈련비 등을 포함한다.

3. '시설비용'은 공익법인의 운영에 사용되는 토지, 건물, 구축물, 차량운반구 등 시설과 관련된 비용으로서 감가상각비, 지급임차료, 시설보험료, 시설유지관리비 등을 포함한다.

4. '기타비용'은 분배비용, 인력비용, 시설비용 외의 비용으로서 여비교통비, 소모품비, 지급수수료, 용역비, 업무추진비, 회의비, 대손상각비 등을 포함한다. 이 경우 각 공익법인의 특성에 따라 금액이 중요한 기타비용 항목은 별도로 구분하여 운영성과표 본문에 표시하거나 주석으로 기재한다.

⑥ 기타사업비용을 인력비용, 시설비용, 기타비용으로 구분하여 분석한 정보는 운영성과표 본문에 표시하거나 주석으로 기재하여야 하며, 그 외 공익법인이 필요하다고 판단하는 구분정보에 대해서는 운영성과표 본문에 표시하거나 주석으로 기재할 수 있다.

제28조(사업외수익) 사업외수익은 사업수익이 아닌 수익 또는 차익으로서 유형·무형자산처분이익, 유형·무형자산손상차손환입, 전기오류수정이익 등으로 한다.

제29조(사업외비용) 사업외비용은 사업비용이 아닌 비용 또는 차손으로서 유형·무형자산처분손실, 유형·무형자산손상차손, 유형자산재평가손실, 기타의 대손상각비, 전기오류수정손실 등으로 한다.

제30조(공통수익 및 비용의 배분) 어떤 수익과 비용항목이 복수의 활동에 관련되는 경우에는 해당 수익과 비용의 성격에 따라 투입한 업무시간, 관련 시설면적, 사용빈도 등 합리적인 배분기준에 따라 활동 간에 배분하며, 그 배분기준은 일관되게 적용하여야 한다.

제31조(고유목적사업준비금 전입액과 환입액) ① '고유목적사업준비금전입액'이란 공익법인이 법인세법에 따라 수익사업부문에서 발생한 소득 중 일부를 고유목적사업부문이나 지정기부금에 지출하기 위하여 적립한 금액을 말한다. 이에 상응하여 동일한 금액을 부채에

'고유목적사업준비금'이라는 과목으로 인식한다.

② '고유목적사업준비금환입액'이란 고유목적사업준비금이 법인세법에 따라 수익사업부문에서 고유목적사업부문에 전출되어 목적사업에 사용되었거나 미사용되어 임의 환입된 금액을 말한다.

③ 제1항과 제2항의 내용은 고유목적사업준비금을 부채로 인식하는 경우에 한하여 적용한다.

第32條(법인세비용) 공익법인이 법인세를 부담하는 경우에는 일반기업회계기준 제22장 '법인세회계'와 제31장 '중소기업 회계처리 특례'의 법인세 회계처리를 고려하여 회계정책을 개발하여 회계처리한다.

제 4 장 자산 · 부채의 평가

第33條(자산의 평가기준) ① 자산은 최초에 취득원가로 인식한다.

② 교환, 현물출자, 증여, 그 밖에 무상으로 취득한 자산은 공정가치를 취득원가로 한다.

③ 이 기준에서 별도로 정하는 경우를 제외하고는, 자산의 진부화 및 시장가치의 급격한 하락 등으로 인하여 자산의 회수가능액이 장부금액에 중요하게 미달되는 경우에는 장부금액을 회수가능액으로 조정하고 그 차액을 손상차손으로 처리한다. 이 경우 회수가능액은 다음 제1호와 제2호 중 큰 금액으로 한다.

1. 순공정가치 : 합리적인 판단력과 거래 의사가 있는 독립된 당사자 사이의 거래에서 자산의 매각으로부터 수취할 수 있는 금액에서 처분부대원가를 차감한 금액
2. 사용가치 : 자산에서 창출될 것으로 기대되는 미래 현금흐름의 현재가치

④ 과거 회계연도에 인식한 손상차손이 더 이상 존재하지 않거나 감소하였다면 자산의 회수가능액이 장부금액을 초과하는 금액은 손상

차손환입으로 인식한다. 다만, 손상차손환입으로 증가된 장부금액은 과거에 손상차손을 인식하기 전 장부금액의 감가상각 또는 상각 후 잔액을 초과할 수 없다.

제34조(미수금, 매출채권 등의 평가) ① 원금이나 이자 등의 일부 또는 전부를 회수하지 못할 가능성이 있는 미수금, 매출채권 등은 합리적이고 객관적인 기준에 따라 대손추산액을 산출하여 대손충당금으로 설정하고, 기존 대손충당금 잔액과의 차이는 대손상각비로 인식한다.

② 미수금, 매출채권 등의 원금이나 이자 등의 일부 또는 전부를 회수할 수 없게 된 경우, 대손충당금과 상계하고, 대손충당금이 부족한 경우에는 그 부족액을 대손상각비로 인식한다.

③ 미수금과 매출채권에 대한 대손상각비는 사업비용(공익목적사업비용이나 기타사업비용 중 관련이 되는 것)의 대손상각비로, 그 밖의 채권에 대한 대손상각비는 사업외비용의 기타의대손상각비로 구분한다.

제35조(유형자산과 무형자산의 평가) ① 유형자산과 무형자산의 취득원가는 구입가격 또는 제작원가와 자산을 가동하기 위하여 필요한 장소와 상태에 이르게 하는 데 직접 관련되는 원가를 포함한 금액을 말한다.

② 최초 인식 후에 유형자산과 무형자산의 장부금액은 다음 각 호에 따라 결정한다.

1. 유형자산 : 취득원가(자본적 지출을 포함한다. 이하 이 조에서 같다)에서 감가상각누계액과 손상차손누계액을 차감한 금액
2. 무형자산 : 취득원가에서 상각누계액과 손상차손누계액을 차감한 금액

③ 취득원가에서 잔존가치를 차감하여 결정되는 유형자산의 감가상각대상금액과 무형자산의 상각대상금액은 해당 자산을 사용할 수 있는 때부터 내용연수에 걸쳐 배분하여 상각한다.

④ 유형자산과 무형자산의 내용연수는 자산의 예상 사용기간이나 생산량 등을 고려하여 합리적으로 결정한다.

⑤ 유형자산의 감가상각방법과 무형자산의 상각방법은 다음 각 호에서 자산의 경제적효익이 소멸되는 형태를 반영한 합리적인 방법을 선택하여 소멸형태가 변하지 않는 한 매기 계속 적용한다.

1. 정액법
2. 정률법
3. 연수합계법
4. 생산량비례법

⑥ 전시·교육·연구 등의 목적으로 보유중인 예술작품 및 유물과 같은 역사적 가치가 있는 유형자산은 일반적으로 시간이 경과하더라도 가치가 감소하지 않으므로 감가상각을 적용하지 아니한다.

제36조(유형자산의 재평가) ① 최초 인식 후에 공정가치를 신뢰성 있게 측정할 수 있는 유형자산은 재평가를 할 수 있다. 이 경우 재평가일의 공정가치에서 이후의 감가상각누계액과 손상차손누계액을 차감한 재평가금액을 장부금액으로 한다.

② 유형자산을 재평가할 때, 재평가 시점의 총장부금액에서 기존의 감가상각누계액을 제거하여 자산의 순장부금액이 재평가금액이 되도록 수정한다.

③ 유형자산의 장부금액이 재평가로 인하여 증가된 경우에 그 증가액은 순자산조정으로 인식한다. 그러나 동일한 유형자산에 대하여 이전에 운영성과표에 사업외비용으로 인식한 재평가감소액이 있다면 그 금액을 한도로 재평가증가액만큼 운영성과표에 사업외수익으로 인식한다.

④ 유형자산의 장부금액이 재평가로 인하여 감소된 경우에 그 감소액은 운영성과표에 사업외비용으로 인식한다. 그러나 그 유형자산의 재평가로 인해 인식한 순자산조정의 잔액이 있다면 그 금액을 한

도로 재평가감소액을 순자산조정에서 차감한다.

제37조(유가증권의 평가) ① 유가증권은 취득한 후 만기보유증권, 단기매매증권, 그리고 매도가능증권 중의 하나로 분류한다.

② 유가증권의 평가는 일반기업회계기준에 따른다. 다만, 매도가능증권에 대한 미실현보유손익은 순자산조정으로 인식하고 당해 유가증권에 대한 순자산조정은 그 유가증권을 처분하거나 손상차손을 인식하는 시점에 일괄하여 당기손익에 반영한다.

제38조(퇴직급여충당부채의 평가) ① 퇴직급여충당부채는 회계연도말 현재 모든 임직원이 일시에 퇴직할 경우 지급하여야 할 퇴직금에 상당하는 금액으로 한다.

② 확정기여형퇴직연금제도를 설정한 경우에는 퇴직급여충당부채 및 관련 퇴직연금운용자산을 인식하지 않는다. 다만 해당 회계기간에 대하여 공익법인이 납부하여야 할 부담금을 퇴직급여(비용)로 인식하고, 미납부액이 있는 경우 미지급비용(부채)으로 인식한다.

③ 확정급여형퇴직연금제도와 관련하여 별도로 운용되는 자산은 하나로 통합하여 '퇴직연금운용자산'으로 표시하고, 퇴직급여충당부채에서 차감하는 형식으로 표시한다. 퇴직연금운용자산의 구성내역은 주석으로 기재한다.

제39조(공통자산·부채의 배분) 어떤 자산 또는 부채 항목이 복수의 활동에 관련되는 경우에는 관련 시설면적, 사용빈도 등 합리적인 배분기준에 따라 활동 간에 배분하고, 그 배분기준은 일관되게 적용하여야 한다.

제 5 장 주 석

제40조(주석의 정의) '주석'이란 재무제표 본문(재무상태표, 운영성과표를 말한다)의 전반적인 이해를 돕는 일반사항에 관한 정보, 재무

제표 본문에 표시된 항목을 구체적으로 설명하거나 세분화하는 정보, 재무제표 본문에 표시할 수 없는 회계사건 및 그 밖의 사항으로 재무제표에 중요한 영향을 미치거나 재무제표의 이해를 위하여 필요하다고 판단되는 정보를 추가하여 기재하는 것을 말한다.

제41조(필수적 주석기재사항) 공익법인은 이 기준의 다른 조항에서 주석으로 기재할 것을 요구하거나 허용하는 사항 외에 다음 각 호의 사항을 주석으로 기재한다.

1. 공익법인의 개황 및 주요사업 내용
2. 공익법인이 채택한 회계정책(자산 · 부채의 평가기준 및 수익과 비용의 인식기준을 포함한다)
3. 사용이 제한된 현금및현금성자산의 내용
4. 차입금 등 현금 등으로 상환하여야 하는 부채의 주요 내용
5. 현물기부의 내용
6. 제공한 담보 · 보증의 주요 내용
7. 특수관계인(상속세 및 증여세법 제2조 제10호의 정의에 따른다)과의 중요한 거래의 내용
8. 총자산 또는 사업수익금액의 10% 이상에 해당하는 거래에 대한 거래처명, 거래금액, 계정과목 등 거래 내역
9. 회계연도 말 현재 진행 중인 소송 사건의 내용, 소송금액, 진행상황 등
10. 회계정책, 회계추정의 변경 및 오류수정에 관한 사항
11. 기본순자산의 취득원가와 공정가치를 비교하는 정보에 관한 사항
12. 순자산의 변동에 관한 사항
13. 유형자산 재평가차액의 누적금액
14. 유가증권의 취득원가와 재무제표 본문에 표시된 공정가치를 비교하는 정보

15. 그 밖에 일반기업회계기준에 따라 주석기재가 요구되는 사항 중 공익법인에 관련성이 있고 그 성격이나 금액이 중요한 사항

제42조(선택적 주석기재사항) 이 기준과 일반기업회계기준에서 요구하는 주석기재사항 외에도 재무제표의 유용성을 제고하고 공정한 표시를 위하여 필요한 정보는 재무제표 작성자의 판단과 책임하에서 자발적으로 주석을 기재할 수 있다. 예를 들어, 공익법인이 내부관리 목적으로 복수의 구분된 단위로 회계를 하는 경우 각 회계단위별로 작성된 재무제표의 전부 또는 일부를 주석으로 기재할 수 있다.

제43조(주석기재방법) 주석기재는 재무제표 이용자의 이해와 편의를 도모하기 위하여 다음 각 호에 따라 체계적으로 작성한다.

1. 재무제표상의 개별항목에 대한 주석 정보는 해당 개별항목에 기호를 붙이고 별지에 동일한 기호를 표시하여 그 내용을 설명한다.
2. 하나의 주석이 재무제표상 둘 이상의 개별항목과 관련된 경우에는 해당 개별항목 모두에 주석의 기호를 표시한다.
3. 하나의 주석에 포함된 정보가 다른 주석과 관련된 경우에도 해당되는 주석 모두에 관련된 주석의 기호를 표시한다.

부 칙

제1조(시행일) 이 기준은 2018년 1월 1일부터 시행한다.

제2조(일반적 적용례) 이 기준은 이 기준 시행 이후 개시하는 회계연도부터 적용한다.

제3조(재무제표 작성 적용례) 이 기준이 최초 적용되는 재무제표에 대하여는 제9조에 따른 비교재무제표를 작성하지 아니할 수 있다.

제4조(재무제표 작성 경과규정) 이 기준은 공익법인이 원하는 경우 이 기준 시행 이전에 개시하는 회계연도에 적용할 수 있다.

제5조(소규모 공익법인의 한시적 단식부기 등 적용특례) 이 기준 시행

이후 최초로 개시하는 회계연도의 직전 회계연도 종료일의 총자산가액의 합계액이 20억원 이하인 공익법인과 이 기준 시행일부터 2018년 12월 31일까지의 기간 중에 신설되는 공익법인은 이 기준 시행 이후 최초로 개시하는 회계연도와 그 다음 회계연도에는 단식부기를 적용할 수 있으며, 제41조의 필수적 주석기재사항의 기재를 생략할 수 있다.

[별지 제1호 서식]

재 무 상 태 표

제×기 20××년×월×일 현재

제×기 20××년×월×일 현재

공익법인명 (단위 : 원)

과 목	당 기			전 기		
	통합	공익목적사업	기타사업	통합	공익목적사업	기타사업
자 산						
유동자산	×××	×××	×××	×××	×××	×××
현금및현금성자산	×××	×××	×××	×××	×××	×××
단기투자자산	×××	×××	×××	×××	×××	×××
매출채권	×××	×××	×××	×××	×××	×××
(-) 대손충당금	(×××)	(×××)	(×××)	(×××)	(×××)	(×××)
선급비용	×××	×××	×××	×××	×××	×××
미수수익	×××	×××	×××	×××	×××	×××
미수금	×××	×××	×××	×××	×××	×××
(-) 대손충당금	(×××)	(×××)	(×××)	(×××)	(×××)	(×××)
선급금	×××	×××	×××	×××	×××	×××
재고자산	×××	×××	×××	×××	×××	×××
......	×××	×××	×××	×××	×××	×××
비유동자산	×××	×××	×××	×××	×××	×××
투자자산	×××	×××	×××	×××	×××	×××
장기성예적금	×××	×××	×××	×××	×××	×××
장기투자증권	×××	×××	×××	×××	×××	×××
장기대여금	×××	×××	×××	×××	×××	×××
......	×××	×××	×××	×××	×××	×××
유형자산	×××	×××	×××	×××	×××	×××
토지	×××	×××	×××	×××	×××	×××
건물	×××	×××	×××	×××	×××	×××
(-) 감가상각누계액	(×××)	(×××)	(×××)	(×××)	(×××)	(×××)
구축물	×××	×××	×××	×××	×××	×××
(-) 감가상각누계액	(×××)	(×××)	(×××)	(×××)	(×××)	(×××)
기계장치	×××	×××	×××	×××	×××	×××

(−) 감가상각누계액	(xxx)	(xxx)	(xxx)	(xxx)	(xxx)	(xxx)
차량운반구	xxx	xxx	xxx	xxx	xxx	xxx
(−) 감가상각누계액	(xxx)	(xxx)	(xxx)	(xxx)	(xxx)	(xxx)
건설중인자산	(xxx)	(xxx)	(xxx)	(xxx)	(xxx)	(xxx)
......	xxx	xxx	xxx	xxx	xxx	xxx
무형자산	xxx	xxx	xxx	xxx	xxx	xxx
지식재산권	xxx	xxx	xxx	xxx	xxx	xxx
개발비	xxx	xxx	xxx	xxx	xxx	xxx
컴퓨터소프트웨어	xxx	xxx	xxx	xxx	xxx	xxx
광업권	xxx	xxx	xxx	xxx	xxx	xxx
임차권리금	xxx	xxx	xxx	xxx	xxx	xxx
......	xxx	xxx	xxx	xxx	xxx	xxx
기타비유동자산	xxx	xxx	xxx	xxx	xxx	xxx
임차보증금	xxx	xxx	xxx	xxx	xxx	xxx
장기선급비용	xxx	xxx	xxx	xxx	xxx	xxx
장기미수금	xxx	xxx	xxx	xxx	xxx	xxx
......	xxx	xxx	xxx	xxx	xxx	xxx
자 산 총 계	xxx	xxx	xxx	xxx	xxx	xxx
부 채						
유동부채	xxx	xxx	xxx	xxx	xxx	xxx
단기차입금	xxx	xxx	xxx	xxx	xxx	xxx
매입채무	xxx	xxx	xxx	xxx	xxx	xxx
미지급비용	xxx	xxx	xxx	xxx	xxx	xxx
미지급금	xxx	xxx	xxx	xxx	xxx	xxx
선수금	xxx	xxx	xxx	xxx	xxx	xxx
선수수익	xxx	xxx	xxx	xxx	xxx	xxx
예수금	xxx	xxx	xxx	xxx	xxx	xxx
유동성장기부채	xxx	xxx	xxx	xxx	xxx	xxx
......	xxx	xxx	xxx	xxx	xxx	xxx
비유동부채	xxx	xxx	xxx	xxx	xxx	xxx
장기차입금	xxx	xxx	xxx	xxx	xxx	xxx
임대보증금	xxx	xxx	xxx	xxx	xxx	xxx
퇴직급여충당부채	xxx	xxx	xxx	xxx	xxx	xxx
(−) 퇴직연금운용자산	(xxx)	(xxx)	(xxx)	(xxx)	(xxx)	(xxx)

......	xxx	xxx	xxx	xxx	xxx	xxx
고유목적사업준비금	xxx	xxx	xxx	xxx	xxx	xxx
부 채 총 계	xxx	xxx	xxx	xxx	xxx	xxx
순자산[*1]						
기본순자산	xxx	xxx	xxx	xxx	xxx	xxx
보통순자산	xxx	xxx	xxx	xxx	xxx	xxx
적립금	xxx	xxx	xxx	xxx	xxx	xxx
잉여금	xxx	xxx	xxx	xxx	xxx	xxx
순자산조정	xxx	xxx	xxx	xxx	xxx	xxx
순 자 산 총 계	xxx	xxx	xxx	xxx	xxx	xxx
부채 및 순자산 총계	xxx	xxx	xxx	xxx	xxx	xxx

[별지 제2호 서식]

운 영 성 과 표

제×기 20××년×월×일부터 20××년×월×일까지

제×기 20××년×월×일부터 20××년×월×일까지

공익법인명 (단위 : 원)

과 목	당 기			전 기		
	통합	공익목적사업	기타사업	통합	공익목적사업	기타사업
사업수익	xxx	xxx	xxx	xxx	xxx	xxx
기부금수익	xxx	xxx	–	xxx	xxx	–
보조금수익	xxx	xxx	–	xxx	xxx	–
회비수익	xxx	xxx	–	xxx	xxx	–
투자자산수익	xxx	xxx	–	xxx	xxx	–
매출액	xxx	xxx	–	xxx	xxx	–
......	xxx	xxx	–	xxx	xxx	–
사업비용[*2]	xxx	xxx	xxx[*3]	xxx	xxx	xxx[*3]
사업수행비용	xxx	xxx	–	xxx	xxx	–
○○**사업수행비용**	xxx	xxx	–	xxx	xxx	–
△△**사업수행비용**	xxx	xxx	–	xxx	xxx	–
......	xxx	xxx	–	xxx	xxx	–
일반관리비용	xxx	xxx	–	xxx	xxx	–
모금비용	xxx	xxx	–	xxx	xxx	–
......	xxx	–	xxx	xxx	–	xxx
사업이익(손실)	xxx	xxx	xxx	xxx	xxx	xxx
사업외수익	xxx	xxx	xxx	xxx	xxx	xxx
유형자산손상차손환입	xxx	xxx	xxx	xxx	xxx	xxx
유형자산처분이익	xxx	xxx	xxx	xxx	xxx	xxx
무형자산손상차손환입	xxx	xxx	xxx	xxx	xxx	xxx
무형자산처분이익	xxx	xxx	xxx	xxx	xxx	xxx
전기오류수정이익	xxx	xxx	xxx	xxx	xxx	xxx
.....	xxx	xxx	xxx	xxx	xxx	xxx

사업외비용	xxx	xxx	xxx	xxx	xxx	xxx
기타의 대손상각비	xxx	xxx	xxx	xxx	xxx	xxx
유형자산손상차손	xxx	xxx	xxx	xxx	xxx	xxx
유형자산처분손실	xxx	xxx	xxx	xxx	xxx	xxx
유형자산재평가손실*4	xxx	xxx	xxx	xxx	xxx	xxx
무형자산손상차손	xxx	xxx	xxx	xxx	xxx	xxx
무형자산처분손실	xxx	xxx	xxx	xxx	xxx	xxx
전기오류수정손실	xxx	xxx	xxx	xxx	xxx	xxx
......	xxx	xxx	xxx	xxx	xxx	xxx
고유목적사업준비금전입액	xxx	xxx	xxx	xxx	xxx	xxx
고유목적사업준비금환입액	xxx	xxx	xxx	xxx	xxx	xxx
법인세비용차감전 당기운영이익(손실)	xxx	xxx	xxx	xxx	xxx	xxx
법인세비용	xxx	xxx	xxx	xxx	xxx	xxx
당기운영이익(손실)	xxx	xxx	xxx	xxx	xxx	xxx

*1 순자산의 변동에 관한 사항은 아래와 같이 주석으로 기재한다.

과 목	통합				공익목적사업부문				기타사업부문			
	기본순자산	보통순자산		순자산조정	기본순자산	보통순자산		순자산조정	기본순자산	보통순자산		순자산조정
		적립금	잉여금			적립금	잉여금			적립금	잉여금	
전기초	xxx	xxx	xxx	xxx	xxx	xxx	xxx	xxx	xxx	xxx	xxx	xxx
회계정책변경누적효과												
전기오류수정	(xxx)	(xxx)	(xxx)	(xxx)	(xxx)	(xxx)	(xxx)	(xxx)	(xxx)	(xxx)	(xxx)	(xxx)
	(xxx)	(xxx)	(xxx)	(xxx)	(xxx)	(xxx)	(xxx)	(xxx)	(xxx)	(xxx)	(xxx)	(xxx)
수정후 순자산	xxx	xxx	xxx	xxx	xxx	xxx	xxx	xxx	xxx	xxx	xxx	xxx
기본순자산증감	xxx		(xxx)		xxx		(xxx)		xxx		(xxx)	
당기운영이익(손실)			xxx				xxx				xxx	
매도가능증권평가이익				xxx				xxx				xxx
유형자산재평가이익				xxx				xxx				xxx
적립금 전입		xxx	(xxx)			xxx	(xxx)			xxx	(xxx)	
......	xxx	xxx	xxx	xxx	xxx	xxx	xxx	xxx	xxx	xxx	xxx	xxx
전기말	xxx	xxx	xxx	xxx	xxx	xxx	xxx	xxx	xxx	xxx	xxx	xxx
당기초	xxx	xxx	xxx	xxx	xxx	xxx	xxx	xxx	xxx	xxx	xxx	xxx
회계정책변경누적효과												
전기오류수정	(xxx)	(xxx)	(xxx)	(xxx)	(xxx)	(xxx)	(xxx)	(xxx)	(xxx)	(xxx)	(xxx)	(xxx)
	(xxx)	(xxx)	(xxx)	(xxx)	(xxx)	(xxx)	(xxx)	(xxx)	(xxx)	(xxx)	(xxx)	(xxx)
수정후 순자산	xxx	xxx	xxx	xxx	xxx	xxx	xxx	xxx	xxx	xxx	xxx	xxx
기본순자산증감	xxx		(xxx)		xxx		(xxx)		xxx		(xxx)	
당기운영이익(손실)			xxx				xxx				xxx	
매도가능증권평가이익				xxx				xxx				xxx
유형자산재평가이익				xxx				xxx				xxx
적립금 전입		xxx	(xxx)			xxx	(xxx)			xxx	(xxx)	
......	xxx	xxx	xxx	xxx	xxx	xxx	xxx	xxx	xxx	xxx	xxx	xxx
당기말	xxx	xxx	xxx	xxx	xxx	xxx	xxx	xxx	xxx	xxx	xxx	xxx

*2 사업비용의 기능별 구분과 성격별 구분에 관한 정보를 아래와 같이 주석으로 기재한다.

〈주석기재 예시〉

주석 YY. 사업비용의 성격별 구분

운영성과표에는 사업비용이 기능별로 구분되어 표시되어 있습니다. 이를 다시 성격별로 구분한 내용은 다음과 같습니다.

	분배비용	인력비용	시설비용	기타비용	합계
공익목적사업비용	×××	×××	×××	×××	×××
사업수행비용	×××	×××	×××	×××	×××
일반관리비용	−	×××	×××	×××	×××
모금비용	−	×××	×××	×××	×××
기타사업비용	−	×××	×××	×××	×××
합계	−	×××	×××	×××	×××

* 분배비용이 없는 공익법인은 해당 계정을 삭제할 수 있다.
또는 공익법인이 선택에 따라 위 정보를 운영성과표 본문에 다음과 같이 직접 표시할 수도 있다.

Ⅰ. **공익목적사업비용**	(×××)
1. **사업수행비용**	(×××)
분배비용	(×××)
인력비용	(×××)
시설비용	(×××)
기타비용	(×××)
2. **일반관리비용**	(×××)
인력비용	(×××)
시설비용	(×××)
기타비용	(×××)
3. **모금비용**	(×××)
인력비용	(×××)
시설비용	(×××)
기타비용	(×××)

Ⅱ. **기타사업비용**	(×××)
인력비용	(×××)
시설비용	(×××)
기타비용	(×××)

*3 공익법인회계기준 제27조 제6항에 따라 기타사업비용을 더 상세하게 구분한 정보를 주석으로 기재할 수 있다. 예를 들어, 기타사업비용을 매출원가와 판매관리비로 구분하여 주석으로 기재할 수 있다.

*4 유형자산재평가손실은 사업외비용으로 표시한다.

부록 2 종교인소득 간이세액표

소득세법 시행령 [별표 3의 3]

종교인소득 간이세액표

(소득세법시행령 제202조 제4항 관련)

1. 이 간이세액 조견표의 해당세액은 종교단체가 **종교인소득(기타소득)**으로 지급시 연간 지급받는 금액 또는 월 지급액에 대하여 필요경비, 기본공제, 세액공제 수준을 반영하여 원천징수할 세액을 계산한 금액임

   가. 적용산식

   〔{(매월 지급하는 소득 × 12 또는 연간 지급하는 소득) − 필요경비(80~20%)} − 기본공제 − 연금소득공제〕 × 세율(20%) − 총지급액 구간별 기부금, 연금계좌세액공제, 표준세액공제를 반영한 세액공제 결과 계산한 세액을 12개월로 나눈 금액

   나. 연간 총지급액 구간별 기부금등 지출수준을 반영한 세액공제 금액

   총지급액이 7천만원 이하인 자는 총지급액의 2.3%(7천만원 초과한 사람은 정액 161만원 + 결정세액의 10%(90만원 한도)

2. 공제대상 가족의 수를 산정할 때 본인 및 배우자도 각각 1명으로 보아 계산한다.
3. 추가공제 대상자, 자녀세액공제가 있는 경우 간이세액표 적용방법

   가. 공제대상 가족 중 추가공제(경로우대, 장애인공제)가 있는 경우와 20세 이하의 자녀가 있는 경우 원천징수 세액은 "나"의 계산식에 따른 공제대상 가족수에 해당하는 금액으로 함

   나. 추가공제 적용시 공제대상 가족의 수 = 실제 공제대상 가족의 수 + 경로우대, 장애인공제대상 인원 수, 20세 이하 자녀의 수

4. 공제대상 가족의 수가 10명을 초과하는 경우 10명의 세액으로 징수

5. 종교인소득 간이세액표

월지급액 (천원)		공제대상 가족수별 원천징수 세액 (원)									
이상	이하	1인	2인	3인	4인	5인	6인	7인	8인	9인	10인
995	1,000	-	-	-	-	-	-	-	-	-	-
1,000	1,005	-	-	-	-	-	-	-	-	-	-
1,005	1,010	-	-	-	-	-	-	-	-	-	-
1,010	1,015	-	-	-	-	-	-	-	-	-	-
1,015	1,020	-	-	-	-	-	-	-	-	-	-
1,020	1,025	-	-	-	-	-	-	-	-	-	-
1,025	1,030	-	-	-	-	-	-	-	-	-	-
1,030	1,035	-	-	-	-	-	-	-	-	-	-
1,035	1,040	-	-	-	-	-	-	-	-	-	-
1,040	1,045	-	-	-	-	-	-	-	-	-	-
1,045	1,050	-	-	-	-	-	-	-	-	-	-
1,050	1,055	-	-	-	-	-	-	-	-	-	-
1,055	1,060	-	-	-	-	-	-	-	-	-	-
1,060	1,065	-	-	-	-	-	-	-	-	-	-
1,065	1,070	-	-	-	-	-	-	-	-	-	-
1,070	1,075	-	-	-	-	-	-	-	-	-	-
1,075	1,080	-	-	-	-	-	-	-	-	-	-
1,080	1,085	-	-	-	-	-	-	-	-	-	-
1,085	1,090	-	-	-	-	-	-	-	-	-	-
1,090	1,095	-	-	-	-	-	-	-	-	-	-
1,095	1,100	-	-	-	-	-	-	-	-	-	-
1,100	1,105	-	-	-	-	-	-	-	-	-	-
1,105	1,110	-	-	-	-	-	-	-	-	-	-
1,110	1,115	-	-	-	-	-	-	-	-	-	-
1,115	1,120	-	-	-	-	-	-	-	-	-	-
1,120	1,125	-	-	-	-	-	-	-	-	-	-

월지급액 (천원)		공제대상 가족수별 원천징수 세액 (원)									
이상	이하	1인	2인	3인	4인	5인	6인	7인	8인	9인	10인
1,125	1,130	-	-	-	-	-	-	-	-	-	-
1,130	1,135	-	-	-	-	-	-	-	-	-	-
1,135	1,140	-	-	-	-	-	-	-	-	-	-
1,140	1,145	-	-	-	-	-	-	-	-	-	-
1,145	1,150	-	-	-	-	-	-	-	-	-	-
1,150	1,155	-	-	-	-	-	-	-	-	-	-
1,155	1,160	-	-	-	-	-	-	-	-	-	-
1,160	1,165	-	-	-	-	-	-	-	-	-	-
1,165	1,170	-	-	-	-	-	-	-	-	-	-
1,170	1,175	-	-	-	-	-	-	-	-	-	-
1,175	1,180	-	-	-	-	-	-	-	-	-	-
1,180	1,185	-	-	-	-	-	-	-	-	-	-
1,185	1,190	-	-	-	-	-	-	-	-	-	-
1,190	1,195	-	-	-	-	-	-	-	-	-	-
1,195	1,200	-	-	-	-	-	-	-	-	-	-
1,200	1,205	-	-	-	-	-	-	-	-	-	-
1,205	1,210	-	-	-	-	-	-	-	-	-	-
1,210	1,215	-	-	-	-	-	-	-	-	-	-
1,215	1,220	-	-	-	-	-	-	-	-	-	-
1,220	1,225	-	-	-	-	-	-	-	-	-	-
1,225	1,230	-	-	-	-	-	-	-	-	-	-
1,230	1,235	-	-	-	-	-	-	-	-	-	-
1,235	1,240	-	-	-	-	-	-	-	-	-	-
1,240	1,245	-	-	-	-	-	-	-	-	-	-
1,245	1,250	-	-	-	-	-	-	-	-	-	-
1,250	1,255	1,000	-	-	-	-	-	-	-	-	-
1,255	1,260	1,000	-	-	-	-	-	-	-	-	-
1,260	1,265	1,000	-	-	-	-	-	-	-	-	-

월지급액 (천원)		공제대상 가족수별 원천징수 세액 (원)									
이상	이하	1인	2인	3인	4인	5인	6인	7인	8인	9인	10인
1,265	1,270	1,000	-	-	-	-	-	-	-	-	-
1,270	1,275	1,000	-	-	-	-	-	-	-	-	-
1,275	1,280	1,000	-	-	-	-	-	-	-	-	-
1,280	1,285	1,000	-	-	-	-	-	-	-	-	-
1,285	1,290	1,000	-	-	-	-	-	-	-	-	-
1,290	1,295	1,000	-	-	-	-	-	-	-	-	-
1,295	1,300	1,000	-	-	-	-	-	-	-	-	-
1,300	1,305	1,000	-	-	-	-	-	-	-	-	-
1,305	1,310	1,000	-	-	-	-	-	-	-	-	-
1,310	1,315	1,000	-	-	-	-	-	-	-	-	-
1,315	1,320	1,000	-	-	-	-	-	-	-	-	-
1,320	1,325	1,000	-	-	-	-	-	-	-	-	-
1,325	1,330	1,000	-	-	-	-	-	-	-	-	-
1,330	1,335	1,000	-	-	-	-	-	-	-	-	-
1,335	1,340	1,000	-	-	-	-	-	-	-	-	-
1,340	1,345	1,000	-	-	-	-	-	-	-	-	-
1,345	1,350	1,000	-	-	-	-	-	-	-	-	-
1,350	1,355	1,000	-	-	-	-	-	-	-	-	-
1,355	1,360	1,000	-	-	-	-	-	-	-	-	-
1,360	1,365	1,000	-	-	-	-	-	-	-	-	-
1,365	1,370	1,000	-	-	-	-	-	-	-	-	-
1,370	1,375	1,000	-	-	-	-	-	-	-	-	-
1,375	1,380	1,000	-	-	-	-	-	-	-	-	-
1,380	1,385	1,000	-	-	-	-	-	-	-	-	-
1,385	1,390	1,000	-	-	-	-	-	-	-	-	-
1,390	1,395	1,000	-	-	-	-	-	-	-	-	-
1,395	1,400	1,000	-	-	-	-	-	-	-	-	-
1,400	1,405	1,000	-	-	-	-	-	-	-	-	-

월지급액 (천원)		공제대상 가족수별 원천징수 세액 (원)									
이상	이하	1인	2인	3인	4인	5인	6인	7인	8인	9인	10인
1,405	1,410	1,000	-	-	-	-	-	-	-	-	-
1,410	1,415	1,000	-	-	-	-	-	-	-	-	-
1,415	1,420	1,000	-	-	-	-	-	-	-	-	-
1,420	1,425	1,000	-	-	-	-	-	-	-	-	-
1,425	1,430	1,000	-	-	-	-	-	-	-	-	-
1,430	1,435	1,000	-	-	-	-	-	-	-	-	-
1,435	1,440	1,000	-	-	-	-	-	-	-	-	-
1,440	1,445	1,000	-	-	-	-	-	-	-	-	-
1,445	1,450	1,000	-	-	-	-	-	-	-	-	-
1,450	1,455	1,000	-	-	-	-	-	-	-	-	-
1,455	1,460	1,000	-	-	-	-	-	-	-	-	-
1,460	1,465	1,000	-	-	-	-	-	-	-	-	-
1,465	1,470	1,000	-	-	-	-	-	-	-	-	-
1,470	1,475	1,000	-	-	-	-	-	-	-	-	-
1,475	1,480	1,000	-	-	-	-	-	-	-	-	-
1,480	1,485	1,000	-	-	-	-	-	-	-	-	-
1,485	1,490	1,000	-	-	-	-	-	-	-	-	-
1,490	1,495	1,000	-	-	-	-	-	-	-	-	-
1,495	1,500	1,000	-	-	-	-	-	-	-	-	-
1,500	1,505	1,000	-	-	-	-	-	-	-	-	-
1,505	1,510	1,010	-	-	-	-	-	-	-	-	-
1,510	1,520	1,020	-	-	-	-	-	-	-	-	-
1,520	1,530	1,030	-	-	-	-	-	-	-	-	-
1,530	1,540	1,040	-	-	-	-	-	-	-	-	-
1,540	1,550	1,050	-	-	-	-	-	-	-	-	-
1,550	1,560	1,060	-	-	-	-	-	-	-	-	-
1,560	1,570	1,070	-	-	-	-	-	-	-	-	-
1,570	1,580	1,080	-	-	-	-	-	-	-	-	-

월지급액 (천원)		공제대상 가족수별 원천징수 세액 (원)									
이상	이하	1인	2인	3인	4인	5인	6인	7인	8인	9인	10인
1,580	1,590	1,090	-	-	-	-	-	-	-	-	-
1,590	1,600	1,100	-	-	-	-	-	-	-	-	-
1,600	1,610	1,110	-	-	-	-	-	-	-	-	-
1,610	1,620	1,120	-	-	-	-	-	-	-	-	-
1,620	1,630	1,130	-	-	-	-	-	-	-	-	-
1,630	1,640	1,140	-	-	-	-	-	-	-	-	-
1,640	1,650	1,150	-	-	-	-	-	-	-	-	-
1,650	1,660	1,160	1,000	-	-	-	-	-	-	-	-
1,660	1,670	1,170	1,000	-	-	-	-	-	-	-	-
1,670	1,680	1,180	1,000	-	-	-	-	-	-	-	-
1,680	1,690	1,190	1,000	-	-	-	-	-	-	-	-
1,690	1,700	1,200	1,000	-	-	-	-	-	-	-	-
1,700	1,710	1,210	1,000	-	-	-	-	-	-	-	-
1,710	1,720	1,220	1,000	-	-	-	-	-	-	-	-
1,720	1,730	1,230	1,000	-	-	-	-	-	-	-	-
1,730	1,740	1,240	1,000	-	-	-	-	-	-	-	-
1,740	1,750	1,250	1,000	-	-	-	-	-	-	-	-
1,750	1,760	1,260	1,000	-	-	-	-	-	-	-	-
1,760	1,770	1,270	1,000	-	-	-	-	-	-	-	-
1,770	1,780	1,280	1,000	-	-	-	-	-	-	-	-
1,780	1,790	1,290	1,000	-	-	-	-	-	-	-	-
1,790	1,800	1,300	1,000	-	-	-	-	-	-	-	-
1,800	1,810	1,310	1,000	-	-	-	-	-	-	-	-
1,810	1,820	1,320	1,000	-	-	-	-	-	-	-	-
1,820	1,830	1,330	1,000	-	-	-	-	-	-	-	-
1,830	1,840	1,340	1,000	-	-	-	-	-	-	-	-
1,840	1,850	1,350	1,000	-	-	-	-	-	-	-	-
1,850	1,860	1,360	1,000	-	-	-	-	-	-	-	-

월지급액 (천원)		공제대상 가족수별 원천징수 세액 (원)									
이상	이하	1인	2인	3인	4인	5인	6인	7인	8인	9인	10인
1,860	1,870	1,370	1,000	-	-	-	-	-	-	-	-
1,870	1,880	1,380	1,000	-	-	-	-	-	-	-	-
1,880	1,890	1,390	1,000	-	-	-	-	-	-	-	-
1,890	1,900	1,400	1,000	-	-	-	-	-	-	-	-
1,900	1,910	1,410	1,000	-	-	-	-	-	-	-	-
1,910	1,920	1,420	1,000	-	-	-	-	-	-	-	-
1,920	1,930	1,430	1,000	-	-	-	-	-	-	-	-
1,930	1,940	1,470	1,000	-	-	-	-	-	-	-	-
1,940	1,950	2,060	1,000	-	-	-	-	-	-	-	-
1,950	1,960	2,640	1,000	1,000	-	-	-	-	-	-	-
1,960	1,970	3,230	1,000	1,000	-	-	-	-	-	-	-
1,970	1,980	3,820	1,010	1,000	-	-	-	-	-	-	-
1,980	1,990	4,410	1,020	1,000	-	-	-	-	-	-	-
1,990	2,000	5,000	1,030	1,000	-	-	-	-	-	-	-
2,000	2,010	5,590	1,040	1,000	-	-	-	-	-	-	-
2,010	2,020	6,180	1,050	1,000	-	-	-	-	-	-	-
2,020	2,030	6,770	1,060	1,000	-	-	-	-	-	-	-
2,030	2,040	7,360	1,070	1,000	-	-	-	-	-	-	-
2,040	2,050	7,950	1,080	1,000	-	-	-	-	-	-	-
2,050	2,060	8,530	1,090	1,000	-	-	-	-	-	-	-
2,060	2,070	9,120	1,100	1,000	-	-	-	-	-	-	-
2,070	2,080	9,710	1,110	1,000	-	-	-	-	-	-	-
2,080	2,090	10,300	1,120	1,000	-	-	-	-	-	-	-
2,090	2,100	10,890	1,130	1,000	-	-	-	-	-	-	-
2,100	2,110	11,480	1,140	1,000	-	-	-	-	-	-	-
2,110	2,120	12,070	1,150	1,000	-	-	-	-	-	-	-
2,120	2,130	12,660	1,160	1,000	-	-	-	-	-	-	-
2,130	2,140	13,250	1,170	1,000	-	-	-	-	-	-	-

월지급액 (천원)		공제대상 가족수별 원천징수 세액 (원)									
이상	이하	1인	2인	3인	4인	5인	6인	7인	8인	9인	10인
2,140	2,150	13,840	1,180	1,000	-	-	-	-	-	-	-
2,150	2,160	14,420	1,190	1,000	-	-	-	-	-	-	-
2,160	2,170	15,010	1,200	1,000	-	-	-	-	-	-	-
2,170	2,180	15,600	1,210	1,000	-	-	-	-	-	-	-
2,180	2,190	16,190	1,220	1,000	-	-	-	-	-	-	-
2,190	2,200	16,780	1,230	1,000	-	-	-	-	-	-	-
2,200	2,210	17,370	1,240	1,000	-	-	-	-	-	-	-
2,210	2,220	17,960	1,250	1,000	1,170	-	-	-	-	-	-
2,220	2,230	18,550	1,260	1,000	1,180	-	-	-	-	-	-
2,230	2,240	19,140	1,270	1,000	1,190	-	-	-	-	-	-
2,240	2,250	19,730	1,280	1,000	1,200	-	-	-	-	-	-
2,250	2,260	20,310	1,290	1,000	1,210	-	-	-	-	-	-
2,260	2,270	20,900	1,300	1,000	1,220	-	-	-	-	-	-
2,270	2,280	21,490	1,310	1,000	1,230	-	-	-	-	-	-
2,280	2,290	22,080	1,320	1,000	1,240	-	-	-	-	-	-
2,290	2,300	22,670	1,330	1,000	1,250	-	-	-	-	-	-
2,300	2,310	23,260	1,340	1,000	1,260	-	-	-	-	-	-
2,310	2,320	23,850	1,350	1,000	1,270	-	-	-	-	-	-
2,320	2,330	24,440	1,940	1,000	1,280	-	-	-	-	-	-
2,330	2,340	25,030	2,530	1,000	1,290	-	-	-	-	-	-
2,340	2,350	25,620	3,120	1,000	1,300	-	-	-	-	-	-
2,350	2,360	26,200	3,700	1,000	1,310	-	-	-	-	-	-
2,360	2,370	26,790	4,290	1,000	1,320	-	-	-	-	-	-
2,370	2,380	27,380	4,880	1,000	1,330	-	-	-	-	-	-
2,380	2,390	27,970	5,470	1,000	1,340	-	-	-	-	-	-
2,390	2,400	28,560	6,060	1,000	1,350	-	-	-	-	-	-
2,400	2,410	29,150	6,650	1,000	1,360	-	-	-	-	-	-
2,410	2,420	29,740	7,240	1,000	1,370	-	-	-	-	-	-

월지급액 (천원)		공제대상 가족수별 원천징수 세액 (원)									
이상	이하	1인	2인	3인	4인	5인	6인	7인	8인	9인	10인
2,420	2,430	30,330	7,830	1,000	1,380	-	-	-	-	-	-
2,430	2,440	30,920	8,420	1,000	1,390	-	-	-	-	-	-
2,440	2,450	31,510	9,010	1,000	1,400	-	-	-	-	-	-
2,450	2,460	32,090	9,590	1,000	1,410	1,000	-	-	-	-	-
2,460	2,470	32,680	10,180	1,000	1,420	1,000	-	-	-	-	-
2,470	2,480	33,270	10,770	1,010	1,430	1,000	-	-	-	-	-
2,480	2,490	33,860	11,360	1,020	1,440	1,000	-	-	-	-	-
2,490	2,500	34,450	11,950	1,030	1,450	1,000	-	-	-	-	-
2,500	2,510	35,040	12,540	1,040	1,460	1,000	-	-	-	-	-
2,510	2,520	35,630	13,130	1,050	1,470	1,000	-	-	-	-	-
2,520	2,530	36,220	13,720	1,060	1,480	1,000	-	-	-	-	-
2,530	2,540	36,810	14,310	1,070	1,490	1,000	-	-	-	-	-
2,540	2,550	37,400	14,900	1,080	1,500	1,000	-	-	-	-	-
2,550	2,560	37,980	15,480	1,090	1,510	1,000	-	-	-	-	-
2,560	2,570	38,570	16,070	1,100	1,520	1,000	-	-	-	-	-
2,570	2,580	39,160	16,660	1,110	1,530	1,000	-	-	-	-	-
2,580	2,590	39,750	17,250	1,120	1,540	1,000	-	-	-	-	-
2,590	2,600	40,340	17,840	1,130	1,550	1,000	-	-	-	-	-
2,600	2,610	40,930	18,430	1,140	1,560	1,000	-	-	-	-	-
2,610	2,620	41,520	19,020	1,150	1,570	1,000	-	-	-	-	-
2,620	2,630	42,110	19,610	1,160	1,580	1,000	-	-	-	-	-
2,630	2,640	42,700	20,200	1,170	1,590	1,000	-	-	-	-	-
2,640	2,650	43,290	20,790	1,180	1,600	1,000	-	-	-	-	-
2,650	2,660	43,870	21,370	1,190	1,610	1,000	-	-	-	-	-
2,660	2,670	44,460	21,960	1,200	1,620	1,000	-	-	-	-	-
2,670	2,680	45,050	22,550	1,210	1,630	1,000	1,000	-	-	-	-
2,680	2,690	45,640	23,140	1,220	1,640	1,000	1,000	-	-	-	-
2,690	2,700	46,230	23,730	1,230	1,650	1,000	1,000	-	-	-	-

월지급액 (천원)		공제대상 가족수별 원천징수 세액 (원)									
이상	이하	1인	2인	3인	4인	5인	6인	7인	8인	9인	10인
2,700	2,710	46,820	24,320	1,820	1,660	1,000	1,000	-	-	-	-
2,710	2,720	47,410	24,910	2,410	1,670	1,000	1,000	-	-	-	-
2,720	2,730	48,000	25,500	3,000	1,680	1,000	1,000	-	-	-	-
2,730	2,740	48,590	26,090	3,590	1,690	1,000	1,000	-	-	-	-
2,740	2,750	49,180	26,680	4,180	1,700	1,000	1,000	-	-	-	-
2,750	2,760	49,760	27,260	4,760	1,710	1,000	1,000	-	-	-	-
2,760	2,770	50,350	27,850	5,350	1,720	1,000	1,000	-	-	-	-
2,770	2,780	50,940	28,440	5,940	1,730	1,000	1,000	-	-	-	-
2,780	2,790	51,530	29,030	6,530	1,740	1,000	1,000	-	-	-	-
2,790	2,800	52,120	29,620	7,120	1,750	1,000	1,000		-	-	-
2,800	2,810	52,710	30,210	7,710	1,760	1,000	1,000		-	-	-
2,810	2,820	53,300	30,800	8,300	1,770	1,000	1,000		-	-	-
2,820	2,830	53,890	31,390	8,890	1,780	1,000	1,000		-	-	-
2,830	2,840	54,480	31,980	9,480	1,790	1,000	1,000		-	-	-
2,840	2,850	55,070	32,570	10,070	1,800	1,000	1,000		-	-	-
2,850	2,860	55,650	33,150	10,650	1,810	1,000	1,000		-	-	-
2,860	2,870	56,240	33,740	11,240	1,820	1,000	1,000		-	-	-
2,870	2,880	56,830	34,330	11,830	1,830	1,000	1,000		-	-	-
2,880	2,890	57,420	34,920	12,420	1,840	1,000	1,000		-	-	-
2,890	2,900	58,010	35,510	13,010	1,850	1,000	1,000		-	-	-
2,900	2,910	58,600	36,100	13,600	1,860	1,000	1,000		-	-	-
2,910	2,920	59,190	36,690	14,190	1,870	1,000	1,000	1,130	-	-	-
2,920	2,930	59,780	37,280	14,780	1,880	1,000	1,000	1,140	-	-	-
2,930	2,940	60,370	37,870	15,370	1,890	1,000	1,000	1,150	-	-	-
2,940	2,950	60,960	38,460	15,960	1,900	1,000	1,000	1,160	-	-	-
2,950	2,960	61,540	39,040	16,540	1,910	1,000	1,010	1,170	-	-	-
2,960	2,970	62,130	39,630	17,130	1,920	1,000	1,020	1,180	-	-	-
2,970	2,980	62,720	40,220	17,720	1,930	1,000	1,030	1,190	-	-	-

월지급액 (천원)		공제대상 가족수별 원천징수 세액 (원)									
이상	이하	1인	2인	3인	4인	5인	6인	7인	8인	9인	10인
2,980	2,990	63,310	40,810	18,310	1,940	1,000	1,040	1,200	-	-	-
2,990	3,000	63,900	41,400	18,900	1,950	1,000	1,050	1,210	-	-	-
3,000	3,020	64,780	42,280	19,780	1,960	1,000	1,060	1,220	-	-	-
3,020	3,040	65,960	43,460	20,960	1,970	1,000	1,070	1,230	-	-	-
3,040	3,060	67,140	44,640	22,140	1,980	1,000	1,080	1,240	-	-	-
3,060	3,080	68,320	45,820	23,320	1,990	1,000	1,090	1,250	-	-	-
3,080	3,100	69,500	47,000	24,500	2,000	1,000	1,100	1,260		-	-
3,100	3,120	70,670	48,170	25,670	3,170	1,000	1,110	1,270		-	-
3,120	3,140	71,850	49,350	26,850	4,350	1,000	1,120	1,280		-	-
3,140	3,160	73,030	50,530	28,030	5,530	1,000	1,130	1,290		-	-
3,160	3,180	74,210	51,710	29,210	6,710	1,000	1,140	1,300		-	-
3,180	3,200	75,390	52,890	30,390	7,890	1,000	1,150	1,310	1,000	-	-
3,200	3,220	76,560	54,060	31,560	9,060	1,000	1,160	1,320	1,010	-	-
3,220	3,240	77,740	55,240	32,740	10,240	1,010	1,170	1,330	1,030	-	-
3,240	3,260	78,920	56,420	33,920	11,420	1,020	1,180	1,340	1,050	-	-
3,260	3,280	80,100	57,600	35,100	12,600	1,030	1,190	1,350	1,070	-	-
3,280	3,300	81,280	58,780	36,280	13,780	1,040	1,200	1,360	1,090	-	-
3,300	3,320	82,450	59,950	37,450	14,950	1,050	1,210	1,370	1,110	-	-
3,320	3,340	83,630	61,130	38,630	16,130	1,060	1,220	1,380	1,130	-	-
3,340	3,360	85,410	62,910	40,410	17,910	1,070	1,230	1,390	1,150	-	-
3,360	3,380	87,310	64,810	42,310	19,810	1,080	1,240	1,400	1,170	-	-
3,380	3,400	89,210	66,710	44,210	21,710	1,090	1,250	1,410	1,190	-	-
3,400	3,420	91,100	68,600	46,100	23,600	1,100	1,260	1,420	1,210	-	-
3,420	3,440	93,000	70,500	48,000	25,500	3,000	1,270	1,430	1,230	1,000	-
3,440	3,460	94,900	72,400	49,900	27,400	4,900	1,280	1,440	1,250	1,030	-
3,460	3,480	96,800	74,300	51,800	29,300	6,800	1,290	1,450	1,270	1,070	-
3,480	3,500	98,700	76,200	53,700	31,200	8,700	1,300	1,460	1,290	1,100	-
3,500	3,520	100,590	78,090	55,590	33,090	10,590	1,310	1,470	1,310	1,130	-

월지급액 (천원)		공제대상 가족수별 원천징수 세액 (원)									
이상	이하	1인	2인	3인	4인	5인	6인	7인	8인	9인	10인
3,520	3,540	102,490	79,990	57,490	34,990	12,490	1,320	1,480	1,330	1,160	-
3,540	3,560	104,390	81,890	59,390	36,890	14,390	1,330	1,490	1,350	1,190	-
3,560	3,580	106,290	83,790	61,290	38,790	16,290	1,340	1,500	1,370	1,220	
3,580	3,600	108,190	85,690	63,190	40,690	18,190	1,350	1,510	1,390	1,250	1,000
3,600	3,620	110,080	87,580	65,080	42,580	20,080	1,360	1,520	1,410	1,280	1,000
3,620	3,640	111,980	89,480	66,980	44,480	21,980	1,370	1,530	1,430	1,310	1,000
3,640	3,660	113,880	91,380	68,880	46,380	23,880	1,380	1,540	1,450	1,340	1,000
3,660	3,680	115,780	93,280	70,780	48,280	25,780	3,280	1,550	1,470	1,370	1,000
3,680	3,700	117,680	95,180	72,680	50,180	27,680	5,180	1,560	1,490	1,400	1,000
3,700	3,720	119,570	97,070	74,570	52,070	29,570	7,070	1,570	1,510	1,430	1,000
3,720	3,740	121,470	98,970	76,470	53,970	31,470	8,970	1,580	1,530	1,460	1,000
3,740	3,760	123,370	100,870	78,370	55,870	33,370	10,870	1,590	1,550	1,490	1,000
3,760	3,780	125,270	102,770	80,270	57,770	35,270	12,770	1,600	1,570	1,520	1,000
3,780	3,800	127,170	104,670	82,170	59,670	37,170	14,670	1,610	1,590	1,550	1,000
3,800	3,820	129,060	106,560	84,060	61,560	39,060	16,560	1,620	1,610	1,580	1,040
3,820	3,840	130,960	108,460	85,960	63,460	40,960	18,460	1,630	1,630	1,610	1,080
3,840	3,860	132,860	110,360	87,860	65,360	42,860	20,360	1,640	1,650	1,640	1,120
3,860	3,880	134,760	112,260	89,760	67,260	44,760	22,260	1,650	1,670	1,670	1,160
3,880	3,900	136,660	114,160	91,660	69,160	46,660	24,160	1,660	1,690	1,700	1,200
3,900	3,920	138,550	116,050	93,550	71,050	48,550	26,050	3,550	1,710	1,730	1,240
3,920	3,940	140,450	117,950	95,450	72,950	50,450	27,950	5,450	1,730	1,760	1,280
3,940	3,960	142,350	119,850	97,350	74,850	52,350	29,850	7,350	1,750	1,790	1,320
3,960	3,980	144,250	121,750	99,250	76,750	54,250	31,750	9,250	1,770	1,820	1,360
3,980	4,000	146,150	123,650	101,150	78,650	56,150	33,650	11,150	1,790	1,850	1,400
4,000	4,020	148,040	125,540	103,040	80,540	58,040	35,540	13,040	1,810	1,880	1,440
4,020	4,040	149,940	127,440	104,940	82,440	59,940	37,440	14,940	1,830	1,910	1,480
4,040	4,060	151,840	129,340	106,840	84,340	61,840	39,340	16,840	1,850	1,940	1,520
4,060	4,080	153,740	131,240	108,740	86,240	63,740	41,240	18,740	1,870	1,970	1,560

월지급액 (천원)		공제대상 가족수별 원천징수 세액 (원)									
이상	이하	1인	2인	3인	4인	5인	6인	7인	8인	9인	10인
4,080	4,100	155,640	133,140	110,640	88,140	65,640	43,140	20,640	1,890	2,000	1,600
4,100	4,120	157,530	135,030	112,530	90,030	67,530	45,030	22,530	1,910	2,030	1,640
4,120	4,140	159,430	136,930	114,430	91,930	69,430	46,930	24,430	1,930	2,060	1,680
4,140	4,160	161,330	138,830	116,330	93,830	71,330	48,830	26,330	3,830	2,090	1,720
4,160	4,180	163,230	140,730	118,230	95,730	73,230	50,730	28,230	5,730	2,120	1,760
4,180	4,200	165,130	142,630	120,130	97,630	75,130	52,630	30,130	7,630	2,150	1,800
4,200	4,220	167,020	144,520	122,020	99,520	77,020	54,520	32,020	9,520	2,180	1,840
4,220	4,240	168,920	146,420	123,920	101,420	78,920	56,420	33,920	11,420	2,210	1,880
4,240	4,260	170,820	148,320	125,820	103,320	80,820	58,320	35,820	13,320	2,240	1,920
4,260	4,280	172,720	150,220	127,720	105,220	82,720	60,220	37,720	15,220	2,270	1,960
4,280	4,300	174,620	152,120	129,620	107,120	84,620	62,120	39,620	17,120	2,300	2,000
4,300	4,320	176,510	154,010	131,510	109,010	86,510	64,010	41,510	19,010	2,330	2,040
4,320	4,340	178,410	155,910	133,410	110,910	88,410	65,910	43,410	20,910	2,360	2,080
4,340	4,360	180,360	157,860	135,360	112,860	90,360	67,860	45,360	22,860	2,390	2,120
4,360	4,380	182,420	159,920	137,420	114,920	92,420	69,920	47,420	24,920	2,420	2,160
4,380	4,400	184,480	161,980	139,480	116,980	94,480	71,980	49,480	26,980	4,480	2,200
4,400	4,420	186,540	164,040	141,540	119,040	96,540	74,040	51,540	29,040	6,540	2,240
4,420	4,440	188,600	166,100	143,600	121,100	98,600	76,100	53,600	31,100	8,600	2,280
4,440	4,460	190,660	168,160	145,660	123,160	100,660	78,160	55,660	33,160	10,660	2,320
4,460	4,480	192,720	170,220	147,720	125,220	102,720	80,220	57,720	35,220	12,720	2,360
4,480	4,500	194,780	172,280	149,780	127,280	104,780	82,280	59,780	37,280	14,780	2,400
4,500	4,520	196,840	174,340	151,840	129,340	106,840	84,340	61,840	39,340	16,840	2,440
4,520	4,540	198,900	176,400	153,900	131,400	108,900	86,400	63,900	41,400	18,900	2,480
4,540	4,560	200,960	178,460	155,960	133,460	110,960	88,460	65,960	43,460	20,960	2,520
4,560	4,580	203,020	180,520	158,020	135,520	113,020	90,520	68,020	45,520	23,020	2,560
4,580	4,600	205,080	182,580	160,080	137,580	115,080	92,580	70,080	47,580	25,080	2,580
4,600	4,620	207,140	184,640	162,140	139,640	117,140	94,640	72,140	49,640	27,140	4,640
4,620	4,640	209,200	186,700	164,200	141,700	119,200	96,700	74,200	51,700	29,200	6,700

월지급액 (천원)		공제대상 가족수별 원천징수 세액 (원)									
이상	이하	1인	2인	3인	4인	5인	6인	7인	8인	9인	10인
4,640	4,660	211,260	188,760	166,260	143,760	121,260	98,760	76,260	53,760	31,260	8,760
4,660	4,680	213,320	190,820	168,320	145,820	123,320	100,820	78,320	55,820	33,320	10,820
4,680	4,700	215,380	192,880	170,380	147,880	125,380	102,880	80,380	57,880	35,380	12,880
4,700	4,720	217,440	194,940	172,440	149,940	127,440	104,940	82,440	59,940	37,440	14,940
4,720	4,740	219,500	197,000	174,500	152,000	129,500	107,000	84,500	62,000	39,500	17,000
4,740	4,760	221,560	199,060	176,560	154,060	131,560	109,060	86,560	64,060	41,560	19,060
4,760	4,780	223,620	201,120	178,620	156,120	133,620	111,120	88,620	66,120	43,620	21,120
4,780	4,800	225,680	203,180	180,680	158,180	135,680	113,180	90,680	68,180	45,680	23,180
4,800	4,820	227,740	205,240	182,740	160,240	137,740	115,240	92,740	70,240	47,740	25,240
4,820	4,840	229,800	207,300	184,800	162,300	139,800	117,300	94,800	72,300	49,800	27,300
4,840	4,860	231,860	209,360	186,860	164,360	141,860	119,360	96,860	74,360	51,860	29,360
4,860	4,880	233,920	211,420	188,920	166,420	143,920	121,420	98,920	76,420	53,920	31,420
4,880	4,900	235,980	213,480	190,980	168,480	145,980	123,480	100,980	78,480	55,980	33,480
4,900	4,920	238,040	215,540	193,040	170,540	148,040	125,540	103,040	80,540	58,040	35,540
4,920	4,940	240,100	217,600	195,100	172,600	150,100	127,600	105,100	82,600	60,100	37,600
4,940	4,960	242,160	219,660	197,160	174,660	152,160	129,660	107,160	84,660	62,160	39,660
4,960	4,980	244,220	221,720	199,220	176,720	154,220	131,720	109,220	86,720	64,220	41,720
4,980	5,000	246,280	223,780	201,280	178,780	156,280	133,780	111,280	88,780	66,280	43,780
5,000	5,020	248,520	226,020	203,520	181,020	158,520	136,020	113,520	91,020	68,520	46,020
5,020	5,040	250,940	228,440	205,940	183,440	160,940	138,440	115,940	93,440	70,940	48,440
5,040	5,060	253,360	230,860	208,360	185,860	163,360	140,860	118,360	95,860	73,360	50,860
5,060	5,080	255,780	233,280	210,780	188,280	165,780	143,280	120,780	98,280	75,780	53,280
5,080	5,100	258,200	235,700	213,200	190,700	168,200	145,700	123,200	100,700	78,200	55,700
5,100	5,120	260,620	238,120	215,620	193,120	170,620	148,120	125,620	103,120	80,620	58,120
5,120	5,140	263,040	240,540	218,040	195,540	173,040	150,540	128,040	105,540	83,040	60,540
5,140	5,160	265,460	242,960	220,460	197,960	175,460	152,960	130,460	107,960	85,460	62,960
5,160	5,180	267,880	245,380	222,880	200,380	177,880	155,380	132,880	110,380	87,880	65,380
5,180	5,200	270,300	247,800	225,300	202,800	180,300	157,800	135,300	112,800	90,300	67,800

월지급액 (천원)		공제대상 가족수별 원천징수 세액 (원)									
이상	이하	1인	2인	3인	4인	5인	6인	7인	8인	9인	10인
5,200	5,220	272,720	250,220	227,720	205,220	182,720	160,220	137,720	115,220	92,720	70,220
5,220	5,240	275,140	252,640	230,140	207,640	185,140	162,640	140,140	117,640	95,140	72,640
5,240	5,260	277,560	255,060	232,560	210,060	187,560	165,060	142,560	120,060	97,560	75,060
5,260	5,280	279,980	257,480	234,980	212,480	189,980	167,480	144,980	122,480	99,980	77,480
5,280	5,300	282,400	259,900	237,400	214,900	192,400	169,900	147,400	124,900	102,400	79,900
5,300	5,320	284,820	262,320	239,820	217,320	194,820	172,320	149,820	127,320	104,820	82,320
5,320	5,340	287,240	264,740	242,240	219,740	197,240	174,740	152,240	129,740	107,240	84,740
5,340	5,360	289,660	267,160	244,660	222,160	199,660	177,160	154,660	132,160	109,660	87,160
5,360	5,380	292,080	269,580	247,080	224,580	202,080	179,580	157,080	134,580	112,080	89,580
5,380	5,400	294,500	272,000	249,500	227,000	204,500	182,000	159,500	137,000	114,500	92,000
5,400	5,420	296,920	274,420	251,920	229,420	206,920	184,420	161,920	139,420	116,920	94,420
5,420	5,440	299,340	276,840	254,340	231,840	209,340	186,840	164,340	141,840	119,340	96,840
5,440	5,460	301,760	279,260	256,760	234,260	211,760	189,260	166,760	144,260	121,760	99,260
5,460	5,480	304,180	281,680	259,180	236,680	214,180	191,680	169,180	146,680	124,180	101,680
5,480	5,500	306,600	284,100	261,600	239,100	216,600	194,100	171,600	149,100	126,600	104,100
5,500	5,520	309,020	286,520	264,020	241,520	219,020	196,520	174,020	151,520	129,020	106,520
5,520	5,540	311,440	288,940	266,440	243,940	221,440	198,940	176,440	153,940	131,440	108,940
5,540	5,560	313,860	291,360	268,860	246,360	223,860	201,360	178,860	156,360	133,860	111,360
5,560	5,580	316,280	293,780	271,280	248,780	226,280	203,780	181,280	158,780	136,280	113,780
5,580	5,600	318,700	296,200	273,700	251,200	228,700	206,200	183,700	161,200	138,700	116,200
5,600	5,620	321,120	298,620	276,120	253,620	231,120	208,620	186,120	163,620	141,120	118,620
5,620	5,640	323,540	301,040	278,540	256,040	233,540	211,040	188,540	166,040	143,540	121,040
5,640	5,660	325,960	303,460	280,960	258,460	235,960	213,460	190,960	168,460	145,960	123,460
5,660	5,680	328,380	305,880	283,380	260,880	238,380	215,880	193,380	170,880	148,380	125,880
5,680	5,700	330,800	308,300	285,800	263,300	240,800	218,300	195,800	173,300	150,800	128,300
5,700	5,720	333,220	310,720	288,220	265,720	243,220	220,720	198,220	175,720	153,220	130,720
5,720	5,740	335,640	313,140	290,640	268,140	245,640	223,140	200,640	178,140	155,640	133,140
5,740	5,760	338,060	315,560	293,060	270,560	248,060	225,560	203,060	180,560	158,060	135,560

월지급액 (천원)		공제대상 가족수별 원천징수 세액 (원)									
이상	이하	1인	2인	3인	4인	5인	6인	7인	8인	9인	10인
5,760	5,780	340,480	317,980	295,480	272,980	250,480	227,980	205,480	182,980	160,480	137,980
5,780	5,800	342,900	320,400	297,900	275,400	252,900	230,400	207,900	185,400	162,900	140,400
5,800	5,820	345,320	322,820	300,320	277,820	255,320	232,820	210,320	187,820	165,320	142,820
5,820	5,840	347,740	325,240	302,740	280,240	257,740	235,240	212,740	190,240	167,740	145,240
5,840	5,860	350,540	328,040	305,540	283,040	260,540	238,040	215,540	193,040	170,540	148,040
5,860	5,880	353,420	330,920	308,420	285,920	263,420	240,920	218,420	195,920	173,420	150,920
5,880	5,900	356,300	333,800	311,300	288,800	266,300	243,800	221,300	198,800	176,300	153,800
5,900	5,920	359,180	336,680	314,180	291,680	269,180	246,680	224,180	201,680	179,180	156,680
5,920	5,940	362,060	339,560	317,060	294,560	272,060	249,560	227,060	204,560	182,060	159,560
5,940	5,960	364,940	342,440	319,940	297,440	274,940	252,440	229,940	207,440	184,940	162,440
5,960	5,980	367,820	345,320	322,820	300,320	277,820	255,320	232,820	210,320	187,820	165,320
5,980	6,000	370,700	348,200	325,700	303,200	280,700	258,200	235,700	213,200	190,700	168,200
6,000	6,020	373,580	351,080	328,580	306,080	283,580	261,080	238,580	216,080	193,580	171,080
6,020	6,040	376,460	353,960	331,460	308,960	286,460	263,960	241,460	218,960	196,460	173,960
6,040	6,060	379,340	356,840	334,340	311,840	289,340	266,840	244,340	221,840	199,340	176,840
6,060	6,080	382,220	359,720	337,220	314,720	292,220	269,720	247,220	224,720	202,220	179,720
6,080	6,100	385,100	362,600	340,100	317,600	295,100	272,600	250,100	227,600	205,100	182,600
6,100	6,120	387,980	365,480	342,980	320,480	297,980	275,480	252,980	230,480	207,980	185,480
6,120	6,140	390,860	368,360	345,860	323,360	300,860	278,360	255,860	233,360	210,860	188,360
6,140	6,160	393,740	371,240	348,740	326,240	303,740	281,240	258,740	236,240	213,740	191,240
6,160	6,180	396,620	374,120	351,620	329,120	306,620	284,120	261,620	239,120	216,620	194,120
6,180	6,200	399,500	377,000	354,500	332,000	309,500	287,000	264,500	242,000	219,500	197,000
6,200	6,220	402,380	379,880	357,380	334,880	312,380	289,880	267,380	244,880	222,380	199,880
6,220	6,240	405,260	382,760	360,260	337,760	315,260	292,760	270,260	247,760	225,260	202,760
6,240	6,260	408,140	385,640	363,140	340,640	318,140	295,640	273,140	250,640	228,140	205,640
6,260	6,280	411,020	388,520	366,020	343,520	321,020	298,520	276,020	253,520	231,020	208,520
6,280	6,300	413,900	391,400	368,900	346,400	323,900	301,400	278,900	256,400	233,900	211,400
6,300	6,320	416,780	394,280	371,780	349,280	326,780	304,280	281,780	259,280	236,780	214,280

월지급액 (천원)		공제대상 가족수별 원천징수 세액 (원)									
이상	이하	1인	2인	3인	4인	5인	6인	7인	8인	9인	10인
6,320	6,340	419,660	397,160	374,660	352,160	329,660	307,160	284,660	262,160	239,660	217,160
6,340	6,360	422,540	400,040	377,540	355,040	332,540	310,040	287,540	265,040	242,540	220,040
6,360	6,380	425,420	402,920	380,420	357,920	335,420	312,920	290,420	267,920	245,420	222,920
6,380	6,400	428,300	405,800	383,300	360,800	338,300	315,800	293,300	270,800	248,300	225,800
6,400	6,420	431,180	408,680	386,180	363,680	341,180	318,680	296,180	273,680	251,180	228,680
6,420	6,440	434,060	411,560	389,060	366,560	344,060	321,560	299,060	276,560	254,060	231,560
6,440	6,460	436,940	414,440	391,940	369,440	346,940	324,440	301,940	279,440	256,940	234,440
6,460	6,480	439,820	417,320	394,820	372,320	349,820	327,320	304,820	282,320	259,820	237,320
6,480	6,500	442,700	420,200	397,700	375,200	352,700	330,200	307,700	285,200	262,700	240,200
6,500	6,520	445,580	423,080	400,580	378,080	355,580	333,080	310,580	288,080	265,580	243,080
6,520	6,540	448,460	425,960	403,460	380,960	358,460	335,960	313,460	290,960	268,460	245,960
6,540	6,560	451,340	428,840	406,340	383,840	361,340	338,840	316,340	293,840	271,340	248,840
6,560	6,580	454,220	431,720	409,220	386,720	364,220	341,720	319,220	296,720	274,220	251,720
6,580	6,600	457,100	434,600	412,100	389,600	367,100	344,600	322,100	299,600	277,100	254,600
6,600	6,620	459,980	437,480	414,980	392,480	369,980	347,480	324,980	302,480	279,980	257,480
6,620	6,640	462,860	440,360	417,860	395,360	372,860	350,360	327,860	305,360	282,860	260,360
6,640	6,660	465,740	443,240	420,740	398,240	375,740	353,240	330,740	308,240	285,740	263,240
6,660	6,680	468,620	446,120	423,620	401,120	378,620	356,120	333,620	311,120	288,620	266,120
6,680	6,700	471,500	449,000	426,500	404,000	381,500	359,000	336,500	314,000	291,500	269,000
6,700	6,720	474,380	451,880	429,380	406,880	384,380	361,880	339,380	316,880	294,380	271,880
6,720	6,740	477,260	454,760	432,260	409,760	387,260	364,760	342,260	319,760	297,260	274,760
6,740	6,760	480,140	457,640	435,140	412,640	390,140	367,640	345,140	322,640	300,140	277,640
6,760	6,780	483,020	460,520	438,020	415,520	393,020	370,520	348,020	325,520	303,020	280,520
6,780	6,800	485,900	463,400	440,900	418,400	395,900	373,400	350,900	328,400	305,900	283,400
6,800	6,820	488,780	466,280	443,780	421,280	398,780	376,280	353,780	331,280	308,780	286,280
6,820	6,840	491,660	469,160	446,660	424,160	401,660	379,160	356,660	334,160	311,660	289,160
6,840	6,860	494,540	472,040	449,540	427,040	404,540	382,040	359,540	337,040	314,540	292,040
6,860	6,880	497,420	474,920	452,420	429,920	407,420	384,920	362,420	339,920	317,420	294,920

월지급액 (천원)		공제대상 가족수별 원천징수 세액 (원)									
이상	이하	1인	2인	3인	4인	5인	6인	7인	8인	9인	10인
6,880	6,900	500,300	477,800	455,300	432,800	410,300	387,800	365,300	342,800	320,300	297,800
6,900	6,920	503,180	480,680	458,180	435,680	413,180	390,680	368,180	345,680	323,180	300,680
6,920	6,940	506,060	483,560	461,060	438,560	416,060	393,560	371,060	348,560	326,060	303,560
6,940	6,960	508,940	486,440	463,940	441,440	418,940	396,440	373,940	351,440	328,940	306,440
6,960	6,980	511,820	489,320	466,820	444,320	421,820	399,320	376,820	354,320	331,820	309,320
6,980	7,000	514,700	492,200	469,700	447,200	424,700	402,200	379,700	357,200	334,700	312,200
7,000	7,020	517,580	495,080	472,580	450,080	427,580	405,080	382,580	360,080	337,580	315,080
7,020	7,040	520,460	497,960	475,460	452,960	430,460	407,960	385,460	362,960	340,460	317,960
7,040	7,060	523,340	500,840	478,340	455,840	433,340	410,840	388,340	365,840	343,340	320,840
7,060	7,080	526,220	503,720	481,220	458,720	436,220	413,720	391,220	368,720	346,220	323,720
7,080	7,100	529,100	506,600	484,100	461,600	439,100	416,600	394,100	371,600	349,100	326,600
7,100	7,120	531,980	509,480	486,980	464,480	441,980	419,480	396,980	374,480	351,980	329,480
7,120	7,140	534,860	512,360	489,860	467,360	444,860	422,360	399,860	377,360	354,860	332,360
7,140	7,160	537,740	515,240	492,740	470,240	447,740	425,240	402,740	380,240	357,740	335,240
7,160	7,180	540,620	518,120	495,620	473,120	450,620	428,120	405,620	383,120	360,620	338,120
7,180	7,200	543,800	521,000	498,500	476,000	453,500	431,000	408,500	386,000	363,500	341,000
7,200	7,220	547,000	523,880	501,380	478,880	456,380	433,880	411,380	388,880	366,380	343,880
7,220	7,240	550,200	526,760	504,260	481,760	459,260	436,760	414,260	391,760	369,260	346,760
7,240	7,260	553,400	529,640	507,140	484,640	462,140	439,640	417,140	394,640	372,140	349,640
7,260	7,280	556,600	532,520	510,020	487,520	465,020	442,520	420,020	397,520	375,020	352,520
7,280	7,300	559,800	535,400	512,900	490,400	467,900	445,400	422,900	400,400	377,900	355,400
7,300	7,320	563,000	538,280	515,780	493,280	470,780	448,280	425,780	403,280	380,780	358,280
7,320	7,340	566,200	541,200	518,660	496,160	473,660	451,160	428,660	406,160	383,660	361,160
7,340	7,360	569,400	544,400	521,540	499,040	476,540	454,040	431,540	409,040	386,540	364,040
7,360	7,380	572,600	547,600	524,420	501,920	479,420	456,920	434,420	411,920	389,420	366,920
7,380	7,400	575,800	550,800	527,300	504,800	482,300	459,800	437,300	414,800	392,300	369,800
7,400	7,420	579,000	554,000	530,180	507,680	485,180	462,680	440,180	417,680	395,180	372,680
7,420	7,440	582,200	557,200	533,060	510,560	488,060	465,560	443,060	420,560	398,060	375,560

월지급액 (천원)		공제대상 가족수별 원천징수 세액 (원)									
이상	이하	1인	2인	3인	4인	5인	6인	7인	8인	9인	10인
7,440	7,460	585,400	560,400	535,940	513,440	490,940	468,440	445,940	423,440	400,940	378,440
7,460	7,480	588,600	563,600	538,820	516,320	493,820	471,320	448,820	426,320	403,820	381,320
7,480	7,500	591,800	566,800	541,800	519,200	496,700	474,200	451,700	429,200	406,700	384,200
7,500	7,520	595,000	570,000	545,000	522,080	499,580	477,080	454,580	432,080	409,580	387,080
7,520	7,540	598,200	573,200	548,200	524,960	502,460	479,960	457,460	434,960	412,460	389,960
7,540	7,560	601,400	576,400	551,400	527,840	505,340	482,840	460,340	437,840	415,340	392,840
7,560	7,580	604,600	579,600	554,600	530,720	508,220	485,720	463,220	440,720	418,220	395,720
7,580	7,600	607,800	582,800	557,800	533,600	511,100	488,600	466,100	443,600	421,100	398,600
7,600	7,620	611,000	586,000	561,000	536,480	513,980	491,480	468,980	446,480	423,980	401,480
7,620	7,640	614,200	589,200	564,200	539,360	516,860	494,360	471,860	449,360	426,860	404,360
7,640	7,660	617,400	592,400	567,400	542,400	519,740	497,240	474,740	452,240	429,740	407,240
7,660	7,680	620,600	595,600	570,600	545,600	522,620	500,120	477,620	455,120	432,620	410,120
7,680	7,700	623,800	598,800	573,800	548,800	525,500	503,000	480,500	458,000	435,500	413,000
7,700	7,720	627,000	602,000	577,000	552,000	528,380	505,880	483,380	460,880	438,380	415,880
7,720	7,740	630,200	605,200	580,200	555,200	531,260	508,760	486,260	463,760	441,260	418,760
7,740	7,760	633,400	608,400	583,400	558,400	534,140	511,640	489,140	466,640	444,140	421,640
7,760	7,780	636,600	611,600	586,600	561,600	537,020	514,520	492,020	469,520	447,020	424,520
7,780	7,800	639,800	614,800	589,800	564,800	539,900	517,400	494,900	472,400	449,900	427,400
7,800	7,820	643,000	618,000	593,000	568,000	543,000	520,280	497,780	475,280	452,780	430,280
7,820	7,840	646,200	621,200	596,200	571,200	546,200	523,160	500,660	478,160	455,660	433,160
7,840	7,860	649,400	624,400	599,400	574,400	549,400	526,040	503,540	481,040	458,540	436,040
7,860	7,880	652,600	627,600	602,600	577,600	552,600	528,920	506,420	483,920	461,420	438,920
7,880	7,900	655,800	630,800	605,800	580,800	555,800	531,800	509,300	486,800	464,300	441,800
7,900	7,920	659,000	634,000	609,000	584,000	559,000	534,680	512,180	489,680	467,180	444,680
7,920	7,940	662,200	637,200	612,200	587,200	562,200	537,560	515,060	492,560	470,060	447,560
7,940	7,960	665,400	640,400	615,400	590,400	565,400	540,440	517,940	495,440	472,940	450,440
7,960	7,980	668,600	643,600	618,600	593,600	568,600	543,600	520,820	498,320	475,820	453,320
7,980	8,000	671,800	646,800	621,800	596,800	571,800	546,800	523,700	501,200	478,700	456,200

월지급액 (천원)		공제대상 가족수별 원천징수 세액 (원)									
이상	이하	1인	2인	3인	4인	5인	6인	7인	8인	9인	10인
8,000	8,020	675,000	650,000	625,000	600,000	575,000	550,000	526,580	504,080	481,580	459,080
8,020	8,040	678,200	653,200	628,200	603,200	578,200	553,200	529,460	506,960	484,460	461,960
8,040	8,060	681,400	656,400	631,400	606,400	581,400	556,400	532,340	509,840	487,340	464,840
8,060	8,080	684,600	659,600	634,600	609,600	584,600	559,600	535,220	512,720	490,220	467,720
8,080	8,100	687,800	662,800	637,800	612,800	587,800	562,800	538,100	515,600	493,100	470,600
8,100	8,120	691,000	666,000	641,000	616,000	591,000	566,000	541,000	518,480	495,980	473,480
8,120	8,140	694,200	669,200	644,200	619,200	594,200	569,200	544,200	521,360	498,860	476,360
8,140	8,160	697,400	672,400	647,400	622,400	597,400	572,400	547,400	524,240	501,740	479,240
8,160	8,180	700,600	675,600	650,600	625,600	600,600	575,600	550,600	527,120	504,620	482,120
8,180	8,200	703,800	678,800	653,800	628,800	603,800	578,800	553,800	530,000	507,500	485,000
8,200	8,220	707,000	682,000	657,000	632,000	607,000	582,000	557,000	532,880	510,380	487,880
8,220	8,240	710,200	685,200	660,200	635,200	610,200	585,200	560,200	535,760	513,260	490,760
8,240	8,260	713,400	688,400	663,400	638,400	613,400	588,400	563,400	538,640	516,140	493,640
8,260	8,280	716,600	691,600	666,600	641,600	616,600	591,600	566,600	541,600	519,020	496,520
8,280	8,300	719,800	694,800	669,800	644,800	619,800	594,800	569,800	544,800	521,900	499,400
8,300	8,320	723,000	698,000	673,000	648,000	623,000	598,000	573,000	548,000	524,780	502,280
8,320	8,340	726,200	701,200	676,200	651,200	626,200	601,200	576,200	551,200	527,660	505,160
8,340	8,360	729,400	704,400	679,400	654,400	629,400	604,400	579,400	554,400	530,540	508,040
8,360	8,380	732,600	707,600	682,600	657,600	632,600	607,600	582,600	557,600	533,420	510,920
8,380	8,400	735,800	710,800	685,800	660,800	635,800	610,800	585,800	560,800	536,300	513,800
8,400	8,420	739,000	714,000	689,000	664,000	639,000	614,000	589,000	564,000	539,180	516,680
8,420	8,440	742,200	717,200	692,200	667,200	642,200	617,200	592,200	567,200	542,200	519,560
8,440	8,460	745,400	720,400	695,400	670,400	645,400	620,400	595,400	570,400	545,400	522,440
8,460	8,480	748,600	723,600	698,600	673,600	648,600	623,600	598,600	573,600	548,600	525,320
8,480	8,500	751,800	726,800	701,800	676,800	651,800	626,800	601,800	576,800	551,800	528,200
8,500	8,520	755,000	730,000	705,000	680,000	655,000	630,000	605,000	580,000	555,000	531,080
8,520	8,540	758,200	733,200	708,200	683,200	658,200	633,200	608,200	583,200	558,200	533,960
8,540	8,560	761,400	736,400	711,400	686,400	661,400	636,400	611,400	586,400	561,400	536,840

월지급액 (천원)		공제대상 가족수별 원천징수 세액 (원)									
이상	이하	1인	2인	3인	4인	5인	6인	7인	8인	9인	10인
8,560	8,580	764,600	739,600	714,600	689,600	664,600	639,600	614,600	589,600	564,600	539,720
8,580	8,600	767,800	742,800	717,800	692,800	667,800	642,800	617,800	592,800	567,800	542,800
8,600	8,620	771,000	746,000	721,000	696,000	671,000	646,000	621,000	596,000	571,000	546,000
8,620	8,640	774,200	749,200	724,200	699,200	674,200	649,200	624,200	599,200	574,200	549,200
8,640	8,660	777,400	752,400	727,400	702,400	677,400	652,400	627,400	602,400	577,400	552,400
8,660	8,680	780,600	755,600	730,600	705,600	680,600	655,600	630,600	605,600	580,600	555,600
8,680	8,700	783,800	758,800	733,800	708,800	683,800	658,800	633,800	608,800	583,800	558,800
8,700	8,720	787,000	762,000	737,000	712,000	687,000	662,000	637,000	612,000	587,000	562,000
8,720	8,740	790,200	765,200	740,200	715,200	690,200	665,200	640,200	615,200	590,200	565,200
8,740	8,760	793,400	768,400	743,400	718,400	693,400	668,400	643,400	618,400	593,400	568,400
8,760	8,780	796,600	771,600	746,600	721,600	696,600	671,600	646,600	621,600	596,600	571,600
8,780	8,800	799,800	774,800	749,800	724,800	699,800	674,800	649,800	624,800	599,800	574,800
8,800	8,820	803,000	778,000	753,000	728,000	703,000	678,000	653,000	628,000	603,000	578,000
8,820	8,840	806,200	781,200	756,200	731,200	706,200	681,200	656,200	631,200	606,200	581,200
8,840	8,860	809,400	784,400	759,400	734,400	709,400	684,400	659,400	634,400	609,400	584,400
8,860	8,880	812,600	787,600	762,600	737,600	712,600	687,600	662,600	637,600	612,600	587,600
8,880	8,900	815,800	790,800	765,800	740,800	715,800	690,800	665,800	640,800	615,800	590,800
8,900	8,920	819,000	794,000	769,000	744,000	719,000	694,000	669,000	644,000	619,000	594,000
8,920	8,940	822,200	797,200	772,200	747,200	722,200	697,200	672,200	647,200	622,200	597,200
8,940	8,960	825,400	800,400	775,400	750,400	725,400	700,400	675,400	650,400	625,400	600,400
8,960	8,980	828,600	803,600	778,600	753,600	728,600	703,600	678,600	653,600	628,600	603,600
8,980	9,000	831,800	806,800	781,800	756,800	731,800	706,800	681,800	656,800	631,800	606,800
9,000	9,020	835,000	810,000	785,000	760,000	735,000	710,000	685,000	660,000	635,000	610,000
9,020	9,040	838,200	813,200	788,200	763,200	738,200	713,200	688,200	663,200	638,200	613,200
9,040	9,060	841,400	816,400	791,400	766,400	741,400	716,400	691,400	666,400	641,400	616,400
9,060	9,080	844,600	819,600	794,600	769,600	744,600	719,600	694,600	669,600	644,600	619,600
9,080	9,100	847,800	822,800	797,800	772,800	747,800	722,800	697,800	672,800	647,800	622,800
9,100	9,120	851,000	826,000	801,000	776,000	751,000	726,000	701,000	676,000	651,000	626,000

월지급액 (천원)		공제대상 가족수별 원천징수 세액 (원)									
이상	이하	1인	2인	3인	4인	5인	6인	7인	8인	9인	10인
9,120	9,140	854,200	829,200	804,200	779,200	754,200	729,200	704,200	679,200	654,200	629,200
9,140	9,160	857,400	832,400	807,400	782,400	757,400	732,400	707,400	682,400	657,400	632,400
9,160	9,180	860,600	835,600	810,600	785,600	760,600	735,600	710,600	685,600	660,600	635,600
9,180	9,200	863,800	838,800	813,800	788,800	763,800	738,800	713,800	688,800	663,800	638,800
9,200	9,220	867,000	842,000	817,000	792,000	767,000	742,000	717,000	692,000	667,000	642,000
9,220	9,240	870,200	845,200	820,200	795,200	770,200	745,200	720,200	695,200	670,200	645,200
9,240	9,260	873,400	848,400	823,400	798,400	773,400	748,400	723,400	698,400	673,400	648,400
9,260	9,280	876,600	851,600	826,600	801,600	776,600	751,600	726,600	701,600	676,600	651,600
9,280	9,300	879,800	854,800	829,800	804,800	779,800	754,800	729,800	704,800	679,800	654,800
9,300	9,320	883,000	858,000	833,000	808,000	783,000	758,000	733,000	708,000	683,000	658,000
9,320	9,340	886,200	861,200	836,200	811,200	786,200	761,200	736,200	711,200	686,200	661,200
9,340	9,360	889,400	864,400	839,400	814,400	789,400	764,400	739,400	714,400	689,400	664,400
9,360	9,380	892,600	867,600	842,600	817,600	792,600	767,600	742,600	717,600	692,600	667,600
9,380	9,400	895,800	870,800	845,800	820,800	795,800	770,800	745,800	720,800	695,800	670,800
9,400	9,420	899,000	874,000	849,000	824,000	799,000	774,000	749,000	724,000	699,000	674,000
9,420	9,440	902,200	877,200	852,200	827,200	802,200	777,200	752,200	727,200	702,200	677,200
9,440	9,460	905,400	880,400	855,400	830,400	805,400	780,400	755,400	730,400	705,400	680,400
9,460	9,480	908,600	883,600	858,600	833,600	808,600	783,600	758,600	733,600	708,600	683,600
9,480	9,500	911,800	886,800	861,800	836,800	811,800	786,800	761,800	736,800	711,800	686,800
9,500	9,520	915,000	890,000	865,000	840,000	815,000	790,000	765,000	740,000	715,000	690,000
9,520	9,540	918,200	893,200	868,200	843,200	818,200	793,200	768,200	743,200	718,200	693,200
9,540	9,560	921,400	896,400	871,400	846,400	821,400	796,400	771,400	746,400	721,400	696,400
9,560	9,580	924,600	899,600	874,600	849,600	824,600	799,600	774,600	749,600	724,600	699,600
9,580	9,600	927,800	902,800	877,800	852,800	827,800	802,800	777,800	752,800	727,800	702,800
9,600	9,620	931,000	906,000	881,000	856,000	831,000	806,000	781,000	756,000	731,000	706,000
9,620	9,640	934,200	909,200	884,200	859,200	834,200	809,200	784,200	759,200	734,200	709,200
9,640	9,660	937,400	912,400	887,400	862,400	837,400	812,400	787,400	762,400	737,400	712,400
9,660	9,680	940,600	915,600	890,600	865,600	840,600	815,600	790,600	765,600	740,600	715,600

월지급액 (천원)		공제대상 가족수별 원천징수 세액 (원)									
이상	이하	1인	2인	3인	4인	5인	6인	7인	8인	9인	10인
9,680	9,700	943,800	918,800	893,800	868,800	843,800	818,800	793,800	768,800	743,800	718,800
9,700	9,720	947,000	922,000	897,000	872,000	847,000	822,000	797,000	772,000	747,000	722,000
9,720	9,740	950,200	925,200	900,200	875,200	850,200	825,200	800,200	775,200	750,200	725,200
9,740	9,760	953,400	928,400	903,400	878,400	853,400	828,400	803,400	778,400	753,400	728,400
9,760	9,780	956,600	931,600	906,600	881,600	856,600	831,600	806,600	781,600	756,600	731,600
9,780	9,800	959,800	934,800	909,800	884,800	859,800	834,800	809,800	784,800	759,800	734,800
9,800	9,820	963,000	938,000	913,000	888,000	863,000	838,000	813,000	788,000	763,000	738,000
9,820	9,840	966,200	941,200	916,200	891,200	866,200	841,200	816,200	791,200	766,200	741,200
9,840	9,860	969,400	944,400	919,400	894,400	869,400	844,400	819,400	794,400	769,400	744,400
9,860	9,880	972,600	947,600	922,600	897,600	872,600	847,600	822,600	797,600	772,600	747,600
9,880	9,900	975,800	950,800	925,800	900,800	875,800	850,800	825,800	800,800	775,800	750,800
9,900	9,920	979,000	954,000	929,000	904,000	879,000	854,000	829,000	804,000	779,000	754,000
9,920	9,940	982,200	957,200	932,200	907,200	882,200	857,200	832,200	807,200	782,200	757,200
9,940	9,960	985,400	960,400	935,400	910,400	885,400	860,400	835,400	810,400	785,400	760,400
9,960	9,980	988,600	963,600	938,600	913,600	888,600	863,600	838,600	813,600	788,600	763,600
9,980	10,000	991,800	966,800	941,800	916,800	891,800	866,800	841,800	816,800	791,800	766,800
10,000	10,020	995,000	970,000	945,000	920,000	895,000	870,000	845,000	820,000	795,000	770,000
10,020	10,040	998,200	973,200	948,200	923,200	898,200	873,200	848,200	823,200	798,200	773,200
10,040	10,060	1,001,400	976,400	951,400	926,400	901,400	876,400	851,400	826,400	801,400	776,400
10,060	10,080	1,004,600	979,600	954,600	929,600	904,600	879,600	854,600	829,600	804,600	779,600
10,080	10,100	1,007,800	982,800	957,800	932,800	907,800	882,800	857,800	832,800	807,800	782,800
10,100	10,120	1,011,000	986,000	961,000	936,000	911,000	886,000	861,000	836,000	811,000	786,000
10,120	10,140	1,014,200	989,200	964,200	939,200	914,200	889,200	864,200	839,200	814,200	789,200
10,140	10,160	1,017,400	992,400	967,400	942,400	917,400	892,400	867,400	842,400	817,400	792,400
10,160	10,180	1,020,600	995,600	970,600	945,600	920,600	895,600	870,600	845,600	820,600	795,600
10,180	10,200	1,023,800	998,800	973,800	948,800	923,800	898,800	873,800	848,800	823,800	798,800
10,200	10,220	1,027,000	1,002,000	977,000	952,000	927,000	902,000	877,000	852,000	827,000	802,000
10,220	10,240	1,030,200	1,005,200	980,200	955,200	930,200	905,200	880,200	855,200	830,200	805,200

월지급액 (천원)		공제대상 가족수별 원천징수 세액 (원)									
이상	이하	1인	2인	3인	4인	5인	6인	7인	8인	9인	10인
10,240	10,260	1,033,400	1,008,400	983,400	958,400	933,400	908,400	883,400	858,400	833,400	808,400
10,260	10,280	1,036,600	1,011,600	986,600	961,600	936,600	911,600	886,600	861,600	836,600	811,600
10,280	10,300	1,039,800	1,014,800	989,800	964,800	939,800	914,800	889,800	864,800	839,800	814,800
10,300	10,320	1,043,000	1,018,000	993,000	968,000	943,000	918,000	893,000	868,000	843,000	818,000
10,320	10,340	1,046,200	1,021,200	996,200	971,200	946,200	921,200	896,200	871,200	846,200	821,200
10,340	10,360	1,049,400	1,024,400	999,400	974,400	949,400	924,400	899,400	874,400	849,400	824,400
10,360	10,380	1,052,600	1,027,600	1,002,600	977,600	952,600	927,600	902,600	877,600	852,600	827,600
10,380	10,400	1,055,800	1,030,800	1,005,800	980,800	955,800	930,800	905,800	880,800	855,800	830,800
10,400	10,420	1,059,000	1,034,000	1,009,000	984,000	959,000	934,000	909,000	884,000	859,000	834,000
10,420	10,440	1,062,200	1,037,200	1,012,200	987,200	962,200	937,200	912,200	887,200	862,200	837,200
10,440	10,460	1,065,400	1,040,400	1,015,400	990,400	965,400	940,400	915,400	890,400	865,400	840,400
10,460	10,480	1,068,600	1,043,600	1,018,600	993,600	968,600	943,600	918,600	893,600	868,600	843,600
10,480	10,500	1,071,800	1,046,800	1,021,800	996,800	971,800	946,800	921,800	896,800	871,800	846,800
10,500	10,520	1,075,000	1,050,000	1,025,000	1,000,000	975,000	950,000	925,000	900,000	875,000	850,000
10,520	10,540	1,078,200	1,053,200	1,028,200	1,003,200	978,200	953,200	928,200	903,200	878,200	853,200
10,540	10,560	1,081,400	1,056,400	1,031,400	1,006,400	981,400	956,400	931,400	906,400	881,400	856,400
10,560	10,580	1,084,600	1,059,600	1,034,600	1,009,600	984,600	959,600	934,600	909,600	884,600	859,600
10,580	10,600	1,087,800	1,062,800	1,037,800	1,012,800	987,800	962,800	937,800	912,800	887,800	862,800
10,600	10,620	1,091,000	1,066,000	1,041,000	1,016,000	991,000	966,000	941,000	916,000	891,000	866,000
10,620	10,640	1,094,200	1,069,200	1,044,200	1,019,200	994,200	969,200	944,200	919,200	894,200	869,200
10,640	10,660	1,097,400	1,072,400	1,047,400	1,022,400	997,400	972,400	947,400	922,400	897,400	872,400
10,660	10,680	1,100,600	1,075,600	1,050,600	1,025,600	1,000,600	975,600	950,600	925,600	900,600	875,600
10,680	10,700	1,103,800	1,078,800	1,053,800	1,028,800	1,003,800	978,800	953,800	928,800	903,800	878,800
10,700	10,720	1,107,000	1,082,000	1,057,000	1,032,000	1,007,000	982,000	957,000	932,000	907,000	882,000
10,720	10,740	1,110,200	1,085,200	1,060,200	1,035,200	1,010,200	985,200	960,200	935,200	910,200	885,200
10,740	10,760	1,113,400	1,088,400	1,063,400	1,038,400	1,013,400	988,400	963,400	938,400	913,400	888,400
10,760	10,780	1,116,600	1,091,600	1,066,600	1,041,600	1,016,600	991,600	966,600	941,600	916,600	891,600
10,780	10,800	1,119,800	1,094,800	1,069,800	1,044,800	1,019,800	994,800	969,800	944,800	919,800	894,800

월지급액 (천원)		공제대상 가족수별 원천징수 세액 (원)									
이상	이하	1인	2인	3인	4인	5인	6인	7인	8인	9인	10인
10,800	10,820	1,123,000	1,098,000	1,073,000	1,048,000	1,023,000	998,000	973,000	948,000	923,000	898,000
10,820	10,840	1,126,200	1,101,200	1,076,200	1,051,200	1,026,200	1,001,200	976,200	951,200	926,200	901,200
10,840	10,860	1,129,400	1,104,400	1,079,400	1,054,400	1,029,400	1,004,400	979,400	954,400	929,400	904,400
10,860	10,880	1,132,600	1,107,600	1,082,600	1,057,600	1,032,600	1,007,600	982,600	957,600	932,600	907,600
10,880	10,900	1,135,800	1,110,800	1,085,800	1,060,800	1,035,800	1,010,800	985,800	960,800	935,800	910,800
10,900	10,920	1,139,000	1,114,000	1,089,000	1,064,000	1,039,000	1,014,000	989,000	964,000	939,000	914,000
10,920	10,940	1,142,200	1,117,200	1,092,200	1,067,200	1,042,200	1,017,200	992,200	967,200	942,200	917,200
10,940	10,960	1,145,400	1,120,400	1,095,400	1,070,400	1,045,400	1,020,400	995,400	970,400	945,400	920,400
10,960	10,980	1,148,600	1,123,600	1,098,600	1,073,600	1,048,600	1,023,600	998,600	973,600	948,600	923,600
10,980	11,000	1,151,800	1,126,800	1,101,800	1,076,800	1,051,800	1,026,800	1,001,800	976,800	951,800	926,800
11,000	11,020	1,155,000	1,130,000	1,105,000	1,080,000	1,055,000	1,030,000	1,005,000	980,000	955,000	930,000
11,020	11,040	1,158,200	1,133,200	1,108,200	1,083,200	1,058,200	1,033,200	1,008,200	983,200	958,200	933,200
11,040	11,060	1,161,400	1,136,400	1,111,400	1,086,400	1,061,400	1,036,400	1,011,400	986,400	961,400	936,400
11,060	11,080	1,164,600	1,139,600	1,114,600	1,089,600	1,064,600	1,039,600	1,014,600	989,600	964,600	939,600
11,080	11,100	1,167,800	1,142,800	1,117,800	1,092,800	1,067,800	1,042,800	1,017,800	992,800	967,800	942,800
11,100	11,120	1,171,000	1,146,000	1,121,000	1,096,000	1,071,000	1,046,000	1,021,000	996,000	971,000	946,000
11,120	11,140	1,174,200	1,149,200	1,124,200	1,099,200	1,074,200	1,049,200	1,024,200	999,200	974,200	949,200
11,140	11,160	1,177,400	1,152,400	1,127,400	1,102,400	1,077,400	1,052,400	1,027,400	1,002,400	977,400	952,400
11,160	11,180	1,180,600	1,155,600	1,130,600	1,105,600	1,080,600	1,055,600	1,030,600	1,005,600	980,600	955,600
11,180	11,200	1,183,800	1,158,800	1,133,800	1,108,800	1,083,800	1,058,800	1,033,800	1,008,800	983,800	958,800
11,200	11,220	1,187,000	1,162,000	1,137,000	1,112,000	1,087,000	1,062,000	1,037,000	1,012,000	987,000	962,000
11,220	11,240	1,190,200	1,165,200	1,140,200	1,115,200	1,090,200	1,065,200	1,040,200	1,015,200	990,200	965,200
11,240	11,260	1,193,400	1,168,400	1,143,400	1,118,400	1,093,400	1,068,400	1,043,400	1,018,400	993,400	968,400
11,260	11,280	1,196,600	1,171,600	1,146,600	1,121,600	1,096,600	1,071,600	1,046,600	1,021,600	996,600	971,600
11,280	11,300	1,199,800	1,174,800	1,149,800	1,124,800	1,099,800	1,074,800	1,049,800	1,024,800	999,800	974,800
11,300	11,320	1,203,000	1,178,000	1,153,000	1,128,000	1,103,000	1,078,000	1,053,000	1,028,000	1,003,000	978,000
11,320	11,340	1,206,200	1,181,200	1,156,200	1,131,200	1,106,200	1,081,200	1,056,200	1,031,200	1,006,200	981,200
11,340	11,360	1,209,400	1,184,400	1,159,400	1,134,400	1,109,400	1,084,400	1,059,400	1,034,400	1,009,400	984,400

월지급액 (천원)		공제대상 가족수별 원천징수 세액 (원)									
이상	이하	1인	2인	3인	4인	5인	6인	7인	8인	9인	10인
11,360	11,380	1,212,600	1,187,600	1,162,600	1,137,600	1,112,600	1,087,600	1,062,600	1,037,600	1,012,600	987,600
11,380	11,400	1,215,800	1,190,800	1,165,800	1,140,800	1,115,800	1,090,800	1,065,800	1,040,800	1,015,800	990,800
11,400	11,420	1,219,000	1,194,000	1,169,000	1,144,000	1,119,000	1,094,000	1,069,000	1,044,000	1,019,000	994,000
11,420	11,440	1,222,200	1,197,200	1,172,200	1,147,200	1,122,200	1,097,200	1,072,200	1,047,200	1,022,200	997,200
11,440	11,460	1,225,400	1,200,400	1,175,400	1,150,400	1,125,400	1,100,400	1,075,400	1,050,400	1,025,400	1,000,400
11,460	11,480	1,228,600	1,203,600	1,178,600	1,153,600	1,128,600	1,103,600	1,078,600	1,053,600	1,028,600	1,003,600
11,480	11,500	1,231,800	1,206,800	1,181,800	1,156,800	1,131,800	1,106,800	1,081,800	1,056,800	1,031,800	1,006,800
11,500	11,520	1,235,000	1,210,000	1,185,000	1,160,000	1,135,000	1,110,000	1,085,000	1,060,000	1,035,000	1,010,000
11,520	11,540	1,238,200	1,213,200	1,188,200	1,163,200	1,138,200	1,113,200	1,088,200	1,063,200	1,038,200	1,013,200
11,540	11,560	1,241,400	1,216,400	1,191,400	1,166,400	1,141,400	1,116,400	1,091,400	1,066,400	1,041,400	1,016,400
11,560	11,580	1,244,600	1,219,600	1,194,600	1,169,600	1,144,600	1,119,600	1,094,600	1,069,600	1,044,600	1,019,600
11,580	11,600	1,247,800	1,222,800	1,197,800	1,172,800	1,147,800	1,122,800	1,097,800	1,072,800	1,047,800	1,022,800
11,600	11,620	1,251,000	1,226,000	1,201,000	1,176,000	1,151,000	1,126,000	1,101,000	1,076,000	1,051,000	1,026,000
11,620	11,640	1,254,200	1,229,200	1,204,200	1,179,200	1,154,200	1,129,200	1,104,200	1,079,200	1,054,200	1,029,200
11,640	11,660	1,257,400	1,232,400	1,207,400	1,182,400	1,157,400	1,132,400	1,107,400	1,082,400	1,057,400	1,032,400
11,660	11,680	1,260,600	1,235,600	1,210,600	1,185,600	1,160,600	1,135,600	1,110,600	1,085,600	1,060,600	1,035,600
11,680	11,700	1,263,800	1,238,800	1,213,800	1,188,800	1,163,800	1,138,800	1,113,800	1,088,800	1,063,800	1,038,800
11,700	11,720	1,267,000	1,242,000	1,217,000	1,192,000	1,167,000	1,142,000	1,117,000	1,092,000	1,067,000	1,042,000
11,720	11,740	1,270,200	1,245,200	1,220,200	1,195,200	1,170,200	1,145,200	1,120,200	1,095,200	1,070,200	1,045,200
11,740	11,760	1,273,400	1,248,400	1,223,400	1,198,400	1,173,400	1,148,400	1,123,400	1,098,400	1,073,400	1,048,400
11,760	11,780	1,276,600	1,251,600	1,226,600	1,201,600	1,176,600	1,151,600	1,126,600	1,101,600	1,076,600	1,051,600
11,780	11,800	1,279,800	1,254,800	1,229,800	1,204,800	1,179,800	1,154,800	1,129,800	1,104,800	1,079,800	1,054,800
11,800	11,820	1,283,000	1,258,000	1,233,000	1,208,000	1,183,000	1,158,000	1,133,000	1,108,000	1,083,000	1,058,000
11,820	11,840	1,286,200	1,261,200	1,236,200	1,211,200	1,186,200	1,161,200	1,136,200	1,111,200	1,086,200	1,061,200
11,840	11,860	1,289,400	1,264,400	1,239,400	1,214,400	1,189,400	1,164,400	1,139,400	1,114,400	1,089,400	1,064,400
11,860	11,880	1,292,600	1,267,600	1,242,600	1,217,600	1,192,600	1,167,600	1,142,600	1,117,600	1,092,600	1,067,600
11,880	11,900	1,295,800	1,270,800	1,245,800	1,220,800	1,195,800	1,170,800	1,145,800	1,120,800	1,095,800	1,070,800
11,900	11,920	1,299,000	1,274,000	1,249,000	1,224,000	1,199,000	1,174,000	1,149,000	1,124,000	1,099,000	1,074,000

월지급액 (천원)		공제대상 가족수별 원천징수 세액 (원)									
이상	이하	1인	2인	3인	4인	5인	6인	7인	8인	9인	10인
11,920	11,940	1,302,200	1,277,200	1,252,200	1,227,200	1,202,200	1,177,200	1,152,200	1,127,200	1,102,200	1,077,200
11,940	11,960	1,305,400	1,280,400	1,255,400	1,230,400	1,205,400	1,180,400	1,155,400	1,130,400	1,105,400	1,080,400
11,960	11,980	1,308,600	1,283,600	1,258,600	1,233,600	1,208,600	1,183,600	1,158,600	1,133,600	1,108,600	1,083,600
11,980	12,000	1,311,800	1,286,800	1,261,800	1,236,800	1,211,800	1,186,800	1,161,800	1,136,800	1,111,800	1,086,800
12,000	12,000	1,315,000	1,290,000	1,265,000	1,240,000	1,215,000	1,190,000	1,165,000	1,140,000	1,115,000	1,090,000
12,000	초과	12,000천원 초과금액의 20% 상당액									

| 저 | 자 | 소 | 개 |

■ 구 재 이

【학력 · 약력】
- 국립세무대 내국세학과
- 가천대 경영학박사
- 고려대 법학박사(수료)
- (現)세무법인 굿택스 대표이사
- (現)대통령직속 재정개혁특별위원회 위원
- (現)기획재정부 국세예규심사위원
- (現)국세청 국세심사위원
- (現)국정과제 및 정부업무평가위원
- (現)서울시 마을세무사 · 공익감사단 위원
- (現)국세신문, 조세일보 논설위원
- (現)광주시정혁신기획위원장
- 한국세무사고시회 제22대 회장
- 사단법인 한국조세연구포럼 제12대 학회장
- 가천대 경영학부 겸임교수
- 국세청 국제행정개혁 TF위원
- 국정기획자문위원회 경제1분과 전문위원
- 참여연대 조세개혁센터 실행위원 및 부소장
- 한국세무사회 연구이사
- 한국조세재정연구원 객원연구원
- 국세청 공평과세추진 및 평가위원회 위원, 서면질의심의위원
- 국민권익위원회 전문위원, 규제심사위원회 위원
- 행정자치부 지방세과표심의위원회 위원
- 중부지방국세청 납세자권익존중위원회 위원
- 웅지세무대, 강남대, 경희대 · 고려대 대학원 외 강사

【저서 · 논문】
- 세금 알아야 바꾼다, 메디치미디어, 2018
- 업무용승용차 손금특례실무, 삼일인포마인, 2017
- 성실신고확인실무, 삼일인포마인, 2017
- 조세절차론, 광교이택스, 2010
- 알기쉬운 소득세법(공저), 기획재정부, 2011~2012
- 성실신고확인제도 해설, 한국세무사고시회, 2011~2016
- 조세실무편람(공저), 한국세무사고시회, 2012~2016
- 우리나라 세무조사제도의 적정성확보방안, 전경련, 2002
- 성실신고확인제도의 문제점 및 개선방안, 법제연구, 2015
- 납세자권익보호와 과세관청의 과세권행사간의 조화(공저), 한국조세재정연구원, 2014
- 세무조사실무, 한국세무사회, 2012
- 납세자권익 보장을 위한 조세입법개선방안, 국회, 2011
- 납세자권리의 보장수준에 관한 연구(박사학위), 가천대, 2007
- 납세문화정착을 위한 국세행정개선방안(공저), 한국조세연구포럼, 2004
- 우리나라 세무조사제도의 문제점과 개선방안에 관한 연구(석사학위), 고려대, 2002

종교인소득세 길라잡이
개정증보판
종교단체 세무

2018년 1월 25일 초판 발행
2019년 2월 13일 2판 발행

저 자 구 재 이
발 행 인 송 상 근
발 행 처 **삼일인포마인**

저자협의
인지생략

서울특별시 용산구 한강대로 273 용산빌딩 4층
등록번호 : 1995. 6. 26 제3－633호
전 화 : (02) 3489－3100
F A X : (02) 3489－3141
I S B N : 978－89－5942－711－6 93320

♣ 파본은 교환하여 드립니다.
정가 18,000원